水利工程土工合成材料应用技术

徐又建　李希宁　孟祥文　郭学鑫　编著

黄河水利出版社
·郑州·

内 容 提 要

本书系统介绍了土工合成材料在水利工程应用中的有关原理、设计、施工及管理等内容，在吸收国外先进技术的同时，尽可能反映国内近期土工合成材料的工程实践经验和有关科研成果，并与我国最新发布的有关规范、规程接轨。全书共分绪论、土工合成材料的种类及工程特性、反滤与排水、土工膜防渗结构、土工合成材料加筋工程、江河堤岸与坝坡防护、防汛抢险及土工合成材料工程的施工与运用等八章。内容翔实，融科学性和实用性于一体，既有严谨的理论分析，又有丰富的工程实例，图文并茂。本书适合从事水利工程设计、施工、科研及管理人员，大专院校相关专业师生及土建技术人员阅读参考。

图书在版编目(CIP)数据

水利工程土工合成材料应用技术/徐又建，李希宁等编著.—郑州：黄河水利出版社，2000.10（2004.7重印）

ISBN 7-80621-400-3

Ⅰ.水…　Ⅱ.①徐…　②李…　Ⅲ.水利工程：土木工程-合成材料　Ⅳ.TV4

中国版本图书馆CIP数据核字(2000)第42784号

责任编辑：王路平　　封面设计：朱　鹏

责任校对：赵宏伟　　责任印制：常红昕

出版发行：黄河水利出版社

地址：河南省郑州市金水路11号　邮编：450003

发行部电话(传真)：(0371)6022620

E-mail：yrcp@public.zz.ha.cn

印　刷：黄河水利委员会印刷厂

开　本：787mm×1092mm　1/16　　印　张：15.25

版　次：2000年10月　第1版　　印　数：3 501—5 500

印　次：2004年7月　郑州第2次印刷　　字　数：350千字

定　价：30.00元

前 言

土工合成材料是20世纪50年代末期发展起来的一种新型土工建筑材料，它以高分子聚合物为原料制成，包括土工织物、土工膜、土工网、土工格栅、土工排水板及土工垫等众多产品，在水利水电、公路、铁路、海港、采矿、军工等工程各个领域都得到广泛的应用。由于土工合成材料用途多样，性能卓越，施工方便，可以大幅度降低工程造价，大量减少砂石料用量(这对缺少砂石料的平原地区意义更为重大)，大量减少劳力消耗和材料运量，因而受到工程界的普遍重视和欢迎，被誉为岩土工程的一次革新。

与国外相比，我国土工合成材料事业起步较晚，从20世纪70年代末算起，只有20多年的历史，最近10年发展较快，特别是1998年长江、松花江抗洪抢险斗争以后，在我国国家领导人亲自关注下，颁布了有关土工合成材料工程设计、施工等方面的技术规范，极大地推动了我国土工合成材料工程事业的发展，并使之进入了一个快速发展的新时期。

目前，土工合成材料工程作为一项新技术，经过大量的生产实践和科学试验，已经积累了丰富的实践经验和大量的科研成果，有了一套比较系统的设计计算理论。但是，由于高分子合成材料性质的特殊性和它与土体相互作用的复杂性，不少作用机制还有待于进一步揭示，结构构造和设计计算方法亦有待改进、完善和创新。

因此，出版一部能系统反映土工合成材料工程的最新成果，指导工程技术人员应用现有资料，正确领会规范精神实质，搞好设计、施工及管理的专门著作，克服目前此类专著数量少、未能反映新规范的技术要求等缺点，对于推广和发展该项工程学科是非常必要的，也是从事水利水电、公路、铁路、港口、建筑等有关工程技术人员的迫切要求。作者长期从事土工合成材料工程应用的科研和工程实践，希望此书能成为从事水利及有关土建工程技术人员学习土工合成材料工程的基础理论，了解当前国内外该项技术的发展水平，比较系统地掌握工程设计、施工和管理中的具体技术问题的专业参考书。

本书除供水利水电及治河专业工程技术人员参考外，还可作为专业培训和大专院校相关专业师生及土建技术人员学习用书。

本书内容大体可分为两大部分，第一部分包括绪论和土工合成材料的种类及工程特性等两章，主要阐述土工合成材料的基本概念、名称由来、发展简史、产品种类、土工合成材料的基本物理力学性能和它在工程应用中所发挥的基本功能。读者通过这部分内容可以基本了解土工合成材料的基本知识及其在水利及土建工程中的应用概况，并为深入学习专业技术知识打下基础。

第二部分包括反滤与排水、土工膜防渗结构、土工合成材料加筋工程、江河堤岸与坝坡防护、防汛抢险及土工合成材料工程的施工与运用等六章，主要介绍土工合成材料在水利水电及治河工程应用中的工作机理、结构构造、设计计算原理和方法，以及规范要求，等等。显然，学习这些具有共性的基本理论、原则，对于在具体工程中应用土工合成材料，选择合适的结构造型、细部构造，正确判定其工作情况，选择合理的设计计算方法等是具有指导性意义的。

本书注重理论联系实际，在阐述原理的同时，列举了大量的工程实例，介绍了土工合成材料在水库、闸坝工程、河道治理工程和防洪抢险中的具体应用，引导读者应用专业知识去解决工程的实际问题，提高设计、施工、管理等实际应用能力。

本书由徐又建、李希宁、孟祥文、郭学鑫共同编著，具体分工如下：

徐又建：第一章、第二章、第四章；

李希宁：第五章、第六章；

孟祥文：第七章、第八章、第四章部分内容；

郭学鑫：第三章、第一章部分内容、第五章部分内容。

在编著过程中，作者曾多次对全书内容进行过讨论修改，最后由徐又建统一修改定稿。山东黄河河务局火传斌、李莉、李民东、周万军、赵衍湖、李明、曹洪海、张庆彬、陈庆胜和山东工业大学宋素贞等同志在插图绘制、校对及资料提供和核查等方面做了大量工作，在此表示衷心感谢。

由于土工合成材料在水利水电、治河工程中的不少技术问题有待发展、研究，加上作者的水平和经验有限，难免有疏漏和不当之处，望读者批评指正。

编著者

2000 年 5 月

目 录

第一章 绪 论

第一节 土工合成材料及土工合成材料工程

土工合成材料(或称土工聚合物)是土木建筑工程(以下称土建工程)中以高分子聚合物为原料制成的各种人工合成材料的总称。它包括各种塑料、合成纤维、合成橡胶制成的土工织物、土工膜、土工塑料板、土工网、土工格栅、土工垫、土工绳索制品以及由两种以上的土工合成材料或与其他有关材料复合(或组合)而成的复合型土工材料。例如,由土工织物与土工膜复合而成的复合土工膜及由塑料槽形板与土工织物组合而成的土工排水板,等等。而以土工合成材料为主体构筑而成的工程结构,则可称其为土工合成材料工程。例如,用土工膜或复合土工膜为主体构筑的堤坝防渗结构;用土工织物、土工带、土工网或土工格栅构筑而成的各种加筋挡墙、加筋土陡坡和用土工排水板及其他土工合成材料构筑而成的土工排水系统,等等。

第二节 土工合成材料工程发展简史❶❷

土工合成材料作为一种新的土建工程建筑材料的历史不长,即使自1930年首次由美国杜邦公司制成现代聚酰胺(尼龙)合成纤维,1940年成为商品以来,也只有60多年的历史。但由于合成纤维发展速度很快,在很短时间内不仅在民用上风靡全球,而且很快就超出民用范围,扩大到工业、土建工程和军事等部门,发展成为一种新型的土建工程材料。土工合成材料最早用于土建工程的确切年代尚待考证。但土工薄膜的应用则可追溯到20世纪30年代,先用于游泳池和灌溉渠道防渗,然后发展到土石坝、水闸及其他土建工程。至于将合成纤维材料真正应用于土建工程,则是从20世纪50年代末期开始的。

1957年,荷兰用尼龙有纺织物做成充砂管袋用于护岸和堵口工程。

1958年,美国在佛罗里达州大西洋海岸防护工程中,将聚氯乙烯有纺织物代替传统的砂砾石滤层置于土与块石之间,经过27年的运用,情况仍然良好。

1959年,在日本伊势湾修复围堤沉排时,采用维尼纶编织布替代沉排。5年后检查未发现腐蚀现象,强度也没有明显下降。

1962年,美国杜邦公司开发纺粘法长纤维无纺布以取代短纤维无纺布,作为滤层和导水体应用于道路和护岸等土木工程。

---

❶ 刘宗耀．土工合成材料在我国的应用．全国第二届土工合成材料学术讨论会论文,1989

❷ J.P.Giroud. 从土工织物到土工合成材料——岩土工程领域的一场革命．王正宏译．水利科技译文集．河北省水利勘测设计院,1986

1967年，英国、日本应用土工格栅修建加筋土堤，并予以推广。

总之，从20世纪50年代末期开始至60年代期间，有纺和无纺土工织物在土建工程(特别是水利工程)中成功地用作反滤、排水及隔离材料，推动了土工合成材料的应用，形成了产品市场，品种和质量都得到进一步的发展和提高。

20世纪70年代，由于纺粘法无纺布的大量生产，使土工织物的应用有了新的发展，其特点首先是应用范围日益广泛，在水利水电、海港、公路、铁路、建筑和国防等各个领域中都得到应用；其次，像美国陆军工程师兵团水力学研究室等科研、教学单位都针对土工合成材料的应用开展了系统的试验和理论研究工作，大大促进了土工合成材料科学的发展。例如，1970年法国修建的法拉克罗斯(Viacros)土坝，就在上游块石护坡底层和下游坝趾排水体周围铺设了土工织物；以后，几乎每座土石坝出于不同原因都使用了土工织物，土工织物在法国得到了广泛应用。

1977年，在法国召开了首届国际土工织物会议。

从1978年开始，在坝高达80 m的土坝中也采用土工织物排水和反滤系统，如西德的佛朗奥(Frauancu)坝和南非的斯特里基多姆(Strijdom)坝。

20世纪80年代以后，土工合成材料的应用又有了新的飞跃，产品型式不断革新，各种复合型、组合型土工合成材料不断涌现。据统计，1985年国外生产土工织物的大公司就接近40家，其中美国的杜邦公司、法国的罗纳普朗克公司等都在国际上享有盛名，前者年产土工织物4.6万t，可提供24种不同性能和用途的土工织物。到1984年，全世界使用土工合成材料的工程超过10万项，铺设土工织物面积超过3亿m^2。

1982年，在美国召开了第二届国际土工织物会议(讫后每4年召开一次)。1983年成立了国际土工织物学会(简称IGS)。土工合成材料工程逐渐形成一门以岩土力学和工程力学为基础，与高分子聚合物及纺织工业生产相连系，应用于土建各个领域的新的边缘学科。

土工合成材料在我国的应用开始于20世纪60年代中期，首先是把塑料薄膜用于灌溉渠道防渗，较早的工程有山东打渔张灌区、河南人民胜利渠、陕西人民引渭工程等，主要是聚氯乙烯(个别为聚乙烯)，以后推广到蓄水池、水库和闸坝工程。1965年，桓仁水电站用沥青聚氯乙烯热压膜锚固并粘贴于混凝土支墩坝上游面，防治裂缝漏水获得成功，是我国采用土工合成材料处理混凝土坝裂缝的首例。同年，河北省子牙新河献渠枢纽工程，采用粘土夹塑料薄膜构筑进洪闸上游铺盖的防渗结构。此后，宁夏、陕西、北京、河北、山东、辽宁、黑龙江等地也都在中小型(后来推广到大型)水库及土石坝(包括补强除险工程)中使用土工膜或复合土工膜防渗，并取得了良好效果。

我国在土工织物应用方面起步较晚，但发展速度很快。1974年，在江苏省长江嘶马护岸工程中，首先使用由聚丙烯扁丝编织布为排体，结合聚氯乙烯绳网和混凝土块压重组成软体沉排，防止河岸冲刷。

80年代以后，土工织物的应用日渐增多，尤其是针刺型土工织物在水利工程中的应用，发展更为迅速。仅1984～1986年3年时间，云南麦子河水库、江苏昆山暗管排水、内蒙的翰嘎利水库、天津鸭淀水库、黑龙江的引嫩工程、河北的庙宫、山东省牟山水库、广北引黄平原水库等，都用其做反滤排水，效果良好。不久，无纺土工织物的应用范围很快扩展到储灰坝、尾矿坝、港口码头、海岸护坡及储油罐等地基处理领域。一大批生产针刺无纺织物的工厂也应运而生,纷纷建成投产。

此外,土工排水板、土工网、土工格栅和土工模袋等土工合成材料在我国也得到长足发展。土工合成材料的应用领域已扩大到高速公路、铁路、飞机场、电厂、井灌、民用建筑等几乎所有土建工程行业。

及至20世纪90年代末期,由于土工合成材料所具有的功能和特性及其在工程实践中的卓越成效,引起了全国有关部门的充分重视,土工合成材料开始在一些国家大型重点工程中得以应用。如三峡工程、秦山核电工程、长江口整治工程、治黄工程、治淮工程、京杭大运河、大型引黄平原水库工程和江河防汛抢险等,并获得了较大的技术经济效益和社会效益。国内有关科研机构、大专院校、设计部门结合工程实际建立专项研究课题,进行长期系统的科学研究,培养出一批专攻土工合成材料工程技术的硕士研究生、博士研究生。

据初步统计,到1995年,我国应用土工织物的工程项目累计超过1万个,使用土工织物近5亿m^2。

1995年,在1984年成立的全国土工合成材料技术协作网的基础上,成立了中国土工合成材料工程协会。1996年在上海召开了第四届全国土工合成材料学术讨论会暨第一届国际土工合成材料展览会,有力地推动了土工合成材料工程技术的发展。

1998年末至1999年初,在我国国家领导人关注下,国家有关部门用最快的速度制定并颁布了第一个土工合成材料应用技术国家标准《土工合成材料应用技术规范》(GB50290—98)以及水利部发布的《水利水电工程土工合成材料应用技术规范》(SL/T225—98)和《土工合成材料测试规程》(SL/T235—1999)、铁道部发布的《铁路路基土工合成材料应用技术规范》(TB10118—99)、交通部发布的《公路土工合成材料应用技术规范》(JTJ/T019—98)和《水运工程土工织物应用技术规程》(JTJ/T239—98)等6个专门规范及规程。这些规范及规程科学地总结了国内外土工合成材料工程技术的经验教训,为今后土建工程领域内全面推广应用该项技术提供了依据,成为我国土工合成材料工程技术发展的里程碑。从此,工程设计、施工部门把土工合成材料技术正式列入了工程设计、施工议程。

第三节　土工合成材料的主要功能

土工合成材料在土建工程中应用时,不同的材料,用在不同的部位,能起到不同的作用,这就是土工合成材料的功能。这些功能主要可归纳为六类,即反滤、排水、隔离、防渗、防护和加筋。应当指出,在实际使用时,一种土工合成材料往往兼有数种功能,随着复合土工合成材料的发展,材料的多重功能将会更为突出。现概括简述如下。

一、反滤功能

由于土工织物具有良好的透水性和阻止颗粒通过的性能,是用作反滤设施的理想材料,在土石坝、土堤、路基、涵闸、挡墙等各种土建工程中,用以替代传统的砂砾反滤设施,不仅可以获得巨大的经济效益,而且技术性能亦将大为提高。

用作反滤的土工织物一般是非织造型(无纺)土工织物,有时也可使用织造型土工织物。

二、排水功能

具有一定厚度的土工织物或土工席垫，具有良好的垂直和水平透水性能，可用作排水设施，有效地把土体中的水分汇集之后予以排出。例如，用以降低坝身浸润线，控制渗透变形的坝身及坝基排水；减小孔隙压力，防止土坡失稳的土坡排水；消减墙后水压力，提高墙体稳定性的挡墙墙背排水；以及加速土体固结，提高地基承载力的软土地基排水，等等。

三、隔离功能

将土工合成材料放置在两种不同材料之间，或两种不同土体之间，使其隔离开来。隔离可以产生很多好的工程技术效果，当结构承受外部荷载作用时，隔离作用使材料不致互相混杂或流失，从而保持其整体结构和功能。例如，土石坝、堤防、路基等不同材料的各界面之间的分隔层；在冻胀性土中，用以切断毛细水流以消减土的冻胀和上层土融化而引起的沉陷或翻浆现象，以及防止粗粒材料陷入软弱路基和防止开裂反射到表面的作用，等等。显然，如果从更广泛的角度考虑，用土工织物作反滤和用土工膜防渗也是一种隔离作用。

四、防渗功能

土工膜及复合土工膜防渗性能很好，其渗透系数一般为 $10^{-11} \sim 10^{-15}$ cm/s。土工膜可以用于各种防水、防气以及防有毒害物质的地方，例如土石坝及堤防的防渗结构、闸坝工程的水平防渗铺盖及垂直防渗墙、渠道和蓄水池防渗衬砌、碾压混凝土坝及浆砌石坝的防渗面层等。

五、防护功能

防护功能是指土工合成材料及由土工合成材料为主体构成的结构或构件对土体起到的防护作用。例如，目前应用最多的表面保护措施，就是把拼成大片的土工织物，或者是用土工合成材料做成土工膜袋、土枕、石笼或各种排体铺设在需要保护的岸坡、堤脚及其他需要保护的地方，用以抵抗水流及波浪的冲刷和侵蚀。此外，将土工织物置于两种材料之间，当一种材料受力时，它可使另一种材料免遭破坏。例如，干砌石护面的土工织物垫层就是内部接触面保护的一个典型。

六、加筋功能

所谓加筋就是将具有高拉伸强度、拉伸模量和表面摩擦系数较大的土工合成材料（筋材）埋入土体中，通过筋材与周围土体界面间摩阻力的应力传递，约束土体受力时侧向位移，从而提高土体的承载力或结构的稳定性。用于加筋的土工合成材料有编织土工织物、土工拉筋带、土工网和土工格栅，较多地应用于软弱地基处理、陡坡、路堤、挡土墙等边坡稳定方面。在填土中随机地掺入人工合成短纤维则成为加筋纤维土，其作用仍然是提高土体承受荷载能力。

最后再次指出，在实际应用中，土工合成材料通常同时发挥着数种功能，例如排水和反滤、隔离和防冲，经常是联系在一起的。上述功能的划分则是为了探讨土工合成材料在实际应用中所起的主要作用。此外,有的土工合成材料还有一些不包括在上述六大功能之内的功能。例如,利用泡沫塑料质量轻、变形特大的特点,用以替代工程结构中某些部位的填土,则可大幅度减少其荷载强度和填土产生的压力,这就是所谓减荷功能。

同样,有的土工合成材料具有很好的隔热、保温性能,在严寒地区修建的大型渠道和道路工程中,使用这种土工合成材料作为渠道保温衬砌和道路隔离层时,主要是利用其隔热、保温功能。

图 1-1 至图 1-7 就是土工合成材料各种主要功能的应用示意。

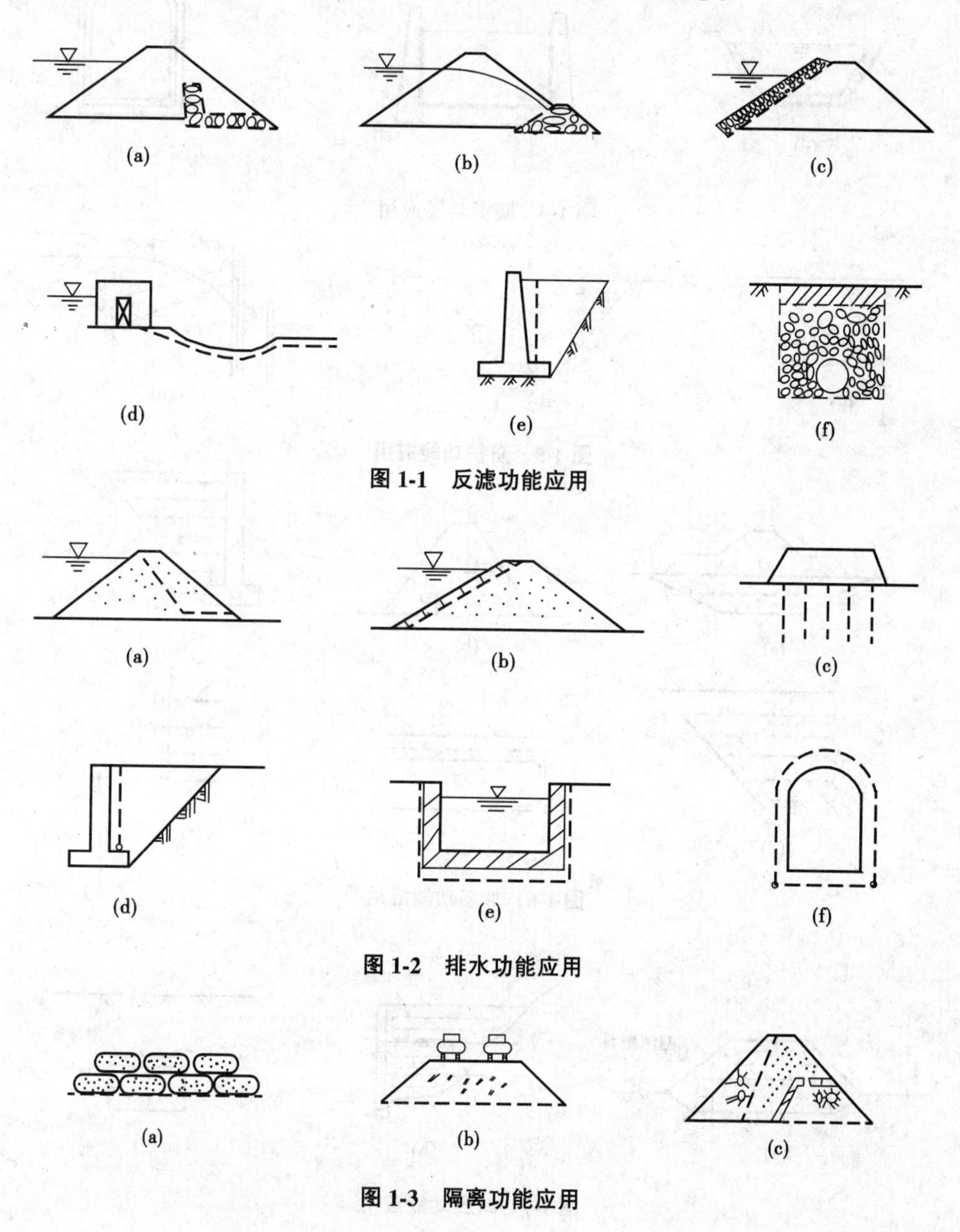

图 1-1　反滤功能应用

图 1-2　排水功能应用

图 1-3　隔离功能应用

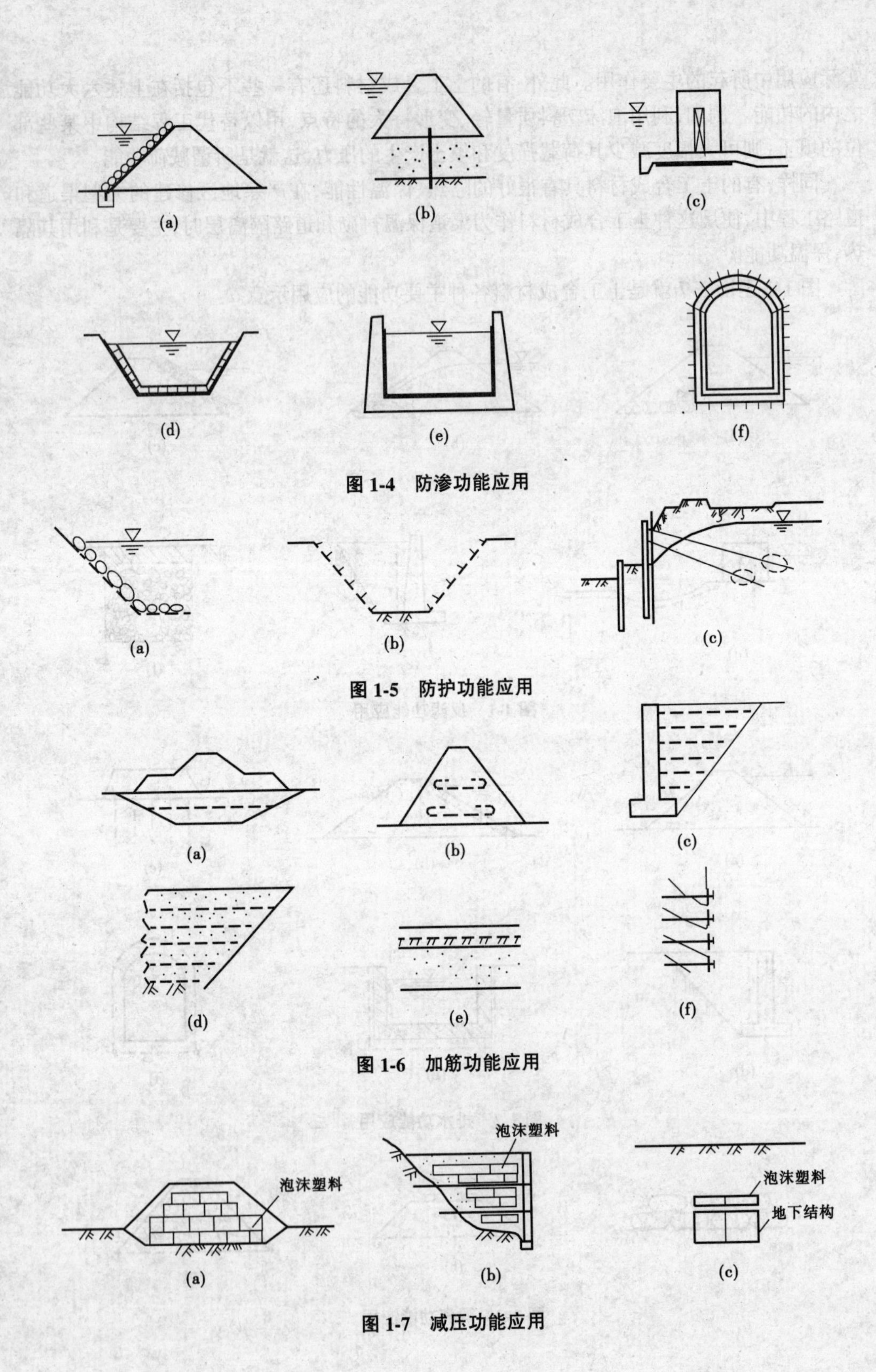

图 1-4　防渗功能应用

图 1-5　防护功能应用

图 1-6　加筋功能应用

图 1-7　减压功能应用

第四节　土工合成材料在土建工程中的应用与展望

土工合成材料作为一种新型的建筑工程材料，已经显示其独特的优越性和强大的生命力。随着我国国民经济的发展和高分子聚合物生产工业及纺织工业技术进一步提高，将会在更多的工程领域内，更大规模地予以使用。土工合成材料所具有的强度高，重量轻；防渗、反滤、隔离、排水、加筋、防护性能可靠；施工简易，速度快，节省劳力，便于运输，与传统的砂、石材料相比可以大大减少运输量(这在缺少砂石料的平原地区，优点更为突出)；耐腐蚀、耐久性好，使用寿命较长和能够大幅度降低工程造价等优点也将进一步得到发挥。

根据云南麦子河水库土坝和山东引黄平原水库围坝建设等工程实践，用土工织物代替砂砾反滤料，可节省投资30%～50%以上。

青岛前湾港区工作船港池防波堤，为保证施工和使用时的稳定，采取了部分清淤、换填砂垫层和土工织物垫层结合反压台的方案，较原设计少填筑2 m砂垫层，仅此一项就节省投资100万元，并使工期缩短1年还多，经济效益和社会效益均十分可观。

我国土工合成材料事业，从原材料生产、工程应用到科学研究等各个方面，都取得了显著成绩。我们从德国、英国、瑞士、日本、意大利等国家引进了一大批先进生产设备和全套流水线，国内也自行设计加工生产了一些新型设备。目前，无论是产品的品种、规格，还是产品的质量、数量均可基本满足国内各项工程的需求。同时，我国在土工合成材料工程的设计理论、施工技术、试验及测试技术等方面也取得不少突破，为正确应用该项技术提供了基本保证。但是，与世界发达国家相比，无论是产品质量、品种类型，还是设计、施工技术都还有一定的差距，尚需进一步提高产品质量，增加品种，深化试验研究，扩大应用范围，提高设计水平，加强施工技术研究，强化施工管理，确保施工质量的可靠性，也就是说需要在提高现有产品质量的前提下，进一步开发新产品、新技术，扩大应用领域，完善和发展符合土工合成材料工程实际的设计理论和施工方法，土工合成材料工程前景是广阔的。

以下从土建工程角度考虑，提出今后土工合成材料应用潜力较大的几个领域，供读者参考。

一、水利水电建设方面[1]

就当前我国而言，水利水电是土工合成材料应用最广泛、用量最大、应用品种最多的工程部门。主要用于土石坝、堤防、水闸、护岸、河道整治及农田水利等工程建筑物和软弱地基加固、反滤、加筋、防渗等方面。但是，囿于技术、经济等各种原因，发展很不平衡。总的情况是东南沿海地区和技术比较先进的地区推广应用较多，技术落后(包括思想保守)地区则应用较少。此外，技术信息短缺、业务的欠缺、主管部门推广不力和缺乏可以遵循

[1] 徐又建．山东土工合成材料进展与思考．山东省水利系统土工合成材料应用技术研讨会论文，2000

的技术规范规程等也是造成这种不平衡的一种原因。

近年来,随着国内土工合成材料工程技术的成熟和国家技术规范规程的发布,并在长江三峡工程、长江口综合开发整治工程、治黄工程和一些大型水利水电工程得到应用,标志着今后土工合成材料在水利水电领域内的应用,将从中小型发展到大型,从试用发展到正常使用甚至是优先使用,应用部位也从比较次要的部位、中低水头,发展到高水头、关键部位。因此,提高质量,增加品种,满足水利水电工程各种要求,将是今后一个阶段的主攻方向,产量也将会逐年有较大增长,有人估计近年来土工织物产量年增长为20%左右。

二、防汛抢险方面[1]

自古以来,洪涝灾害就是中华民族的心腹之患。据不完全统计,自西汉至中华人民共和国成立的2 155年间,共发生可考证的洪水灾害有1 092次,黄河决溢1 000余次,重大改道26次,波及范围北抵天津,南达江淮,纵横28万km^2,长江较大洪水200余次,平均10年1次。因此,历代都把防治洪水作为治国安邦的大事。中华人民共和国成立后,对主要江河进行了大规模治理,防洪减灾成效显著,但是由于气候的异常变化,人类活动对生态环境的影响,我国的防洪形势仍十分严峻,例如1954年长江,1963年海河,1975年淮河,1991年江、淮,1994年珠江,1995～1996年湘、资、沅水及赣江,1998年长江及松花江等相继发生大洪水,经济损失均以千亿计。特别是1998年的特大洪水,受淹面积达6 610 km^2,受害人口2.3亿,直接经济损失高达2 600多亿元。因此,增强水患意识,更有效地防治洪水灾害,已成为我国日益迫切的任务。由于我国主要江河现已达到的防洪标准普遍较低,洪灾频发区经济发达,人口密集,因此,全国各地每年都要在防汛上投入大量的人力、财力和物力。

防汛抢险的大量实践表明,土工合成材料是一种比较理想的防汛抢险材料。它与传统的防汛材料(草袋、梢料、木桩、抛石等)相比,具有强度高、重量轻、工业化生产、供应有保证、耐久性好、耐摩擦、抗滑稳定性好和便于运输、便于加工、便于铺设及投放等优点。例如,我国每年汛期各地都要储备大量草袋、麻袋,以备抢险急需,仅中央防办就要储备300万只。由于草袋、麻袋极易腐烂,常需年年更换,耗费甚巨,而土工编织袋体积及重量只有麻袋的1/8,耐储存,柔性好,经过特殊处理的土工编织袋与土工布和细砂之间的摩擦系数分别为0.567和0.584,均高于麻袋。至于像柳枝、梢料和木桩等材料不仅费用高,而且破坏生态环境,来源日益枯竭。至于土工合成材料在质量和技术效果方面的优越性则更是传统材料所无法比拟的。根据我国近20年在防汛抢险中的实践,可概括为效果好、速度快、耗费省等三大优点。例如,在防汛抢险中比较难处理的散浸、管涌险情,现在只要铺一块土工布(排),就能很快堵住漏洞,效果好,速度快,工料都比较节省。

可以预见,随着社会对防汛要求的提高,大量采用工业化生产、适合防汛抢险需要的土工合成材料防汛是必然的趋势。例如,专用的编织袋,抗冲、防漏及抗管涌的土工布排及采用土工网、土工格栅和土工绳网做成的各种碎石枕、石笼及防冲体,等等。

---

[1] 王正宏.全国土工织物在防汛抢险中的应用经验交流会总结.全国土工织物在防洪抢险中的应用经验交流会文集.中国水利学会岩土力学专业委员会水利部长江水利委员会编印,1990

三、港湾与海岸工程建设方面

港湾与海岸工程是最早使用土工合成材料的工程部门之一,情况与水利水电工程类似,主要用作反滤材料、软土地基加固、海岸防护及防波堤工程。随着经济建设的发展和海岸防护工程标准的提高,土工合成材料的应用前景十分广阔,而且具有工程规模大、技术要求高等特点。另外,港区集装箱堆场、场内排水盲沟及港区内部道路等也可以广泛采用土工合成材料,比较著名的如长江口航道整治、天津新港东突堤软基处理及码头滤层、青岛前港湾区防波堤、上海卢潮港及金山石化防波堤等。

四、环境工程方面

众所周知,随着世界经济的发展,大量的工业废渣、建筑垃圾、生活垃圾及废水、废气等,严重污染着城市和乡村的整个生态环境,严重影响人们的正常生活和生产,危害全人类的生存和安全,环境问题已引起全世界各国的重视。保护环境、防止并治理污染已成为我国的基本国策。土工合成材料是环境工程中比较理想的建筑材料,采用土工合成材料构筑工业废料库、垃圾场、废水处理池等工程,在国外早已获得极大成功。国内随着环保意识的增长和有关环保法规的制定,此类工程在我国城市和乡镇都将有很大的发展前景。

此外,土工合成材料在水土保持、保护水源和造林绿化等方面也都有广泛的应用。

五、铁路、公路、市政建设及其他工业与民用建筑方面

土工合成材料在铁路和公路工程中,主要用于路基加固、防治翻浆冒泥、防治严寒地区路基冻融、加筋路堤、加筋挡墙以及边坡防护、路基排水等方面。另外,利用薄型无纺土工织物防止沥青路面产生反射裂缝,效果也很显著。

目前,在铁路、公路和高速公路建设中,均在不同程度上应用了土工合成材料,并取得了良好的技术经济效果,发展亦比较迅速。

至于在市政和其他建筑工程方面,土工合成材料的应用尚处于开始阶段。虽然应用尚不广泛,但是也有很好的发展前景。

近年来,在地下工程(隧洞、地铁、廊道及压力矿井等)防渗、减压,建筑物及构筑物地基排水固结、加筋垫层、基坑支护、水下基础托换,均化沉井基底压力分布,地面防渗、防裂,地面排水和屋面防水等方面,都有成功的范例。可以预见,在其他土建工程实践带动下,随着设计、施工技术的提高和传统观念的改变,土工合成材料在市政和建筑工程其他部门的推广应用速度将会迅速加快。

参考文献

1 顾淦臣．土工薄膜在坝工建设中的应用．水力发电,1985,(10)

2 朱诗鳌．土工织物在国外水利工程中的应用．水利水电技术,1986,(3)

3 刘宗耀．土工合成材料近期发展概况和存在问题．水利管理技术,1993,(1)

4 徐又建．土工织物在水利工程中的应用．山东水利科技,1987,(2)

第二章　土工合成材料的种类及工程特性

第一节　高分子聚合物

一、基本概念

土工合成材料是用高分子聚合物为原材料制成的。所以，要了解土工合成材料的种类及工程特性，就必须对高分子聚合物有一个粗略的了解。

高分子聚合物是20世纪开始出现，30年代得到蓬勃发展的新型材料。它是由一种或几种低分子化合物通过化学聚合反应，以共价键结合而形成的高分子化合物。其分子量一般都大于5 000。聚合物的力学性能和加工性能都和聚合物的分子量的平均值及其分布有密切关系。

二、聚合物的名称

聚合物的命名习惯上主要是根据聚合物的化学组成来命名的。如聚乙烯、聚丙烯、聚氯乙烯、聚苯乙烯，等等。“聚”字表示是由一个单体聚合而得到的聚合物。聚合物也有以其结构特征来命名的，如聚酯、聚酰胺、聚氨酯，等等。具体品种还有其商品上的名称，例如尼龙（商品名，为聚酰胺中的一大类）。我国还以“纶”字作为合成纤维商品的后缀字，如锦纶（尼龙—6）、腈纶（聚丙烯腈）、氯纶（聚氯乙烯）、丙纶（聚丙烯）、涤纶（聚对苯二甲酸乙二酯），等等。

聚合物还可以采用代号（英文缩写）代表其名称。土工合成材料中最常见到聚合物的代号如表2-1所示。

表2-1　常见聚合物的代号

名　称	英文名称	代　号
氯化聚醚	Chlorinated polyethylene	CPE
聚酰胺	Polyamide	PA
聚乙烯	Polyethylene	PE
聚　酯	Polyester	PES
聚烯烃	Polyolefin	PO
聚丙烯	Polypropylene	PP
聚苯乙烯	Polystyrene	PS
聚氯乙烯	Polyvinyl chloride	PVC
氯丁橡胶	Chloroprene Rubber	CR
顺丁橡胶	Butadiene Rubber	BR

三、聚合物的分类

聚合物品种繁多，按其性能，聚合物可分为塑料、纤维和橡胶三大类，此外还有涂料、胶粘剂和离子交换树脂等。

(1)塑料。在一定条件下具有流动性、可塑性，并能加工成型，当恢复平常条件(如除去压力和降温)，则仍保持加工时形状的聚合物称为塑料。塑料又分为热塑性塑料和热固性塑料两类。热塑性塑料是指在温度升高后能够软化并能流动，当冷却时即变硬并保持高温时的形状的塑料，而且在一定条件下可以反复加工定型，例如聚乙烯、聚丙烯和聚氯乙烯等；热固性塑料是指加工成型的塑料在温度升高时不能软化，其形状不变的塑料，例如酚醛树脂、脲醛树脂等。

(2)纤维。直径很小，并且具备或保持其本身长度大于直径1 000倍以上，而又具有一定强度的线条或丝状聚合物称为纤维。人工合成纤维是由聚合物原料(又称为树脂)经纺丝而形成的合成纤维。

重要的合成纤维品种有：聚酯纤维，如涤纶；聚酰胺纤维，如尼龙66；烯类纤维，如腈纶、维尼纶等。

(3)橡胶。在室温下具有高弹性的聚合物材料称为橡胶。在外力作用下，能产生很大的应变(可以达到1 000%)，外力除去后又能迅速恢复原状。重要的合成橡胶品种有顺丁橡胶、氯丁橡胶、硅橡胶等。以上是从性能上的分类，就其原材料来说可以是相同的，例如聚氯乙烯可以制成塑料产品、纤维和类似于橡胶的软制品。产生这些性能上的差别的原因是这些聚合物的分子间的作用力的差别，其中以橡胶的分子聚集力为最弱，纤维的分子间吸引力最强，而塑料则介于两者之间。

聚合物也可按其分子主键结构分为线形聚合物、支化聚合物和网状聚合物。

键结构是指分子本身的结构，即原子在分子中的排列运动情况。根据其主键的几何形状一般分为：

(1)线形聚合物。它是指每个重复单元仅仅和另外两个单元相连接的聚合物。每一个分子链为一独立的单位，尽管有时也有短的分支，但分子链之间没有任何化学键连结。因此它们柔软，有弹性，分子键之间易于产生相互位移，可以热塑成各种形状的产品，为热塑性聚合物。这一类聚合物很多，如无支化的聚乙烯、定向聚丙烯、聚脂和尼龙等。

(2)支化聚合物。它是指在主链上带有侧链的聚合物。它可以形成一些较长的支链。如在高温高压下形成的低密度聚乙烯在100个碳原子上含有大约20～30个支链，其中包含少量较长的支链。这时它的性能明显不同于高密度聚乙烯。短支链使得聚合物主链之间跳离增大，有利于活动，流动性较好，而支链过长则反而阻碍聚合物的流动，影响结晶，降低弹性。总的说来，支链聚合物密度较低，但穿透性能有所增加。

(3)网状聚合物。它是指一种相互连接起来(又称交联)的支化聚合物。由于分子链通过支链以化学键与其他分子链相连接，其形状不易改变。因而网状聚合物为热固性聚合物，如环氧树脂、酚醛树脂，等等。这类聚合物的耐热性好，强度高，形态稳定。

最后还应指出，聚合物的物理力学性能不仅和其化学成分有着密切关系，也与其分子量、支化、交联、结晶、取向、添加剂及其加工工艺程序等有密切关系。相同材料的力学性能又和其试验时的条件,如温度、湿度、加荷条件、加荷速度等有关。因此,在选择土工合成材料时,应对材料的化学成分、加工工艺、力学特性和材料工作环境和荷载情况进行综合的全面的考虑。

第二节　土工合成材料的种类

根据土工合成材料技术发展现状和我国有关规范,目前土工合成材料可分为土工织物、土工膜、土工复合材料和土工特种材料等四大类,其体系如图 2-1 所示。

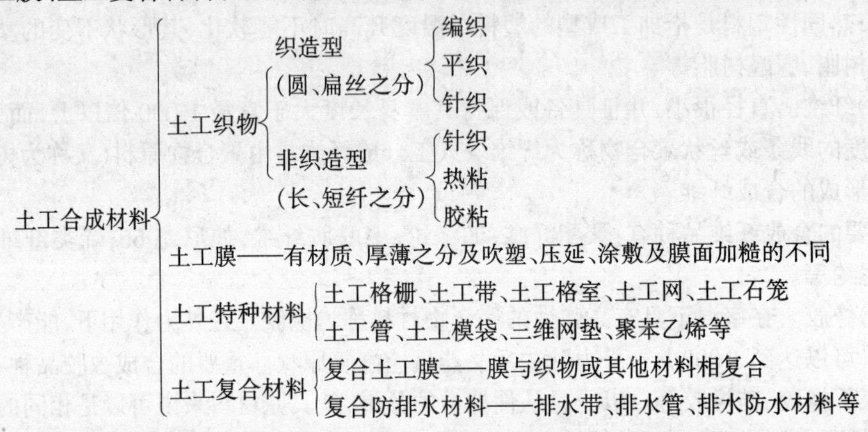

图 2-1　土工合成材料体系示意

一、土工织物

土工织物也称土工布,它是由聚合物纤维制成的透水性土工合成材料,根据制造方法的差异,土工织物又可分为织造型土工织物和非织造型土工织物两大类。

(一)织造型土工织物

织造型土工织物是问世最早的一种土工织物,亦称有纺土工织物。其制造工序是先将聚合物原材料加工成丝、纱或带,再借织机织成平面结构的布状产品。织造时有相互垂直的两组平行丝,沿织机(长)方向的称经丝,横过织机(宽)方向的称纬丝。

丝种包括单丝、多丝及二者的混合。单丝是单根丝,典型直径为 0.5 mm,它是将聚合物热熔后从模具中挤出来的连续长丝。在挤出的同时或刚挤出后将丝拉伸,使其中的分子定向,以提高丝的强度。多丝是由若干根单丝组成的,在制造高强土工织物时常采用多丝,多丝也有用切割成的短丝(一般长 100 mm)搓拧而成的。

早期的土工织物系由单丝织成,后来发展为采用扁丝。扁丝是由聚合物薄片经利刀切成的薄条,其厚度比单丝薄得多,且在切片前后都要牵引拉伸以提高其强度。扁丝宽度约为 3 mm,是其厚度的一二十倍。目前,大多数编织土工织物是由扁丝织成,而圆丝和扁丝结合织成的织物有较高的渗透性。

另一种特殊的扁丝叫裂膜丝。它是将一根扁丝剖许多根细丝,但仍连在一起。由裂膜丝织成的织物较为密实,柔软而渗透性小。多丝和裂膜丝结合织成的编织物厚度可达

1～2 mm,比扁丝织成的要厚。

织造型土工织物有三种基本的织造型式:平纹、斜纹和缎纹。平纹是一种最简单、应用最多的织法,其形式是经、纬丝一上一下。斜纹则是经丝跳越几根纬丝,最简单的形式的经丝二上一下,从织物表面看去,长经丝段的分布呈对角线形。缎纹织法是经丝和纬丝长距离的跳越,例如经丝五上一下,因而看上去织物的一面几乎全是经丝,另一面却全是纬丝,这种织法仅用于衣料类产品。

合成纤维不同于天然纤维的一个特点是可以抽成不同细度的丝。纤度是表示纤维粗细程度的一种指标,有质量单位和长度单位两种。质量单位以一定长度纤维的质量表示,一般采用"旦"(denier),是 9 000 m 长纤维的质量(单位以克计),纤维越细旦数越小。例如,200 旦的一种纤维表示 9 000 m 长的该种纤维质量是 200 g。长度单位是以一定质量纤维的长度表示,采用公支,即 1 g 的纤维长度(或 1 kg 纤维单位为 km 的长度),如 1 g 的纤维长 100 m 即为 100 公支。纤维愈细,公支数愈大。旦与公支之间的关系是旦数×公支数=9 000。例如 100 旦的粘胶纤维就是 90 公支的粘胶纤维。

在织造时,由于梭子要不断地牵引纬丝从经丝的空间中穿过,故要求经丝强度比纬丝高。采用不同的丝和纱以及不同的织法,可以使织成的产品具有不同的特性。例如,平纺织物有明显的各向异性,如图 2-2,其经、纬向的摩擦系数也不一样;圆丝织物的渗透性一般比扁丝的要高,每厘米长的经丝间穿越的纬丝愈多,织物也愈密愈强,渗透性则愈低。单丝的表面积较多丝的要小,其防止生物淤堵的性能要好一些。由此可见,可以借调整丝(纱)的材质、品种和织造方式等来得到符合工程要求的强度、经纬强度比、摩擦系数、等效孔径和耐久性等项指标。在工程实施中应根据具体要求来优选产品,铺设时要注意材料的合理铺设方向。

(二)非织造型土工织物

非织造型土工织物又称无纺土工织物,20 世纪 60 年代才开始在欧洲兴起。根据粘合方式的不同,非织造型土工织物分为热粘合、化学粘合和机械粘合等三种。

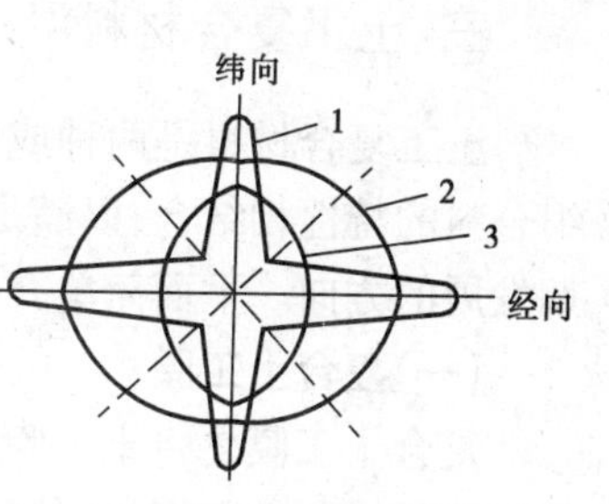

1—织造土工织物;
2—非织造土工织物;
3—短纤维非织造土工织物

图 2-2 土工织物抗拉模量极坐标曲线

热粘合非织造型土工织物是将纤维在传送带上成网,让其通过两个反向转动的热辊之间热压,纤维网受热到一定温度后,部分纤维软化熔融,互相粘连,冷却后得到固化。该法主要用于生产薄型土工织物,厚度一般为 0.5～1.0 mm。由于纤维是随机分布的,织物中形成无数大小不一的开孔。再因为无经纬丝之分,故其强度的各向异性不明显,见图 2-2 所示。

纺粘法是热粘合法中的一种,是将聚合物原料经过熔融、挤压、纺丝成网,纤维加固后形成的产品。这种织物厚度薄而强度高,渗透性大。由于制造流程短,产品质量好,品种规格多,成本低,用途广,近年来在我国发展较快。

化学粘合法是通过不同工艺将粘合剂均匀地施加到纤维网中,待粘合剂固化,纤维之间便互相粘连,使网得以加固,厚度可达 3 mm。常用的粘合剂有聚烯酯、聚酯乙烯等。也可以在施加粘合剂前加以滚压,得到较薄的和孔径较小的产品。

机械粘合法是以不同的机械工具将纤维网加固,应用最广的是针刺法。针刺法用装在针刺机底板上的许多截面为三角形或棱形且侧面有钩刺的针,上下往复运动,让网内的纤维互相缠结,从而织网得以加固。产品厚度一般在 1 mm 以上,孔隙率高,渗透性大,反滤排水性能均佳,在工程中应用很广。

二、土工膜

土工膜是一种相对不透水的土工合成材料。根据原材料不同,可分为聚合物和沥青两大类。为满足不同强度和变形需要,又有不加筋和加筋的区分。聚合物膜在工厂制造,沥青膜则大多在现场制造。

制造土工膜的聚合物有热塑塑料(如聚氯乙烯)、结晶热塑塑料(如高密度聚乙烯)、热塑弹性体(如氯化聚乙烯)和橡胶(如氯丁橡胶)等。工厂制造土工膜的方法主要有挤出、压延或加涂料等。挤出是将熔化的聚合物通过模具制成土工膜,厚 0.25~4 mm。压延则是将热塑性聚合物通过热辊压成土工膜,厚 0.25~2 mm。加涂料是将聚合物均匀涂在纸片上,冷却后将土工膜揭下而成。

现场制造土工膜是在地面喷涂或敷一层冷或热的粘滞聚合物而成。沥青土工膜用的是沥青聚合物或合成橡胶。

制造土工膜时需要掺入一定量的添加剂,使在不改变材料基本特性的情况下,改善其某些性能和降低成本。例如,掺入碳黑可以提高抗日光紫外线能力,延缓老化;掺入铅盐、钡、钙等衍生物可以提高材料的抗热、抗光照稳定性;掺入滑石等润滑剂以改善材料可操作性;掺入杀菌剂可防止细菌破坏等。

三、土工复合材料

土工复合材料是两种或两种以上的土工合成材料组合在一起的制品。这类制品将各组合料的特性相结合,以满足工程的特定需要。土工复合材料的品种繁多,是今后一段时期发展的方向。下面简单介绍几种。

(一)复合土工膜

复合土工膜是将土工膜和土工织物(包括织造和非织造型)复合在一起的产品。应用较多的是针刺土工织物,其单位面积质量一般为 200~600 g/m^2。复合土工膜在制造时可以有两种方法,一是将织物和膜共同压成;另外也可在织物上涂抹聚合物以形成二层(俗称一布一膜)、三层(二布一膜)、五层(三布二膜)的复合土工膜。

复合土工膜有许多优点。例如,以织造型土工织物复合,可以对土工膜加筋,保护膜不受运输或施工期间的外力损坏;以非织造型织物复合,不仅对膜提供加筋和保护,还可起到排水排气的作用,同时提高膜面的摩擦系数,在水利工程和交通隧洞工程中有广泛的应用。

(二)塑料排水带

塑料排水带是由不同截面形状的连续塑料芯板外面包裹非织造土工织物(滤膜)而成。

芯板的原材料为聚丙烯、聚乙烯或聚氯乙烯。芯板截面有多种型式,常见的有城垛式、口琴式和乳头式等，如图 2-3。芯板起骨架作用，截面形成的纵向沟槽供通水之用，而滤膜多为涤纶无纺织物，作用是滤土、透水。塑料排水带的宽度一般为 100 mm，厚度 3.5～4 mm，每卷长 100～200 m，每米重约 0.125 kg。我国目前排水带的宽度最大达 230 mm，国外已有 2 m 以上的宽带产品。

(三)软式排水管

软式排水管又称为渗水软管，是由高强钢丝圈作为支撑体，和具有反滤、透水及保护作用的管壁包裹材料两部分构成的。高强钢丝由钢线经磷酸防锈处理，外包一层 PVC 材料，使其与空气及水隔绝，避免氧化生锈。包裹材料有三层，内层为透水层，由高强尼龙纱作为经纱，特殊材料为纬纱制成；中层为非织造土工织物过滤层；外层为与内层材料相同的覆盖层。为确保软式排水管的复合整体性，支撑体和管壁外裹材料间，以及外裹各层之间都采用了强力粘结剂，结合牢固。目前市场出售的管径分别为 50.1、80.4 和 98.3 mm，相应的通水量(坡降 $i=1/250$ 时)为 45.7、162.7 和 311.4 cm^3/s。

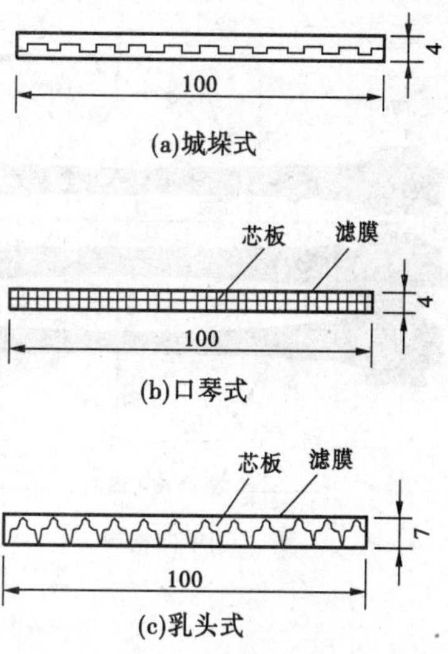

图 2-3　塑料排水板断面(单位:mm)

软式排水管兼有硬水管耐压与耐久性能，又有软水管的柔性和轻便特点，过滤性强，排水性好，可以用于各种排水工程中。

(四)其他复合排水材料

现在已生产出各种型式芯材和外包滤膜的复合排水材料。芯材有平板上立管柱的，有做成各种奶头形的，有土工网的，还有用塑料丝缠成的网状体的等等，如图 2-4，它们均具有较大的排水能力，可按工程需要选用。

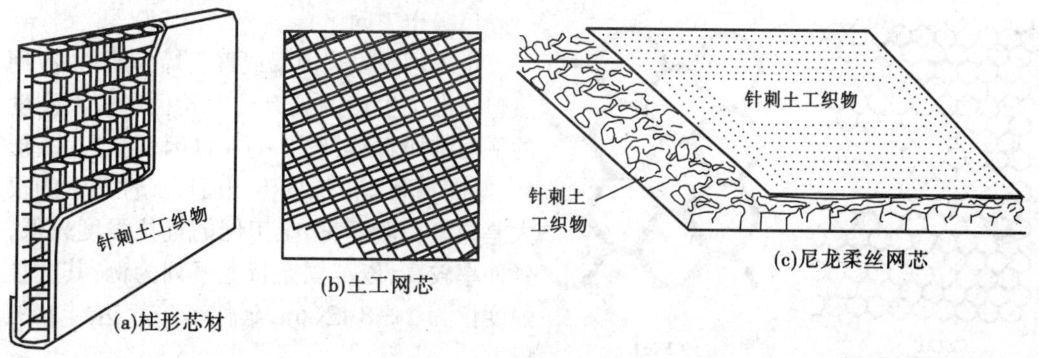

图 2-4　复合排水材料举例

四、土工特种材料

土工特种材料是为工程特定需要而生产的产品，品种多，现选几种主要品种介绍如下。

(一)土工格栅

土工格栅一般是指在聚丙烯或高密度聚乙烯板材上先冲孔，然后进行拉伸而成的带长方形或方形孔的板材，如图 2-5。加热拉伸是让材料中的高分子定向排列，以获得较高的抗拉强度和较低的延伸率。按拉伸方向不同，格栅分为单向拉伸和双向拉伸两种。前者在拉伸方向上有较高的强度，后者在两个拉伸方向上皆有较高的强度。

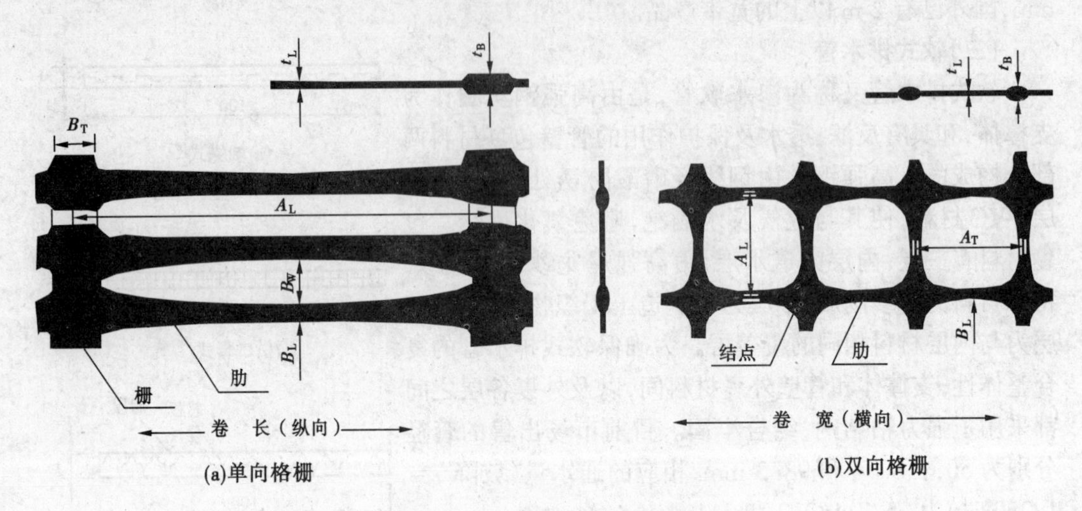

图 2-5 土工格栅的形状及细部

土工格栅因其高强度和低延伸率而成为加筋的好材料。例如，英国奈特龙(Netlon)公司生产的坦萨(TENSAR)SR2(单向)的纵、横向抗拉强度分别为 80 和 13 kN/m，延伸率分别为 9% 和 15%(常温下)。土工格栅埋在土内，与周围土之间不仅有摩擦作用，而且由于土石料嵌入其开孔中，还有较高的咬合力，它与土的摩擦系数可以高达 0.8～1.0。

土工格栅的品种和规格很多。目前开发的新品种有用加筋带纵横相连而成的，有用高强合成材料丝纵横连接而成的。如玻璃纤维土工格栅、涤纶纤维土工格栅等。

(二)土工网

土工网是以聚丙烯或聚乙烯为原料，应用热塑挤出法生产的具有较大孔径和较大刚度的平面结构材料(图 2-6)。可因网孔尺寸、形状、厚度和制造方法的不同而形成性能上的很大差异。一般而言，土工网的抗拉强度较低，延伸率较高，以英国奈特龙系列为例，其抗拉强度仅为 2～8 kN/m，延伸率一般达到 20% 以上。

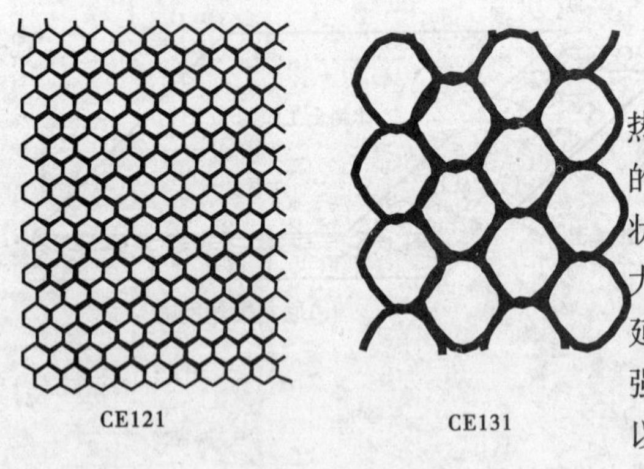

图 2-6 土工网

这类产品常用于坡面防护、植草、软基加固垫层，或用于制造复合排水材料。只有在受力不大的场合，才可用作加筋。

(三)土工模袋

土工模袋是由上下两层土工织物制成的大面积连续袋状土工材料，袋内充填混凝土或水泥砂浆，凝固后形成整体混凝土板，可用作护坡。这种袋体代替了混凝土的浇注模板,故而得名。模袋上下两层之间用一定长度的尼龙绳来保持其间隔,可以控制填充时的厚度。浇注在现场用高压泵进行。混凝土或砂浆注入模袋后,多余水量可从织物孔隙中排走,故而降低了水分,加快了凝固速度,使强度增高。

按加工工艺的不同,可将模袋分为两类,即机织模袋和简易模袋。前者是由工厂生产的定型产品,而后者亦可用手工缝制而成。

机织模袋按其有无排水点和充填后成型的形状分成许多种。我国现行的机织模袋的基本型式有五种,其规格特征及用途见表2-2。

表 2-2 模袋基本型式

型　式	厚度(cm)	特　征	充填料	示意图
有反滤排水点 -FP 型	6.5 10.0 14.0 15.0 16.5	除接缝排水,还有等间距的排水点。每个点面积 4 cm^2,厚 6.5 cm 的用于临时性工程,10～16.5 cm 的用于永久性工程	水泥砂浆	
无反滤排水点 -NF 型	5 10 15	不另设排水点。填充料硬结后不透水,用于对排水要求不高的工程	水泥砂浆	
无排水点混凝土袋 -CX 型	15 20 30 50 70	不设排水点。如果排水,在护面上另设排水孔,用于要求厚护面的工程	15 ～ 30 cm 厚,骨料粒径不大于 10～15 mm 30 ～ 70 cm 厚,粒径不大于 25 mm	
铰链块型 -RB 型	10 15	填充料硬结后为许多相互连接的独立块。排水畅通。由高强尼龙绳(ϕ5 mm)联络各块,各块可相互转动。适用于沉降差和地形变化大的工程	水泥砂浆	
框格型 -NB 型	空格 30×60 空格 22×22	填充料硬结后呈格形。格内可植花草,绿化坡面及环境	水泥砂浆	

(四)土工格室

土工格室是由强化的高密度聚乙烯宽带,每隔一定间距以强力焊接形成的网格室结构。典型的条带厚 1.2 mm,宽 100 mm,每隔 300 mm 进行焊接。闭合和张开时的形状如图 2-7。格室张开后,填以土料,由于格室对土的侧向位移的限制,可大大提高土体的刚度和强度。它可用于处理软弱地基,增大其承载力;还可用于固沙和护坡等。

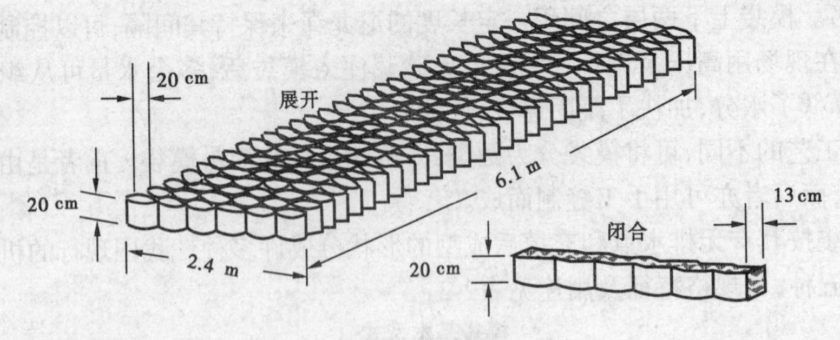

图 2-7　土工格室

(五)土工管、土工包

土工管是用经防老化处理的高强土工织物制成的一种大型管袋,主要用于护岸和崩岸抢险,或利用其堆筑堤防,解决疏浚弃土的放置难题。

土工包是将大面积高强度的土工织物摊铺在可开底的空驳船内,充填 200～800 m^3 料物后,将织物包裹闭合,运送沉放至预定位置。在国外,该技术大量用于环保。

(六)聚苯乙烯板块(EPS)

聚苯乙烯板块俗称泡沫塑料,是以聚苯乙烯聚合物为原料,加入发泡剂制成的。其主要特点是质量极轻、导热系数低、吸水率小,但也有一定抗压强度。其单位体积重量仅0.2～0.4 kN/m^3,仅为砂和混凝土的 1/50～1/100,属超轻型材料;导热系数为 0.125 5～0.159 0 W/(m·K),吸水率仅为 0.15～0.20 g/100 m^3。由于其质轻,可用它代替土料,填筑桥端的引堤,解决桥头跳车问题。其导热系数低,在寒冷地区,可用该材料板块防止结构物冻害。例如,在严寒地区渠道混凝土衬砌下面、挡墙背面或闸底板下,放置泡沫塑料板以防止冻胀。

(七)土工合成材料粘土垫层(GCL)

土工合成材料粘土垫层是由两层土工织物(或土工膜)中间夹一层膨润土粉末(或其他低渗透性材料)以针刺(或缝合、或粘接)而成的一种复合材料。它与压实粘土衬垫相比,具有体积小、重量轻、柔性好、密封性良好、抗剪强度较高、施工简便、适应不均匀沉降等优点,可以代替一般的粘土密封层,用于水利或土建工程中的防渗或密封设计。

第三节　土工合成材料的工程特性和试验方法

一、概　述

为了在工程中正确使用土工合成材料,必须了解并掌握土工合成材料的各项工程特性。其中包括物理特性、力学特性、水力学特性、土工合成材料与土的相互作用,以及耐久性等内容。而进行测试的目的则有两个,一是提供工程设计所需要的参数(设计指标),如土工织物的厚度、孔径、抗拉强度、渗透系数及织物与土的界面摩擦系数等;二是为选用合适材料和判定材料品质提供依据。

由于土工合成材料涉及到化工、纺织和岩土工程等多个领域,种类繁多,原料不同,生产工艺多样，因此很难用统一的指标来描述其性质，而确定这些特性指标的试验方法则更为复杂。为了给土工合成材料的应用提供可靠的特性指标，各国都在制定有关的标准[1]，例如美国的测试及材料学会（ASTM）、英国的标准协会（BSI）和西德标准协会（DIN）等。国际上也有许多组织和机构成立了研究制定土工织物试验方法标准和规范的委员会，例如，国际土工织物协会（IGS）和国际标准化组织（ISO）。1987 年 3 月在法国巴黎召开的国际标准 ISO/TC38/SC21 土建工程用纺织品分委会第二届国际会议讨论通过的提案中，有土工织物单位面积质量、厚度、抗拉强度、撕裂强度等试验的有关规定。1988 年 3 月我国水利电力部委托南京水利科学研究院约请有关科研单位和高等院校研究编写了《土工合成材料测试手册》。

为了使土工合成材料试验方法趋于标准化、统一化，向国际标准靠拢，1999 年水利部正式发布了行业标准《土工合成材料测试规程》（SL/T235—1999），规程共收编 19 个试验项目。

根据我国有关规范、规程，土工合成材料一般测试项目包括以下内容：

(1)物理特性：单位面积质量、厚度、孔径等。

(2)力学特性：条带拉伸强度、握持拉伸强度、撕裂强度、直剪摩擦强度、拉拔摩擦强度和蠕变特性等。

(3)水力学特性：垂直渗透系数、水平渗透系数、淤堵性、防渗性等。

(4)耐久性：抗老化、抗化学侵蚀、抗生物侵蚀能力等。

在一般情况下，应根据工程需要选做上述项目。对于特殊情况，应设计专门的试验项目。

试样的制备、试验设备、操作步骤和试验成果整理应符合国家标准，满足规程要求。

二、物理特性

表示土工合成材料的物理特性的指标主要是单位面积质量、厚度和空隙率。

(一)单位面积质量

它是土工合成材料物理性质的重要指标之一，反映土工合成材料的均匀程度，并与抗拉强度、顶破强度等特性有关。土工织物的单位面积质量一般在 100～600 g/m^2。测试方法为称量法。按制样方法在样品上剪取十块方形或圆形试样，每块试样面积为 100 cm^2，剪裁和测量精度为 1 mm。用感量为 0.01 g 的天平进行测量，每块试样测量一次。根据测试结果，按下式计算每块试样的单位面积质量 G：

$$G = \frac{M}{A} \tag{2-1}$$

式中 G——单位面积质量，g/m^2；

M——试样质量，g；

A——试样面积，m^2。

---

[1] 南京水利科学研究院土工所，中国水利学会土工合成材料专业委员会编．(国外)土工合成材料室内试验的有关测试标准，1989

根据成果整理的方法计算单位面积质量的算术平均值、均方差和变异系数。

用于单位面积质量测试的试样还可以用于其他的试验,为节省样品,可以按其他试验的试样尺寸剪裁,但试样面积不应小于 100 cm^2。

(二)厚度

土工合成材料的厚度是指在承受一定压力的情况下,土工合成材料的实际厚度,单位:mm。土工织物的厚度在承受压力时变化很大,故测定厚度应按要求施加一定的压力。土工织物的厚度还随加压持续时间的延长而减小,规定在加压 30 s 时读数。施加的压力分别为(2±0.01)kPa、(20±0.1)kPa 和(200±1)kPa,可以对每块试样逐级持续加压测读。

测量时将试样放置在厚度试验仪基准板上,用一与基准板平行、下表面光滑、面积为 25 cm^2 的圆形压脚对试件施加压力,压脚与基准板间的距离即为土工合成材料的厚度。也可用压缩仪、无侧限压缩仪等土工仪器设备测量织物厚度,要求基准板直径应大于压脚直径的 1.75 倍,试样的直径应不小于基准板的直径。土工织物的厚度一般为 0.1~5 mm,最大可达十几毫米。要求对厚度超过 0.5 mm 的织物,测量精度为 0.01 mm,当厚度小于 0.5 mm 时,精度为 0.001 mm。试样数目为 10 块。

土工合成材料的厚度对计算水力学特性指标影响很大,测量时要保证精度。为了便于查找不同压力下的厚度值,可根据试验成果绘制厚度随压力的变化曲线。

(三)孔隙率

土工合成材料的孔隙率是其空隙的体积与总体积之比,以 n(%)表示。它与土工合成材料孔径的大小有关,直接影响到织物的透水性、导水性和阻止土粒随水流流失的能力。无纺织物在不受压力的情况下,其孔隙率一般在 90% 以上,随着压力的增大,孔隙率减小。孔隙率的确定不需要直接进行试验,可以根据一些已知指标用下式计算

$$n = (1 - \frac{G}{\rho\delta}) \times 100\% \tag{2-2}$$

式中 G——单位面积质量,g/m^2;

ρ——无纺织物原材料的密度,g/m^3;

δ——无纺织物的厚度,m。

(四)孔径

土工织物的透水性能和保持土粒的性能都与其孔隙通道的大小和数量有关。土工织物孔隙的大小通常以孔径(符号为 O)代表,单位:mm。土工织物的孔径是很不均匀的,不但不同规格的产品其孔径各不相同,而且同一种织物中也存在着大小不等的孔隙通道。同时,孔隙的大小随织物承受的压力而变化,因而孔隙只是一个人为规定的反映织物通道大小的代表性指标。现已提出的一些表示孔径的方法有:有效孔径 O(Effective Pore Size),其含义是有效地反映织物的滤层性质,亦即阻止土颗粒通过的粒径。1972 年 Calhaun 提出等效孔径(Equlivalent O Pening Size),简称 EOS,其含义相当于织物的表观最大孔径,也是能通过的土颗粒的最大粒径。不同的标准对 EOS 的规定有所差别,例如美国 ASTM 取 O_{95} 为 EOS,即用已知粒径的玻璃珠在土工织物上过筛,如果只有 5% 质量的颗粒通过织物,则该粒径即为 O_{95}。我国规范采用等效孔径这一概念。

测定土工织物孔径的方法有直接法和间接法两种，直接法有显微镜测读和投影放大测读法，间接法包括干筛法、湿筛法、动力水筛法、水银压入法和渗透法等。其中对干筛法已积累了较多的经验，且操作简便，可以利用土工试验室已有的仪器设备。在确定 EOS 时，一般误差在允许范围内，故虽然还存在一些问题，但仍被广泛采用。它既适用于无纺织物，也可用于有纺织物。对孔隙尺寸较大的有纺织物，其孔隙形状比较规则，除采用干筛法外，可以考虑采用显微镜测读法，该法直观、可靠，直接给出孔隙的数量和大小，然而测读的范围较小（一般取 25.4 mm×25.4 mm 的试样），故代表性差，且工作量大（一平方英寸范围内约有 200 个孔）。

干筛法是用织物试样作为筛布，将预先率定出粒径的石英砂放在筛布上振筛，称量通过筛布的石英砂的质量，计算出截留在织物内部和上部砂的质量占砂粒总投放量的百分比（筛余率）。取不同粒径的石英砂进行试验，测得相应的筛余率，绘制出筛余率与粒径（对数坐标）的关系曲线，如图 2-8 所示。根据曲线可以判断孔径的分布情况，曲线上纵坐标 95% 的点对应的横坐标即为 O_{95}。从曲线上还可查得其他特征孔径，例如 O_{90} 或 O_{50}，以便应用于不同的滤层设计准则。

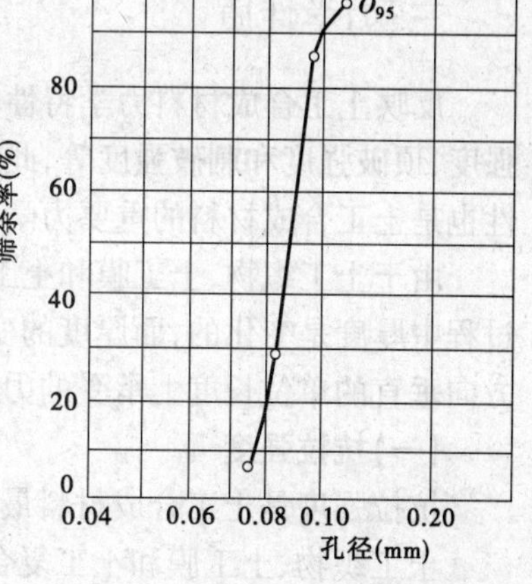

图 2-8 孔径分布曲线

试验前，必须对石英砂粒径进行率定，即用筛分法将石英砂分成不同的粒组，例如，0.063～0.075 mm、0.075～0.090 mm等，所谓粒径系指每个粒组界限粒径的平均值。

试验中，每种粒径石英砂的投放量为 50 g，振筛时间为 20 min，采用的标准分析筛外径为 200 mm。用下式计算筛余率 R_i

$$R_i = \frac{M_t - M_p}{M_t} \times 100\% \tag{2-3}$$

式中 M_t——某粒径石英砂的投放量，g；

M_p——筛析后通过织物的石英砂质量，g。

在振筛时间规定后，驱使石英砂通过织物的能量还与振筛机的频率、振幅有关，由于振筛机的型号和技术特性各不相同，很难给出统一规定，还需要进一步做研究对比工作。

显微镜直接测读法。是用具有两个坐标读数的显微镜直接测读有纺织物各孔经纬纤维之间的缝宽 X 和 Y，则孔的面积近似为 $X \cdot Y$，然后换算成等面积圆的直径作为孔径，即 $O = \sqrt{(XY)/\pi}$。以孔径的对数值为横坐标，以小于某孔径的孔数占测读总孔数的百分比（累积频率）为纵坐标，绘制孔径累积频率曲线。曲线上纵坐标 95% 的点的横坐标即为等效孔径 O_{95}，单位：mm。

湿筛法和动力水筛法可以消除振筛时的静电吸附现象。湿筛法与干筛法基本相似，只是在筛分过程中把水喷洒在织物试样和标准砂上，最后量测通过试样的烘干砂粒的质量 M_p。动力水筛法是靠水在织物中流动的渗透力带动砂粒通过织物。在试验中水流不断地反复流动，但以某方向为主，四个过滤框保持铅直状态随着主轴旋转，不断浸入水中，再离开水面。共延续 20 h 以上，经过 2 000 次水上、水下循环，测定通过织物集于水槽中的砂粒质量 M_p。动力水筛法的优点是试验条件比较接近于织物滤层的实际工作条件，缺点是需时太长，且操作复杂。

应该指出，当织物受到拉力（沿织物平面）和法向压力作用时，织物的孔径将会发生变化，目前尚无较好的方法测定压力对孔径的影响。一种间接的方法是根据织物厚度的变化推求孔径的变化，但在现阶段土工织物滤层设计中仍采用无压情况下测得的孔径作为依据，并根据大量工程中受压织物滤层运用的经验去建立相应的准则。

三、力学性质

反映土工合成材料力学特性的指标主要有：抗拉强度、握持强度、梯形撕裂强度、胀破强度、顶破强度和刺破强度等，此外，土工合成材料的蠕变特性，以及和土的交界面摩擦特性也是土工合成材料的重要力学性质。

由于土工织物、土工膜和土工复合品都是布状柔性材料，只能承受拉力，并且在受力过程中厚度是变化的，而厚度的变化又不能精确地测量出来，故织物的应力是以与受拉力方向垂直的单位长度上承受的力来表示，而不是用单位截面积上的力来表示。

(一)抗拉强度

抗拉强度是土工合成材料最基本也是最重要的力学特性指标。

土工织物、土工膜和土工复合品的抗拉强度是指试样在拉力机上拉伸至断裂时，单位宽度所承受的最大力，单位为 kN/m，计算公式如下

$$T_s = \frac{P_f}{B} \tag{2-4}$$

式中 T_s——抗拉强度，kN/m；

P_f——拉伸过程中最大拉力，kN；

B——试样的初始宽度，m。

材料的延伸率（也称伸长率）是指试样长度的增加值与试样初始长度的比值，用百分数表示（%）。因为织物的断裂是一个逐渐发展的过程，故断裂时的伸长不易确定，一般用达到最大拉力时的伸长表示

$$\varepsilon_p = \frac{L_f - L_0}{L_0} \times 100\% \tag{2-5}$$

式中 ε_p——延伸率，%；

L_0——试样的计量长度（夹具间距），mm；

L_f——最大拉力时的试样长度，mm。

对织物抗拉强度和延伸率的影响因素主要有：织物纤维的原料、结构型式、试样的宽度和拉伸速率。此外，因为织物的各向异性，沿织物不同方向拉伸也会获得不同的结果。

不同材料的合成纤维或纱线，它们的拉伸特性是不同的，由它们制成的织物也具有各异的拉伸特性（特别是有纺织物）。无纺织物纤维的排列是随机的，拉伸特性主要取决于纤维之间加固和粘合的强度，而纤维本身的性质仅为次要的因素。

有纺织物的经纱(或扁丝)和纬纱,其粗细和单位长度内的根数,甚至材料都可能不同。因此,经纬向拉伸特性有一定的差别。至于无纺织物,根据铺网时交错的方式不同,经纬向强度也不一样。为反映土工织物的各向异性,一般要进行两个方向的拉伸试验,并分别给出沿经向和纬向的抗拉强度和延伸率。

拉伸试验的宽度一般取 50 mm,这是沿用纺织部门窄条试验的标准。拉伸时试样产生横向收缩,但实际工程中土工织物常被埋在土、砂或石料之间,不会发生显著的横向收缩,所以窄条拉伸试验与实际情况不相符合。采用窄条试验时,无纺织物横向收缩很大,有时高达 50%以上,测得的抗拉强度偏小;而有纺织物的横向收缩很小,测得的结果要好一些。

拉伸速率的影响表现为速率越快,测得的抗拉强度越高。近年来,许多国家建议适当减慢拉伸速率和加大试样宽度,使试验条件趋近于工程应用中的情况。ISO/TC38/SC21 土建工程用纺织品分委会于 1987 年 3 月在巴黎召开第二届国际会议,建议试样宽度以 200 mm 为基础(如有必要可加宽到 500 mm),试样的长度(夹具间距离)为 100 mm。这是通过宽窄条试样的对比试验,发现 200 mm 宽的试样横向收缩的影响较小。我国的《土工合成材料测试规程》中规定了两种宽度,其中窄条试样宽 50 mm,宽条试样为 200 mm,拉伸速率规定为 20 mm/min。要求经向和纬向各进行 6 次试验。

目前,我国常用的有纺扁丝织物(原材料为 PP 和 PE)的抗拉强度在 15～50 kN/m,单位面积质量为 400 g/m^2 的无纺针刺织物(原材料多为聚酯)抗拉强度在 10～20 kN/m。典型的有纺织物和无纺织物的拉伸过程曲线如图 2-9。

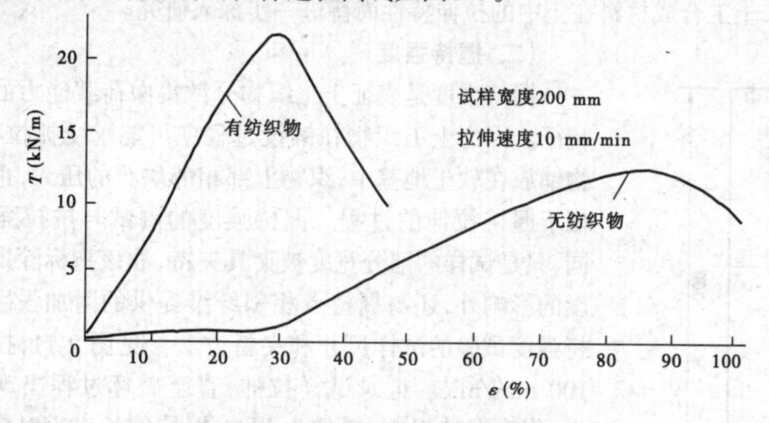

图 2-9 土工织物的拉伸试验过程

由图 2-9 可见,拉伸试验所得荷载伸长曲线通常是非线性的,因此,拉伸模量也不是常数。根据不同拉伸曲线的特点,可以综合出三种计算模量的方法。

(1)初始拉伸模量 E_1,如果曲线在初始阶段是线性的,则利用初始切线可以取得比较准确的模量值,如图 2-10(a),这种方法适用于大多数有纺织物。

(2)偏移拉伸模量 E_0,当曲线的坡度在初始阶段很小,中间部分近似于线性变化,取中间直线段的斜率作为织物的拉伸模量,见图 2-10(b),此法多用于无纺织物。有纺织物在很慢速率拉伸时也有类似的特征。

(3) 割线拉伸模量 E_s,当拉伸曲线始终呈非线性变化时,则可考虑用割线法,从坐标原点到曲线上某一点(如应变为 10%或 20%)连一直线,直线的斜率作为相应于此点应变

(伸长率)时的拉伸模量,如图 2-10(c)所示。并用 E_{s10} 或 E_{s20} 表示。

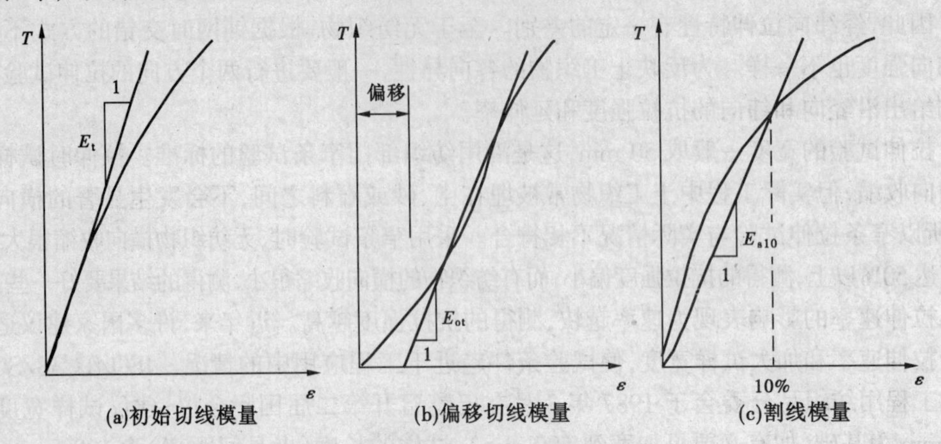

图 2-10　拉伸模量的确定

对于土工合成材料的拉伸试验,目前提出了许多改进意见,为防止横向收缩,采用平面应变拉伸装置,为了模拟材料在土中有可能沿两个方向都受力的特点,还研制了双向拉伸试验机。所有这些试验方法都有各自的特点,多处于探讨阶段。但这些方法和土中材料受拉的边界条件仍相差甚远。许多试验表明,随着土工织物法向压力的增加,织物的拉伸模量增加很快,特别是无纺织物更为显著。因此,为了获得真正反映工程实际情况的拉伸特性指标,土工合成材料在土中的拉伸特性尚待进一步深入研究。

(二)握持强度

握持强度是表征土工织物分散集中荷载能力的一种力学特征。因为土工织物在铺设过程中可能承受抓拉荷载,当织物铺放在软土地基中,织物上部相邻块石的压入,也会引起类似于握持拉伸的过程。握持强度的测试与抗拉强度基本相同,只是试样的部分宽度被夹具夹持,故该指标除反映抗拉强度的影响外,还与握持点相邻纤维提供的附加强度有关。握持强度试验的试样尺寸和夹持方法参见图 2-11,拉伸速率取 100 mm/min。记录试样拉伸,直至破坏过程出现的最大拉力,作为握持强度,单位为 kN。握持伸长率为对应于握持强度时夹具间试样的拉伸应变(%)。试验分别沿经向、纬向各进行 6 次。

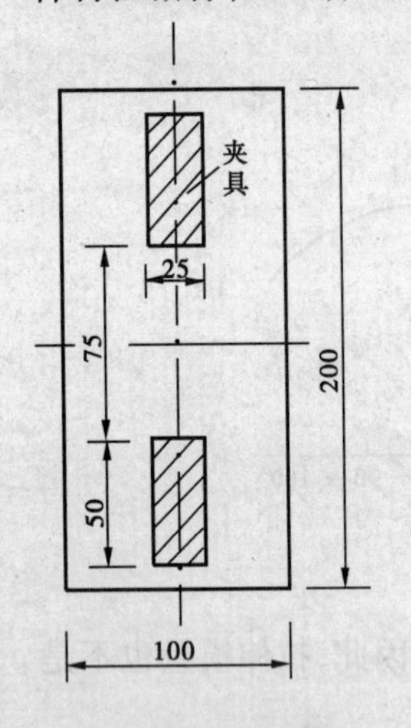

图 2-11　握持试验

(单位:mm)

握持强度试验的结果有时相差较大,一般不作为设计依据,仅用作不同织物性能的比较,供设计人员参考。

(三)梯形撕裂强度

梯形撕裂强度反映了试样中已有裂口继续扩大所需要的力,用以估计撕裂土工织物的相对难易程度。

梯形撕裂强度的测试方法是将梯形轮廓画在试样上,图 2-12(a),并预先剪出 15 mm 长的裂口,然后沿梯形的两个腰夹在拉力机的夹具中图 2-12(b)。以 100 mm/min 的速度拉伸，使裂口扩展到整个试样宽度。

撕裂过程的最大拉力即为撕裂强度，单位为 kN。分别进行 10 个经向和纬向的试验。

测定土工织物撕裂强度试验的方法除了梯形试样外，还有舌形试样和翼形试样。

(四)胀破强度

胀破试验用以模拟凸凹不平的基础对土工织物、土工膜和土工复合品的挤压作用，专用的试验装置见图 2-13。取直径至少为 125 mm 的圆形试样铺放在试验机的人造橡胶膜上，并夹在内径为 31 mm 的环形夹具间。试验时加液压使橡胶膜冲胀，加液压的速率 170 mL/min，直至织物胀破为止。施加的最大液压即为织物的胀破强度 P_b，单位为 kPa。应完成 10 个试样的试验。每块试样直径应不小于 55 mm。

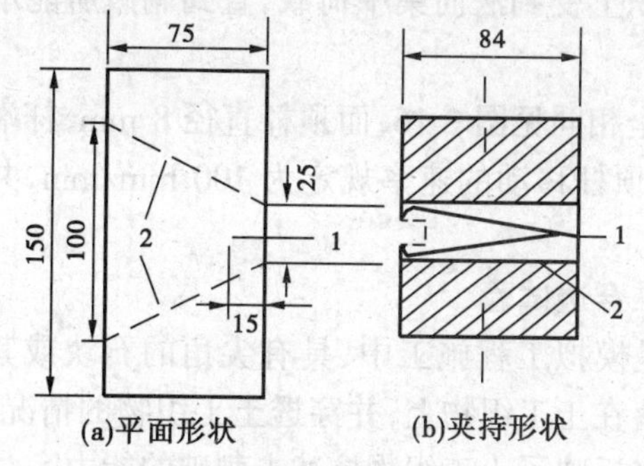

1—切缝；2—夹持线

图 2-12 梯形撕裂试样 (单位：mm)

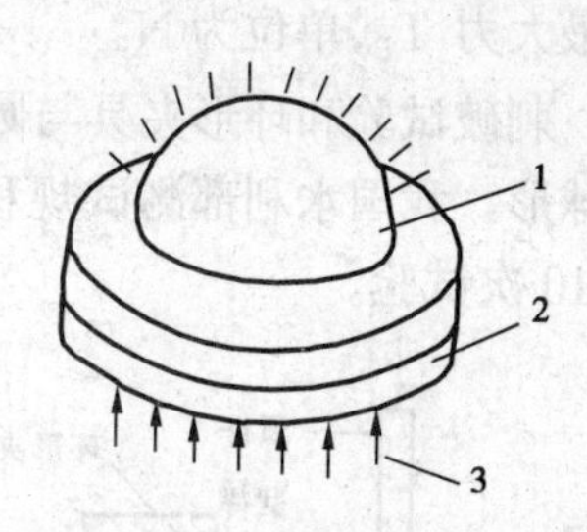

1—试样；2—环形夹具；3—液压

图 2-13 胀破试验示意图

胀破试验由于靠液压作用，整个试样受力均匀，试验结果比较接近，其缺点是试样较小，需要专用仪器设备，而且不适用于高强度的织物。

(五)圆球顶破强度

圆球顶破强度也是描述织物抵抗法向荷载的能力，用以模拟凸凹不平地基的作用和上部块石压入的影响。

试验装置参见图 2-14。环形夹具内径为 44.5 mm，钢球的直径为 25.4 mm。织物试样在不受预应力的状态下牢固地夹在环形夹具之间，钢球沿试样中心的法向以 100 mm/min的速率顶入，测定钢球直至顶破织物需要的最大压力，即为圆球顶破强度 T_b，单位为 N。试验共进行 10 次。

(六)CBR 顶破试验

试验在 CBR 仪上进行(图 2-15)。将直径为 230 mm 的织物试样在不受预应力的状态下固定在内径为 150 mm 的 CBR 仪圆筒顶部，然后用直径为 50 mm 的标准圆柱活塞以 60 mm/min 的速率顶推织物，直至试样顶破为止，记录最大荷载即为 CBR 顶破强度 T_c，单位为 N。共进行 6～10 次试验。

CBR 顶破强度与胀破强度和圆球顶破强度的基本意义相同，只不过前面两种是沿用的纺织品试验方法，而 CBR 试验源于土工试验，该试验方法在公路部门运用中积累了丰富的经验。

(七)刺破强度

刺破试验是模拟土工织物、土工膜和土工复合品受到夹有尖锐棱角的石子或树根的

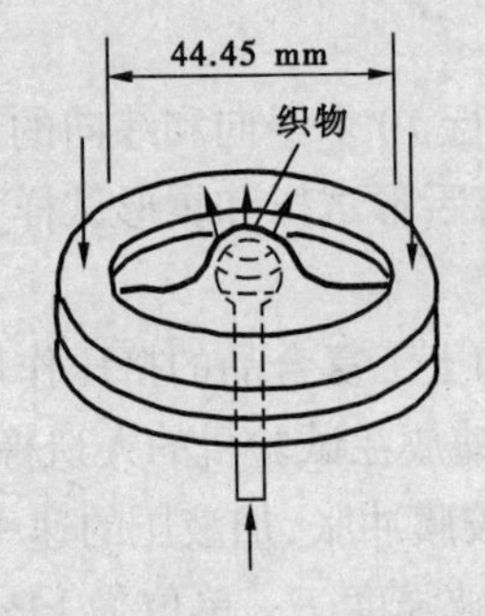

图 2-14　圆球顶破试验

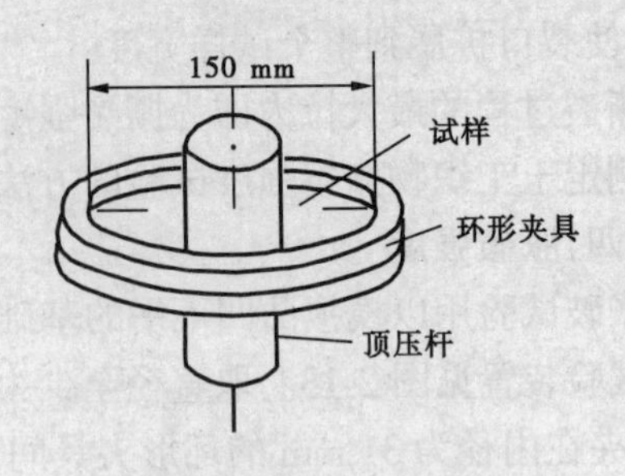

图 2-15　CBR 试验示意图

压入而刺破的情况。刺破强度是织物在小面积上受到法向集中荷载，直到刺破所能承受的最大力 T_P，单位为 N。

刺破试验和环形夹具与圆球顶破试验完全相同见图 2-16，而顶杆直径 8 mm，杆端为半球形。我国水利部测试规程用平头顶杆。顶杆移动的速率规定为 100 mm/min，共进行 10 次试验。

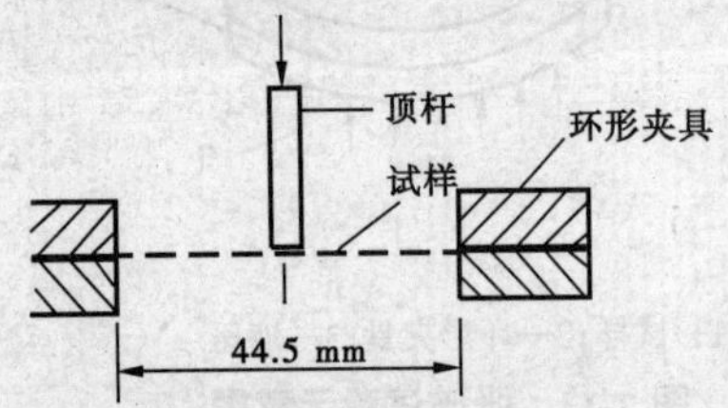

图 2-16　刺破试验示意图

(八)落锥穿透试验

该试验是模拟工程施工中，具有尖角的石块或其他锐利之物掉落在土工织物上，并穿透土工织物的情况，穿透孔眼的大小反映了土工织物抗冲击刺破的能力。

试验参数如下：落锥直径 50 mm，尖锥角 45°，质量 1 kg，织物环形夹具的内径为 150 mm，落锥置于试样的正上方，锥尖距织物 500 mm，令落锥自由下落，穿透织物，试验结果以刺破孔的直径 D_f 表示，单位为 mm。为便于测量，可在锥尖上划出环形标记，并标明各环的直径，试验后不取出落锥，直接从锥环上读取孔径值。共进行 10 次试验。

(九)蠕变特性

蠕变是指材料在受力大小不变的情况下，变形随时间增长而逐渐加大的现象。蠕变的大小主要取决于材料的性质和结构情况。蠕变特性是土工合成材料的重要特性之一，是材料能否长期工作的关键。一般的聚合物材料是粘弹性的，具有很强的蠕变性，而织物的纤维(或经纬纱)之间没有刚性的联接，因此蠕变是明显的。影响蠕变特性的因素很多，除原材料和织物结构外，还和应力的大小有关，一般用应力比表示，即单位宽度所受拉力与抗拉强度的比值。此外，蠕变还和周围介质、温度等因素有关。

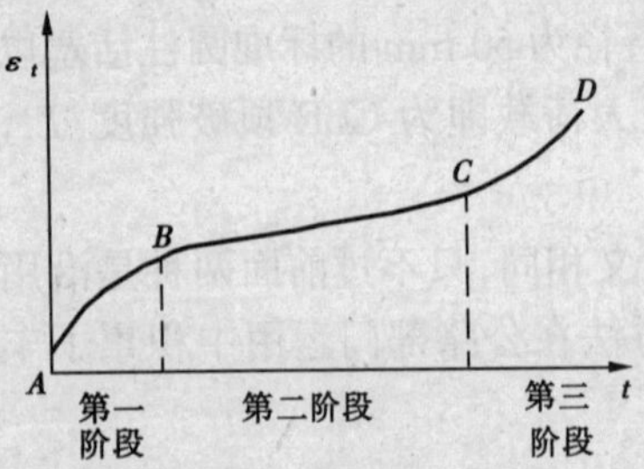

图 2-17　蠕变曲线

材料的蠕变特性可用蠕变曲线和近似公式来描述。典型的蠕变曲线如图 2-17 所示，它由三个阶段组成，第一阶段(AB)为初始阶段，变形由快到慢变化，如应力比不太大，随时间增长，有可能稳定在某一变形速率，这时进入第二阶段(BC)即稳定阶段，这时变形速率保持常数，故 BC 段基本上是直线；第三阶段(CD)为不稳定的断裂阶段，蠕变速率迅速增大，直到 D 点试样断裂为止。

对几种主要的聚合物材料在不同应力比上进行蠕变试验，可以确定长期使用的容许应力比如下：PP 和 PE 为 20%，PETP 为 50%，PA 为 40%。然而从大量工程实际发现，建筑物的应变比预测值要小得多，有必要研究土对土工织物蠕变性质的影响。

土工织物在土中蠕变性能的试验研究表明，在无约束情况下（即土压力 $P_n = 0$ 时），当应力比达到 60%时，有纺织物和无纺织物都越过第二阶段。此外，有纺织物当 $P_n = 75$ kPa，应力比为 53%时也属于这一情况。随着土中压力 P_n 的增大，蠕变显著减少，特别是无纺织物更为明显。据此，比较一致的结论认为：在无约束条件下，土工织物抗拉强度的 1/3 作为长期应用的容许拉力是安全的。

四、水力学特性

土工合成材料的水力学特性主要是各类土工织物和土工复合品的透水性能，影响上述土工合成材料水力学特性的主要指标是其孔隙率、孔径和渗透性，这些因素决定了上述土工合成材料在反滤、排水及防止淤堵的能力。

（一）渗透系数和透水率

土工织物起渗滤作用时，水流的方向垂直于织物平面，一方面土工织物必须阻止土颗粒随水流流失；另一方面要求土工织物具有一定的透水性。

土工织物的透水性主要用渗透系数来表示。渗透系数是渗流的水力坡降等于 1 时的渗透流速，即

$$k_g = \frac{v}{i} = \frac{v\delta}{\Delta h} \tag{2-6}$$

式中 k_g——渗透系数，cm/s；

v——渗透流速，cm/s；

δ——土工织物的厚度，cm；

i——渗透水力坡降；

Δh——土工织物上下游测压管水位差，cm。

土工织物的渗透性还可以用透水率来表示。透水率是水位差等于 1 时的渗透流速，即

$$\psi = \frac{v}{\Delta h} \tag{2-7}$$

式中 ψ——透水率，1/s；其他符号含义同前。

从式(2-6)和式(2-7)可知，透水率和渗透系数之间的关系为

$$\psi = \frac{k_g}{\delta} \tag{2-8}$$

土工织物的透水性能除取决于织物本身的材料、结构、孔隙的大小和分布外，还与织物平面所受的法向应力、水质、水温和水中含气量等因素有关。

根据式(2-6)，测量渗透系数时，要测量织物的厚度 δ，水位差 Δh 和渗透流速 v。

流速 v 可通过测得一定时间内的透水量用下式计算

$$v = \frac{Q}{tA} \tag{2-9}$$

式中　t——测量透水量的时间间隔，s；

A——土工织物试样的透水面积，cm^2；

Q——t 时间内的透水量，cm^3。

根据式(2-7)，测量透水率时，不需要测量土工织物的厚度，其他测量与渗透系数测量相同。试验的仪器设备见图 2-18、图 2-19。

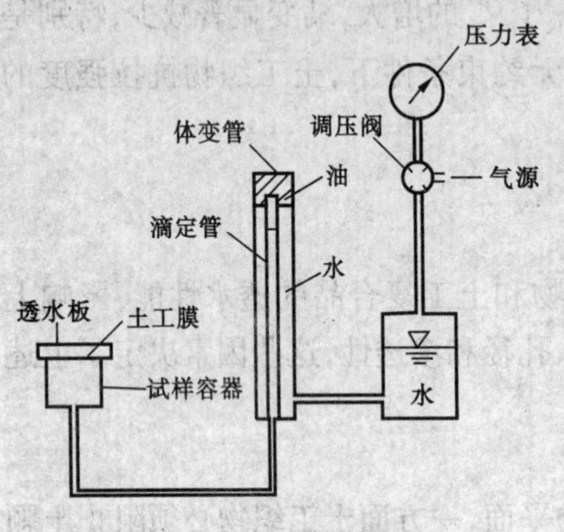

图 2-18　抗渗仪示意图

土工织物渗透系数的测量过程与土的渗透系数的测量过程基本相同，测得的渗透系数或透水率要求给出在标准温度(20℃)下的值。一般的无纺织物在不受垂直压力的条件下，渗透系数在 10^{-1} ~ 10^{-3} cm/s。渗透系数随垂直压力的变化可以用图 2-20的曲线来表示。

土工织物的渗透系数的测量是一件十分困难的试验，除严格遵照有关规定，做好水和试样的排气外，还应更换一次试样重复不同压力下的平行测定，取平均值。

(二)沿织物平面的渗透系数

土工织物用作排水材料时，水在织物内部沿织物平面方向流动。土工织物在内部孔隙中输导水流的性能可用沿织物平面的渗透系数或导水率表示。

(a)直接加荷

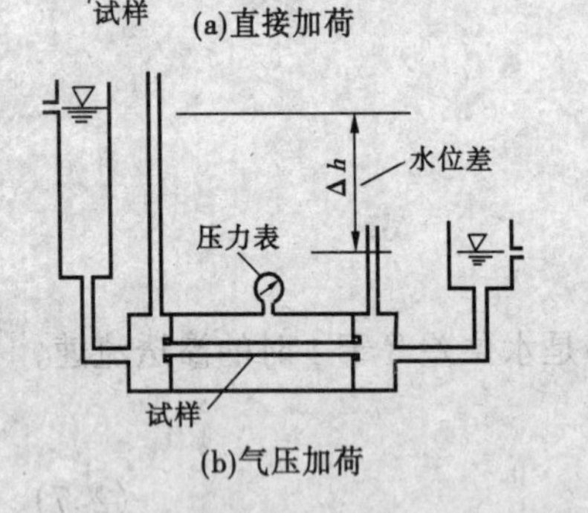

(b)气压加荷

图 2-19　水平渗透仪示意图

沿织物平面的渗透系数定义为水力坡降等于 1 时的渗透流速。即

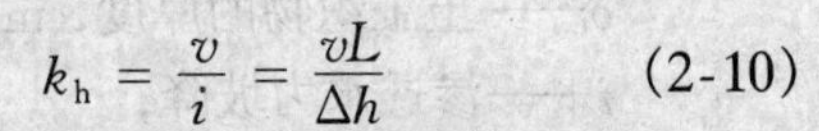

$$k_h = \frac{v}{i} = \frac{vL}{\Delta h} \tag{2-10}$$

式中　k_h——沿织物平面的渗透系数，cm/s；

v——沿织物平面的渗透流速，cm/s；

i——渗透水力坡降；

L——织物试样沿渗流方向的长度，cm；

Δh——L 长度两端测压管水位差，cm。

渗透流速 v 根据在一定时间内的输导水量，用下式计算

$$v = \frac{Q}{tB\delta} \tag{2-11}$$

式中　Q——t 时间内沿织物平面输导的水量，cm^3；

t——测定输导水量的时间，s；

B——试样宽度，cm；

δ——试样厚度，cm。

土工织物输导水流的特性还可以用导水率表示。导水率等于沿织物平面的渗透系数

与织物厚度的乘积。

$$\theta = k_h \cdot \delta \tag{2-12}$$

式中 θ——导水率，cm^2/s。

将式(2-10)和式(2-11)代入式(2-12)，可以推导出

$$\theta = \frac{q}{iB} \tag{2-13}$$

式中 q——沿织物平面输导水流的流量，cm^3/s；其他符号含义同前。

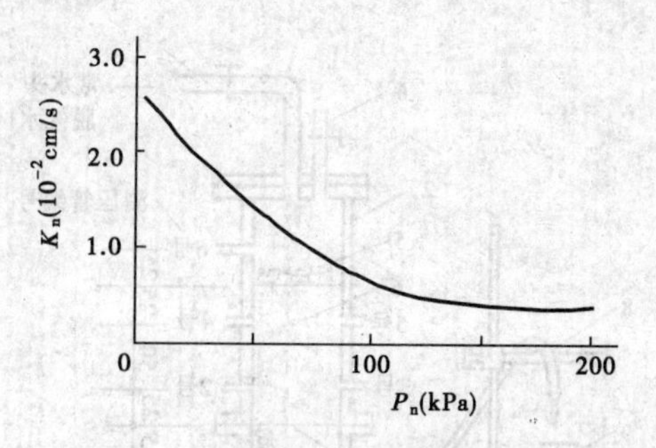

图 2-20 渗透系数和垂直压力的关系曲线

因此，导水率是水力坡降等于1时，单位宽度织物沿织物平面输导的流量。

土工织物的导水率和沿织物平面的渗透系数与织物的原材料、织物的结构有关。此外，还与织物平面的法向压力、水流状态、水流方向与织物经纬向夹角、水的含气量和水的温度等因素有关。

测量导水性能的操作过程与水的渗透系数测量基本相同，测得的渗透系数与导水率要求给出在标准温度(20℃)下的值。因为导水性能的各向异性，应该按经向和纬向分别测量，并且要求更换一次试样重复不同压力下的平行测定，取平均值。一般情况下，沿织物平面的渗透系数比织物法向的渗透系数大，但基本处于相同的量级。

五、土工织物与土的相互作用

土工织物应用于岩土工程，直接与土接触，必然存在相互作用的问题。相互作用的性质最重要的有两个：一是土工织物被土颗粒淤堵的特性；二是土工织物与土的界面摩擦特性。

(一)淤堵

土工织物用作滤层时，水从被保护的土流过织物，水中的土颗粒可能封闭织物表面的孔口或堵塞在织物内部，产生淤堵现象，表现为渗透流量逐渐减小，同时，在织物上产生过大的渗透力，严重的淤堵会使滤层失去作用。

织物的淤堵主要取决于织物的孔径分布和土颗粒的级配，如果土颗粒均匀且大于织物的等效孔径，或者虽不均匀，但在水流作用下能形成稳定的反滤拱架结构，则一般不会产生有害的淤堵；此外，水流的条件也对淤堵有影响，例如单一方向的水流比流向反复变化的水流易形成淤堵。

目前，还没有防止淤堵的设计公式，也没有统一的标准说明淤堵容许的程度，只有通过试验判断土工织物滤层的淤堵。淤堵试验持续的时间一般为几十小时但有的长达1 000 h或更长，观测渗透流量(或渗透系数)随时间的变化，检验是否能稳定在某一个数值上。长期淤堵试验的困难在于测量渗透系数的影响因素很多，例如伴随产生的生物淤堵和化学淤堵现象，土样和织物试样上可能积聚气泡等，渗透系数不易测准，同时很难给出渗透系数下降的容许幅度。长期淤堵试验尽管存在较多的问题，但它毕竟是滤层工作状况的直接模拟，故在条件许可的情况下，应尽可能持续试验到渗透流量稳定为止。

为了用较短的时间判断织物滤层的工作情况，1972年美国Calhoun提议通过测量土和土工织物系统中水头损失的变化来判断织物滤层是否产生淤堵，该法于1977年被美国

陆军工程师兵团所接受，定名为梯度比试验，并将这个方法提交给美国测试与材料协会土工织物及有关产品分委员会(ASTMD-35)。梯度比试验装置参见图2-21。将常水头的脱气水接通装有织物和被保护土的渗透仪，待渗流稳定后，以一定的时间间隔测读各测压管水位，并计算不同部位的水力坡降(水力梯度)，取渗流稳定24 h后的水力梯度，按下式计算梯度比 GR

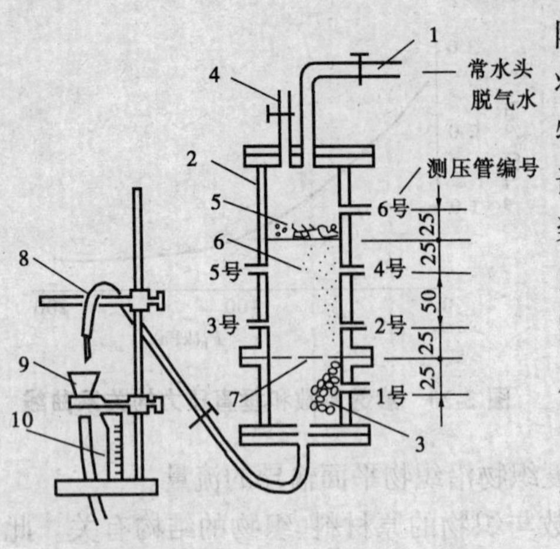

1—供水管；2—渗透仪；3—玻璃珠；4—溢水管；5—缓冲砾砂；6—土样；7—土工织物；8—调节器；9—漏斗集水管；10—量筒

图 2-21　梯度比试验装置图　(单位：mm)

$$GR = i_1 / i_2 \tag{2-14}$$

式中　i_1——土工织物及其上方25 mm土样的水力梯度；

i_2——上方相邻的50 mm(从织物上方25 mm到75 mm)的水力梯度。

梯度比试验延续的时间短，用测量多点的水位分布代替渗透系数的量测，方法比较简单。大量比较试验指出，当 $GR>3$ 时，滤层将产生较严重的淤堵，渗透系数的下降将超过一个数量级，从而不能满足滤层的透水性要求，因此，美国陆军工程师兵团制定的指导性规范中将 $GR\leqslant3$ 作为土工织物能满足滤层要求的标准。许多研究者对梯度比试验进行验证。例如，采用理想球形的渥太华砂，通过改变砂中粉粒的含量对四种有纺和两种无纺织物进行梯度比试验，将测得的梯度比与粉粒含量绘成曲线，如图2-22所示。可以看出粉粒含量越大，梯度比越大，也就是说容易产生不容许的淤堵。在不同类型的织物中，热粘无纺与扁丝有纺容易淤堵；针刺无纺织物一般能满足滤层要求；而单丝有纺不容易淤堵，最适于作为无粘性土的滤层。

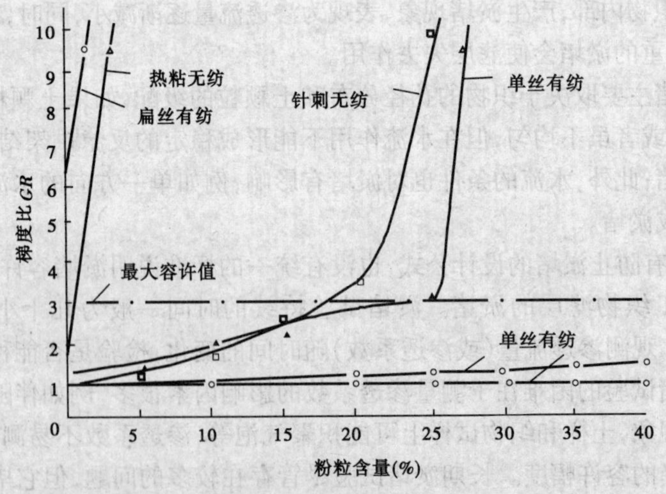

图 2-22　不同的土和织物系统的梯度比试验

大量试验表明，对于细砂，梯度比在渗流几个小时后即可稳定，对于粉砂需100 h左右，而对粘粒含量较高的土，这个过程需要延续200 h，甚至更长。因此，有的研究者建议应进行到梯度比基本稳定或呈下降趋势为止。

试验装置的整体水力坡降(或试验水头)在规范中没有规定,大多试验取水力坡降6~20之间,一般情况下,对粉粒、粘粒含量大的土应用大的水力坡降。对比试验表明,对相对密度大的土,水力坡度对梯度比的影响较小,但对中密或松散的土有明显影响,大的渗透力使织物上方的土变密,故大的水力坡降使梯度比增大。

对梯度比试验争议较多的是 $GR \leqslant 3$ 的临界值确定的问题。很多试验表明 GR 值很少大于1.5,故建议 GR 的容许值应取在1.5以下,如不容许淤堵发生,必须满足 $GR \leqslant 1$ 的条件。

(二)土工织物与土的界面摩擦特性

土工织物与周围的土产生相对位移时,在接触面上将产生摩擦阻力。界面摩擦剪切强度符合下列库仑定律(通常为直线关系)

$$\tau_f = C_a + p_n \tan \varphi_{sf} \tag{2-15}$$

式中 τ_f——界面摩擦剪切强度,kPa;

C_a——土和织物的界面粘聚力,kPa;

p_n——织物平面的法向压力,kPa;

φ_{sf}——土和织物的界面摩擦角,(°)。

C_a 和 φ_{sf}的测试方法通常有两种:直接剪切试验和拉拔试验。在图2-23中,虚线代表土工织物,其中直剪试验和土工试验中相同,一般情况下,固定剪(土工织物铺放或粘固在下盒的木块上)与自由剪(下盒也填满土样)的结果相近。关于剪切盒的尺寸,有人曾用60 mm×60 mm剪切盒与300 mm×300 mm的剪切盒作对比,结果相近,说明盒的尺寸影响较小。但为了使试样有代表性,一般要求剪切盒的面积不小于150 mm×150 mm。在拉拔试验中,织物的上面和下面都产生剪切力,故剪切面积是试样在土中面积的两倍。测得不同 p_n 下的拉拔力,除以两倍的织物面积,即可获得剪切强度,用以确定 C_a 和 φ_{sf}。对于拉拔试验的评价,意见有分歧,一种看法是拉拔试验更能反映土与织物相互作用的实际情况;另一种意见是,拉拔试验中织物所受的应力和变形很不均匀,靠拔出端最大,至试样在土中的末端下降为零,故取均值误差较大。因直剪试验比较普及,且当用较小剪切盒(例如150 mm×150 mm)时,可利用现有剪切仪改装,故目前仍以直剪试验应用较多。

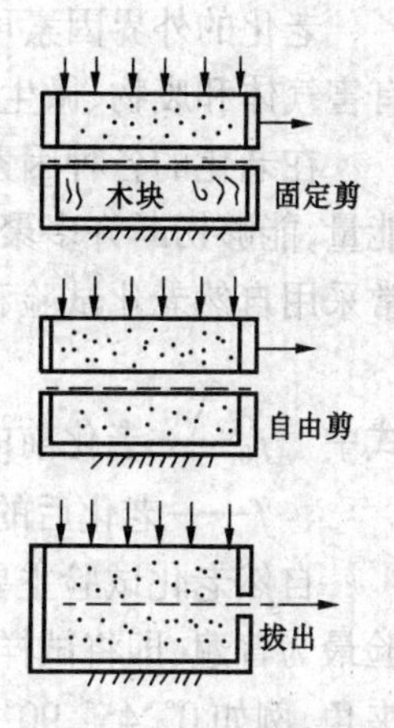

图2-23 界面摩擦特性试验

摩擦特性与土的剪切强度和土的种类及织物的结构有关,一般情况下,界面摩擦角 φ_{sf}小于土的内摩擦角 φ,但大于 0.8φ。

六、耐久性

土工织物的耐久性是指其物理和化学性能的稳定性,是土工织物能否应用于永久性工程的关键。土工织物的耐久性可以包括多方面的内容,主要是指对紫外线辐射、温度和湿度变化、化学侵蚀、生物侵蚀、冻融变化和机械损伤等外界因素的抗御能力。这种抗御能力随聚合物的种类而变化，而且受材料中所含添加剂的影响，并且与织物的结构有关，现分述如下。

(一)抗老化问题

土工合成材料的老化是指在加工贮存和使用过程中，受环境的影响，材料性能逐渐劣化的过程。老化的现象表现在四个方面：

(1)外观手感的变化，如发粘、变硬、变软、变脆、变形和变色等；

(2)物理化学性能的变化，如比重、导热性、熔点、分子量、耐热和耐寒等性能的变化；

(3)力学性能的变化，如抗拉强度、伸长率、弹性和耐磨性的变化；

(4)电性能，如绝缘电阻、介电常数的变化。

显然，土建部门最关心的是力学性能的变化。

老化现象的内因是高分子聚合物都具有碳氢链式结构，受外界因素的影响会发生降解反应和交联反应，降解反应是高分子量聚合物变为低分子量聚合物的反应，包括主链断裂和主链分解两种情况，而交联反应是大分子之间相联，产生网状或立体结构，也使材料性能发生变化。此外，还与材料的组成、配方、颜色、成型加工工艺以及内部所含的添加剂有关。

老化的外界因素可分为物理、化学和生物等类型，主要有太阳光、氧气、热、水分、工业有害气体和废物、微生物、机械损伤作用等。

在老化的各种因素中，太阳光的辐射起着最重要的影响，阳光中的紫外线具有很大的能量，能够切断许多聚合物的分子链，或引起氧化反应。为研究各种材料的老化性能，通常采用自然老化试验和人工老化试验两种，试验的结果可以用老化系数 K 来表示

$$K = f/f_0 \tag{2-16}$$

式中 f_0——老化前的性能指标(如抗拉强度和伸长率等)；

f——老化后的性能指标。

自然老化试验主要有大气老化试验、埋地试验、海水浸渍试验等。其中以大气老化试验最为普遍，即将试样放在户外曝晒，曝晒时间可改变试样与水平面的倾角，或与阳光的夹角，例如0°、45°、90°等，曝晒时间根据需要选定。

人工老化试验有多种，主要的一种是利用气候箱进行加速老化试验。气候箱可以模拟光、温度、湿度、降雨等多种气候条件。人工老化的速度一般比大气老化快5～6倍，有的快十多倍。人工老化试验可以研究某种气候条件单独作用的影响，试验周期短，但所模拟的条件与自然条件总有一定的差距，不如大气老化试验直接可靠。

各种聚合物材料暴露在阳光中，以聚丙烯、聚乙烯老化速度最快，聚酰胺、聚乙烯醇(维尼纶)和聚氯乙烯次之，聚酯和聚丙烯腈(腈纶)最慢。白色和浅色的老化快，深色和黑色的老化慢，光氧化和热氧化反应一般是在材料的表面进行的，首先引起表面高分子聚合物的老化，并随着时间逐步向内层发展，因此，细纤维的薄型织物、扁丝织物，其表面积大，老化快；粗纤维或厚的织物老化慢。试验表明，白色聚丙烯轻型无纺织物(150 g/m^2)在室外曝晒8个星期，握持强度下降50%以上。而黑色聚丙烯单丝有纺织物(175～260 g/m^2)及灰色涤纶针刺无纺织物(150～270 g/m^2)曝晒在室外接近一年，强度下降不到5%。

添加剂对抗老化起着重要的作用,例如,纯净的聚丙烯因碳原子上存在着易于迁移的氢原子,不能在室外使用。一些添加剂,如水杨酸苯酯和碳黑具有吸收紫外线的作用,碳黑还起到遮蔽作用,同时碳黑中具有许多自由电子,可阻止聚合物的降解。目前,国内已研制出防老化聚丙烯产品,其老化寿命达到普通聚丙烯的20倍。

土工合成材料在有覆盖的情况下(如埋在土中),老化的速度要缓慢得多。1958年在美国佛罗里达州海岸护坡工程中使用的聚氯乙烯有纺织物,27年后取样检查,性能十分良好。

1964年,我国山东省打渔张灌溉工程渠道,使用聚氯乙烯塑膜防渗,填土保护层厚0.4 m,经过26年使用后取样研究,认为有效使用年限可达60年之久。

法国对一些应用土工织物的代表性工程,如土堤、坝坡护面、排水系统、路基垫层进行观测研究,十多年来,使用良好,并仍能较好地发挥应有的作用,取出的试样,无论是强度还是伸长率都没有超过30%的损失率,而这种降低的原因仅10%~15%归咎于环境长期老化的作用,其余的部分是由于施工的机械应力所致。因此,土工合成材料是可以在永久性工程中加以应用的,当然更长期的检验亦应继续进行。

(二)抗化学侵蚀能力

聚合物对化学侵蚀一般具有较高的抵抗能力,例如在pH值高达9~10的泥炭土中用作加筋的土工织物,15年后发生的化学侵蚀是轻微的。但是某些特殊的化学材料或废液对聚合物也有侵蚀作用,柴油对聚乙烯有一定的影响,碱性很大(pH=12)的物质对聚酯、酸性很大(pH=2)的物质对聚酰胺的影响都是严重的,盐水对某些土工织物也有一定影响,例如有的织物在盐水中浸渍6个星期,强度下降30%,但有的织物强度就没有显著的变化。氧化铁沉积在土工织物上可能发生化学淤堵,影响滤层的透水性。当利用土工膜作为污水池或废物存贮池的防渗材料时,对其化学稳定性能更要认真对待。除聚乙烯、氯醇橡胶的化学稳定性特别好外,其他原料的土工膜都应进行试验,目前试验的方法通常是把试样浸泡在该种化学试剂的溶液中,经过一定的时间,比较浸泡前后的各种性能指标。

(三)抗生物侵蚀能力

土工合成材料一般都能抵御各种微生物的侵蚀。但在土工织物或土工膜下面,如有昆虫或兽类藏匿和建巢,或者是树根的穿透,也会产生局部的破坏作用,但对整体性能的影响不大,有时细菌繁衍或水草、海藻等可能堵塞一部分土工织物的孔隙,对透水性能产生一定的影响。

(四)抗磨损能力

所谓磨损是指土工织物与其他材料接触摩擦时,部分纤维被剥离,有强度下降的现象。土工织物在装卸、铺设过程中会发生磨损;施工机械碾压、运行中荷载作用都会磨损织物。不同的聚合物材料抗磨损能力不同,例如聚酰胺优于聚酯和聚丙烯,单丝厚型有纺织物具有较强的抗磨损能力,扁丝薄型有纺织物抗磨能力很低,厚的针刺无纺织物,表层容易被磨损,但内层一般不会被磨损。

土工织物的抗磨损试验主要有摆动滚筒均匀摩擦和旋转式平台双摩擦头法两种。织物试样放在橡皮板上,用总重1 000 g的摩擦轮进行1 000次循环的摩擦,然后取样检查质量的损失和抗拉强度的减小。为了接近于工程实际也有用岩石骨料在织物试样上进行摩擦试验的。

(五)温度、水分和冻融的影响

在高温作用下(例如在土工织物上铺放热沥青时),合成材料将发生熔融,如聚丙烯的熔点为175 ℃,聚乙烯135 ℃,聚酯和聚酰胺约为250 ℃。有时温度较高,虽未达到熔点,聚合物的分子结构也可能发生变化,影响材料的强度和弹模。试验的方法有连续加热法和循环加热法两种,都一直加热到破坏为止,记录热空气的温度,观测材料外观、尺寸、单位面积质量的变化,以及其他性质的改变。在特别低温条件下,有些聚合物的柔性降低,质地变脆,强度下降,给施工及拼接造成困难。

水分的影响表现在有的材料(如聚酰胺)干湿强度和弹模不同,对此应分别干湿状态进行试验。聚酯材料在水中会发生水解反应,即由于水分子作用引起长链线性分子的断裂,这种反应的过程随温度升高而加快。但试验表明,土工织物在工程应用期限内,水解的影响不大。此外,干湿变化和冻融循环可能使一部分空气或冰屑积存在土工织物内,影响它的渗透性能。必要时应进行相应的试验以检查其性能的变化。

参考文献

1 南京水利科学研究院．土工合成材料测试手册．北京:水利电力出版社,1991

2 水利部．SL/T235—1999 土工合成材料测试规程．北京:中国水利水电出版社,1999

3 土工合成材料工程应用手册编写委员会．土工合成材料工程应用手册．北京:中国建筑工业出版社,1994

4 陈浦,等．非织造布．北京:纺织工业出版社,1989

第三章 反滤与排水

第一节 概 述

众所周知,土的渗透变形是造成众多土建工程及其地基破坏的重要原因。在工程实践中,通常把建筑物土体及地基在渗透水流作用下,使土体发生剥落、表面隆起或内部细小颗粒冲出(流失)等现象称为“渗透变形”,其形式可归纳为管涌、流土、接触冲刷和接触流土等四类。因此,在渗流出口处采用砂砾料组成的反滤层保护土体不受渗流破坏,是工程结构的传统构造,是保证挡水建筑物安全极为重要的一环。同时,为了达到控制渗流,防止发生渗透破坏,在砂砾石反滤的设计和施工方面都研究出一整套准则和方法,在反滤料的选择和施工方面也有严格的要求。

在土建工程中经常需要在土体或其边沿位置设置排水设施,以便排除土体内的水分,加速土体固结,降低地下水位,降低土坝坝身浸润线,减少作用在挡土墙背面的渗透水压力,等等。传统的排水设施是由多层中粗砂、碎石(或砾石)和块石所构成,而且,在大多数情况下,排水与反滤是同时存在的,因为渗流出口处的土体有产生渗透变形的可能性,所以,在渗流进入排水处需要设置滤层予以保护。

用土工织物或土工复合材料替代或部分替代传统砂石料的反滤和排水,是反滤、排水结构的一次革新,它改变了传统反滤和排水结构的设计和施工面貌。因为前者不仅具有后者的全部功能,而且还具有以下优点:能够在工厂制造,性能参数易于调整,更能满足工程所提出的所有反滤、排水要求;具有整体性和足够的强度,有一定的抵御破坏(如波浪淘刷等)的能力;重量轻,相对体积小,施工简单,运输方便(一般可节省运力50%~70%),施工速度快,质量易于保证;新型反滤、排水体造价低,在砂石料短缺的地区可节省工程费用达30%以上。

所以,在反滤、排水设施中采用土工合成材料是提高工程质量、降低工程造价的一项先进技术举措。

第二节 土工织物滤层的工作机理

一、概 述

土工织物滤层的作用与传统砂砾滤层相同,即主要是防止建筑物渗流出口处的渗透破坏,达到保土和排水的目的,但两者的工作机理和设计方法则有所区别。

首先,织物滤层在起到反滤作用的同时,还具有隔离和加固作用。其次,土工织物滤层很薄,一般只有0.5~5 mm,设计主要在于选择适宜的有效孔径,确保在渗流作用下,既不产生过量淤堵,做到排水通畅,还要做到不因土粒流失而导致渗透变形。而传统砂石滤层则完全不同,主要是根据被保护土的性质选择各层砂砾反滤料的粒径、级配和层厚。此外,土工织物滤层质量很轻,没有传统砂石滤料的压重作用。

二、土工织物滤层的工作机理

关于土工织物的反滤机理,尚有待深入研究。目前,一般认为在无粘性土单向渗流情况下,形成反滤的机理是:运用初期,被保护土体中的一部分细颗粒将通过织物孔隙被渗流带走,使滤层附近遗留下来的粗颗粒逐步形成一层具有反滤作用的天然滤层和一层由粗粒土形成的架空层,如图 3-1 所示,在促成天然滤层的形成中,土工织物主要起了诱导和支撑作用。当然,这种天然滤层的形成需要一定时间,同时还受到土工织物渗流特性和被保护土的颗粒级配特性及土工织物工作状态(应力和变形)等因素的制约。据上所述,土工织物的反滤作用并不是土工织物本身成了滤层,而是因为土工织物的"诱导"作用,在被保护的土体内部形成了以"天然"滤层为主体的整体反滤系统。

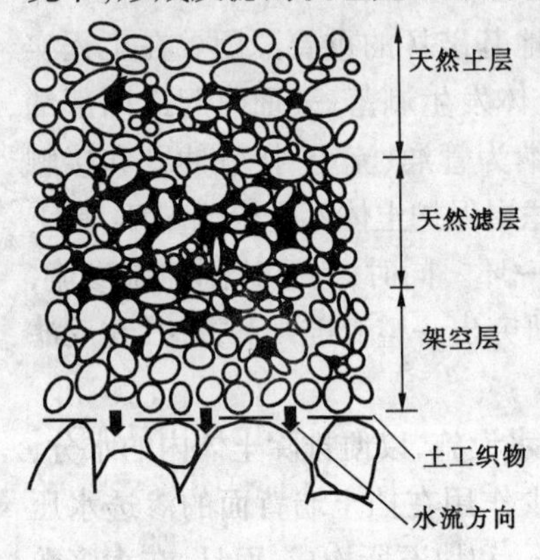

图 3-1　天然滤层示意图

对于粘性土来说,如果认为它的结构单元是团粒而不是单个土粒,土工织物阻挡的是团粒而不是单个土粒。所以,织物也可以起到反滤的作用。

显然,对于双向水流及动荷载情况,水流方向不是固定的,而且反复地从两个方向流动,例如铺设在护坡面层以下的土工织物滤层,水可从坡面渗入,也可以从土中渗出;在波浪作用下,地处水边线附近的滤层(垫层),更是在往复水流动荷载作用下工作,"天然"滤层不易形成。这时只能依靠土工织物,有足够小的孔径来阻挡土料的移动。上述土工织物反滤机理虽然仍有不少地方有待商榷,但其有效性却已被大量试验和实践所证实,并且对许多类的土都是有效的。

第三节　土工织物反滤准则

一、基本要求

综上所述,用作反滤的土工织物应满足以下三个基本要求:

(1)保土性:防止被保护土土粒随水流流失。

(2)透水性:保证渗透水通畅排走。

(3)防堵性:保证材料不被细土粒堵塞失效。

显然,为了满足这三个基本要求,在选择织物时,要求织物孔径不宜过大,要保证被保护土的颗粒不大量流失;不发生管涌破坏,但是,织物孔径也不宜太小,要保证织物孔隙不被被保护土的小颗料所堵塞，或在织物上游面形成“泥饼”，使织物失去排水减压作用。

反滤功能设计的任务就是要在这两者之间选择出最适宜的土工织物，当情况复杂时，最好通过相应的模拟试验研究(淤堵试验)来予以验证。

二、设计准则

自20世纪70年代以来，为了满足工程实践需要，不少国内外学者和有关机构通过试验研究，提出过许多土工织物反滤设计准则。以下介绍几种使用土工织物较多的国家部门和我国规范所采用的准则。

(一)单向水流的保土性准则

1. 美国准则

最早由美国陆军工程师兵团提出，后经美国林业和交通部门修改采用，列于表3-1。

表3-1　美国准则(保土)

土　类	土工织物准则	土　类	土工织物准则
$d_{50}>0.074$ mm	0.297 mm$\leqslant O_{95}\leqslant d_{85}$(有纺织物)	$d_{50}\leqslant 0.074$ mm, $2<C_u\leqslant 4$	$O_{95}\leqslant 0.5C_u d_{85}$
	0.297 mm$\leqslant O_{95}\leqslant 1.8d_{85}$(无纺织物)	$d_{50}\leqslant 0.074$ mm, $4<C_u\leqslant 8$	$O_{95}\leqslant 8d_{85}/C_u$
$d_{50}>0.074$ mm $C_u\leqslant 2$	$O_{95}\leqslant d_{85}$	$d_{50}\leqslant 0.074$ mm, $C_u>8$	$O_{95}\leqslant d_{85}$

表3-1中，O_{95}是干筛法用50 g玻璃珠振动10 min而求得筛余量95%时的织物孔径；d_{85}为被保护土小于该粒径的土粒重量占总重量的85%时的粒径；0.074 mm为美国200号标准筛的孔径；C_u为不均匀系数。

2. 荷兰准则

荷兰准则早期是由Delft水利研究所提出的，后经荷兰海岸工程协会在试验工作的基础上作了修改并由荷兰交通与建筑部所采用

$$O_{90}\leqslant 2d_{90} \tag{3-1}$$

O_{90}的测定方法是干筛法，用50 g干砂每次振动5 min。

3. 德国准则

德国准则是在Franzius研究所研究成果的基础上，经德国土力学及基础工程学会修改而得。该准则首先把土分为不稳定的土和稳定土。不稳定的土指下列三类：

(1)塑性指数小于15的细粒土；

(2)d_{50}在0.02～0.1 mm之间的土；

(3)不均匀系数C_u小于15并含有粘粒和粉粒的土。

稳定土是指上述三类以外的土。

该准则列在表3-2中。

表3-2中，D_W为湿筛法测定的结果，采用砂粒，振动15 min，由试验成果定出的O_{90}

则为 D_W。

表 3-2 德国准则(保土)

土　类	土工织物准则
$D_{40}<0.06$ mm,稳定土	$D_W<10d_{50}$ 和 $D_W<2d_{90}$
$D_{40}<0.06$ mm,不稳定土	$D_W<10d_{50}$ 和 $D_W<d_{90}$
$D_{40}>0.06$ mm,稳定土	$D_W<5d_{10}C_u^{1/2}$ 和 $D_W<2d_{90}$
$D_{40}>0.06$ mm,不稳定土	$D_W<5d_{10}C_u^{1/2}$ 和 $D_W<2d_{90}$

4. 法国准则

法国准则是由法国土工织物与土工膜委员会提出的,见表 3-3。

表 3-3 法国准则(保土)

土　类	土工织物准则
不均匀级配($C_u>4$)和密实	$4d_{15}\leqslant O_f\leqslant 1.25d_{85}$
不均匀级配($C_u>4$)和疏松	$4d_{15}\leqslant O_f\leqslant d_{85}$
均匀级配($C_u\leqslant 4$)和密实	$O_f\leqslant d_{85}$
均匀级配($C_u\leqslant 4$)和疏松	$O_f\leqslant 0.8d_{85}$

表 3-3 适用于水力坡降小于 5 的情况。法国准则考虑到水力坡降、土的级配和密实程度,是比较周到的。O_f 是法国流行的动力水筛法测定的,采用砂料在水中上下运动,作动力过筛 24 h,$O_f=O_{95}$。当水力坡降为 5~20 时,表中织物的孔径值要减少 20%,如水力坡降大于 20 或受双向水流作用,则表中织物孔径要减少 40%。

由于不同的准则都有一套相应的试验方法,在使用时一定要采用相应试验求得的特征孔径。

表 3-4 为几种不同试验方法求得的孔径,从中可以看出差别是相当大的。各种特征孔径的粗略相互关系见表 3-5。从表 3-5 中可以看出,美国和荷兰干筛法的成果较接近,德国和法国湿筛法的成果也较接近。在采用各种准则时(包括上述四种准则以外的准则),要注意该准则对试验方法的要求。表 3-5 所列数据只能在初步设计中参考使用。

有人通过实际算例对上述四种准则进行过比较,计算结果是美国准则最严,荷兰准则最宽。

表 3-4 几种试验方法求得的特征孔径

土工织物	厚　度 (mm)	O_{95}(μm)			
		美　国	荷　兰	德　国	法　国
单丝	0.66	87	72	70	62
平织	0.17	140	138	103	100
无纺	4.2	180	163	113	113
无纺	2.6	135	138	93	83
无纺	1.6	86	77	89	72

表 3-5 试验求得孔径的关系

试验方法与特征孔径	与美国成果的关系
美国 O_{95}	$=1.0\ O_{95}$(ASTM)
荷兰 O_{90}	$\approx 0.85\ O_{95}$
德国 D_W	$\approx 0.75\ O_{95}$
法国 O_{f_v}	$\approx 0.7\ O_{95}$

(二)双向水流的保土性准则

土工织物滤层在双向水流作用下,与织物相邻的被保护土层中不易形成天然滤层,因而要求土工织物的孔径要小一些,亦即双面水流下土工织物的准则要严格一些。双向水流准则用于堤岸频繁发生双向水流的地方。

1.美国准则

美国陆军工程师兵团、林业和交通部门的准则综合于表 3-6。

2.荷兰准则

该准则被荷兰海岸工程协会所采用,见表 3-7。

表 3-6 美国准则(双向水流保土)

土　类	土工织物准则
$d_{50}>0.074$ mm	$O_{50}\leqslant 0.5d_{85}$
$d_{50}\leqslant 0.074$ mm	$O_{95}\leqslant d_{15}$ 或 $O_{50}\leqslant 0.5d_{85}$

表 3-7 荷兰准则(双向水流保土)

土　类	土工织物准则
有粗粒滤层	$O_{98}\leqslant 2d_{85}$
无粗粒滤层	
(a)重大工程	$O_{98}\leqslant 1.0d_{15}$
(b)非重大工程	$O_{98}\leqslant 1.5d_{15}$

3.德国准则

被德国土力学及基础工程学会所采用,见表 3-8。

4.法国准则

由法国土工织物与土工膜委员会所建议,见表 3-9。

表 3-8 德国准则(双向水流保土)

土　类	土工织物准则
$d>0.06$m	$D_W<d_{90}$
$d\leqslant 0.06$m	$D_W<1.5d_{10}\sqrt{C_u}$ 和 $D_W<d_{50}$ 和 $D_W<0.5$ mm

表 3-9 法国准则(双向水流保土)

土　类	土工织物准则
不均匀($C_u>4$)和密实	$O_f\leqslant 0.75d_{85}$
不均匀($C_u>4$)和疏松	$O_f\leqslant 0.6d_{85}$
均匀($C_u\leqslant 4$)和密实	$O_f\leqslant 0.6d_{85}$
均匀($C_u\leqslant 4$)和疏松	$O_f\leqslant 0.48d_{85}$

(三)渗透准则

土工织物作为滤层除了保土的功能外,还应该确保渗流能畅通地排出,因此土工织物应满足一定的要求或称为渗透准则。从类似于天然滤层的传统观点出发,要求土工织物的渗透系数应大于被保护土层的渗透系数。由于土工织物不可避免地要产生一定程度的淤堵，其渗透系数会有较大的减小，因而要求土工织物在受淤堵影响前的渗透系数要大于土的渗透系数若干倍。也有人认为土工织物只要不被淤堵，其渗透系数虽然比土体的渗透系数小，但是土工织物的厚度很薄，从多层介质的渗流理论可知，其对土体的渗流场是没有明显影响的。根据前述，渗透准则可以下式表达

$$k_g \geqslant \lambda_p \cdot k_s \tag{3-2}$$

式中 k_g——土工织物的渗透系数；

k_s——被保护土的渗透系数；

λ_p——无因次系数。

研究人员对 λ_p 值提出过各种建议，在这里只介绍美国联邦公路管理局采用的建议。该建议考虑到水流和土层的情况，较为合理。该建议为：

对小的水力梯度和稳定土 $\lambda_p=1$；

对大的水力梯度和不稳定土 $\lambda_p=10$。

在前一种情况下土工织物不会明显地被淤堵，故 λ_p 值可以取得小一些；而在后一种条件下土工织物有可能部分地被淤堵，因而其渗透系数会有所下降，故 λ_p 值应取得大一些。

(四)几何比准则

这个准则是从传统砂石滤层设计准则换算导出的土工织物滤层设计准则，它以几何比形式表示，形式简单，物理概念明确，使用方便，仍有一定参考价值。

按保土性要求

$$O_e < d_{85} \tag{3-3}$$

按透水性要求

$$O_e > d_{15} \tag{3-4}$$

或

$$k_g > 25k_s \tag{3-5}$$

以上准则只适用于无粘性土，不适用于粘性土。对于粘性土，设计准则为

$$O_e < 0.08\ \text{mm} \tag{3-6}$$

以上各式中，O_e 为土工织物的有效孔径。对于 O_e 的取值，目前认识不一，大多取 $O_e=O_{90}$，但由于土工织物孔径大小一般比较均匀，O_{95}、O_{90}和 O_{50}大小都相差不多。

(五)我国规范提出的反滤准则

1.国家标准反滤准则

按照我国国家标准《土工合成材料应用技术规范》(GB50290—98)，用作反滤的土工织物应符合以下准则。

1)保土性准则

反滤材料的保土性应符合下式要求

$$O_{95} \leqslant Bd_{85} \tag{3-7}$$

式中 O_{95}——土工织物的等效孔径，mm；

d_{85}——土的特征粒径，mm，按土中小于该粒径的土粒质量占总土粒质量的85%确定；

B——系数,按工程经验确定,宜采用1~2,当土中细粒含量大,及为往复水流时取小值。

2)透水性准则

反滤材料的透水性应符合下式要求

$$k_g \geqslant Ak_s \tag{3-8}$$

式中 A——系数,按工程经验确定,不宜小于10;

k_g——土工织物渗透系数,cm/s,应按其垂直渗透系数 k_v 确定;

k_s——土的渗透系数,cm/s。

3)防堵性准则

反滤材料的防堵性应符合下列要求:

(1)以现场土料制成的试样和拟选土工织物在进行淤堵试验后,所得梯度比 GR 应符合下式要求

$$GR \leqslant 3 \tag{3-9}$$

(2)当排水失效并损失巨大时,应以拟用的土工织物和现场土料进行室内淤堵试验。

对于编织型土工织物,保土性准则可以参考以下规定:

(1)粘粒含量大于10%的粘土、壤土,当覆盖保护层料型块较大(0.4 m×0.6 m),缝隙小(如预制件)的条件下,可采用 $O_{90} \leqslant 10d_{90}$($O_{90}$表示编织型土工织物的等效孔径)。

(2)粘粒含量小于10%的砂性土,在覆盖保护层料块较大(0.4 m×0.6 m),缝隙小(如预制件)的条件下,可采用 $O_{90} \leqslant (2\sim5)d_{90}$;浪高小于0.6 m时,取大值,否则取小值。

2.水利部标准反滤准则

按照我国水利部《水利水电工程合成材料应用技术规范》(SL/T225—98),反滤准则如下。

1)保土性准则

土工织物保土性应符合下式要求

$$O_{95} \leqslant nd_{85} \tag{3-10}$$

式中 O_{95}——土工织物的等效孔径,mm;

d_{85}——被保护土的特征粒径,即土中小于该粒径的土质量占总质量的85%,采用试样中最小的 d_{85},mm;

n——与被保护土的类型、级配、织物品种和状态有关的经验系数,按表3-10的规定采用。

土的不均匀系数 C_u,应按下式计算

$$C_u = \frac{d_{60}}{d_{10}} \tag{3-11}$$

式中 d_{60}、d_{10}——土中小于各该粒径的土质量分别占总土质量的60%和10%的特征粒径。

表 3-10　　　　　　　　　　**系　数** n

被保护土细粒（$d\leqslant 0.075$ mm）含量（%）	土的不均匀系数或土工织物品种		n 值
$\leqslant 50\%$	$2\geqslant C_u, C_u\geqslant 8$		1
	$4\geqslant C_u>2$		$0.5C_u$
	$8>C_u>4$		$8/C_u$
$>50\%$	有纺织物	$O_{95}\leqslant 0.3$ mm	1
	无纺织物		1.8

注：预计所埋土工织物连同其下土料可能移动时，n 值应采用 0.5。

2）透水性准则

土工织物透水性应符合以下条件：

（1）被保护土级配良好，水力梯度低和预计不致发生淤堵（净砂、中粗砂等）时

$$k_g \geqslant k_s \tag{3-12}$$

（2）排水失效导致土结构破坏，修复费用高，水力梯度大，流态复杂时

$$k_g \geqslant 10k_s \tag{3-13}$$

式中　k_g、k_s——土工织物、被保护土的渗透系数，cm/s。

3）防堵性准则

土工织物防堵性要求其孔径应符合以下条件：

（1）被保护土级配良好，水力梯度低，流态稳定，修复费用小及不发生淤堵时

$$O_{95} \leqslant 3d_{15} \tag{3-14}$$

式中　d_{15}——被保护土的特征粒径，即土中小于该粒径的土质量占总土质量的 15%，mm；

其余符号含义同前。

（2）被保护土易管涌，具有分散性，水力梯度高，流态复杂，修复费用大时：

被保护土的渗透系数 $k_s\geqslant 10^{-5}$ cm/s 时

$$GR \leqslant 3 \tag{3-15}$$

式中　GR——梯度比，试验方法见有关规程。

被保护土的渗透系数 $k_s<10^{-5}$ cm/s 时，应以现场土料进行长期淤堵试验，观察其淤堵情况，试验方法见有关规程。

对于编织型土工织物保土性准则的规定与国标相同。

3. 交通部标准反滤准则

我国交通部《水运工程土工织物应用技术规程》（JTJ/T239—98）的反滤准则（适用于码头、护岸、围堰和河道防护等工程）如下。

1）保土性准则

静荷载、单向渗流情况：

（1）非粘性土

$$O_{95} < d_{85} \tag{3-16}$$

(2)粘性土

$$O_{95} < 0.21\ \text{mm} \tag{3-17}$$

静荷载、双向水流情况：

(1)土颗粒 $d_{40}<0.06$ mm

$$O_{95} < 1.3d_{90} \tag{3-18}$$

(2)土颗粒 $d_{40}\geqslant0.06$ mm

$$\left.\begin{aligned} O_{95} &< 2d_{10}\sqrt{C_u} \\ O_{95} &< 1.3d_{50} \\ O_{95} &< 0.67\ \text{mm} \end{aligned}\right\} \tag{3-19}$$

2)渗透性准则

$$O_{95} > d_{15} \tag{3-20}$$

或

$$k_g \geqslant \lambda_p k_s \tag{3-21}$$

式中 k_g——土工织物渗透系数,cm/s;

k_s——被保护土的渗透系数,cm/s;

λ_p——系数,对粘土取 10～100,对砂土取 1～10。

可以看出,式(3-16)及式(3-17)系美国陆军工程师兵团于 1972 年提出的保土准则,式(3-18)及式(3-20)是德国土力学及基础工程学会提出的双向水流条件下的保土准则。此外,该规程没有提出专门的防淤堵准则。

4.我国其他部门规范的反滤准则

我国交通部《公路土工合成材料应用技术规范》(JTJ/T019—98)和铁道部《铁路路基土工合成材料应用技术规范》(TB10118—99)的反滤准则与国家标准大体相同,按行业需要作了部分补充。

第四节　应用实例

为了借鉴已建工程实践经验,以下应用实例可供参考,请注意实例的应用背景。

[实例 1]　法国的瓦尔克罗斯(Valcros)坝

1970 年,在法国的瓦尔克罗斯坝的上游块石护坡下以及下游坝址排水体周边铺设土工织物作反滤层。这是世界上首次将土工织物应用于土坝工程上。30 余年来,该土工织物反滤层运行良好,起到了反滤层应有的作用。现对该坝反滤设计进行校核。

该坝所用土工织物的有效孔径 $O_{90}=0.11$ mm,织物的渗透系数 $k_g=1\times10^{-2}$ cm/s。

该坝土料的特征粒径,由颗粒级配曲线上查得:$d_{85}=7.0$ mm,$d_{50}=0.47$ mm,$d_{15}=0.02$ mm,$C_u=49$。土料的渗透系数 $k_s=1\times10^{-5}$cm/s。

用反滤准则进行检验(几何比准则):

1.保土性准则

$$O_{90}<d_{85}$$

$$O_{90}=0.11\ \text{mm}<d_{85}=7.0\ \text{mm}$$

满足保土准则要求。

2.透水性准则

(1)$O_{90} > d_{15}$

$O_{90} = 0.11\ \text{mm} > d_{15} = 0.02\ \text{mm}$

(2)$k_g > 25k_s$

$k_g = 1 \times 10^{-2}\ \text{cm/s}; k_s = 1 \times 10^{-5}\ \text{cm/s}$

$k_g = 1\ 000k_s \gg 25k_s$

从以上两准则判断,所用土工织物满足透水准则要求。

1972年和1992年,从该坝取出针刺无纺织物样品进行试验,结果表明:抗拉特性没有产生大的变化,滤层孔径与1992年制造的新产品接近,反滤排水效能正常。

[实例2] 云南省麦子河水库土坝工程

麦子河水库位于云南省陆良县城西南8 km的麦子河上。主坝为一拱形均质土坝,长660 m,最大坝高21.15 m,库容1 350万m^3。由于主坝坐落在透水性较强的第三纪砂土及砂壤土基础上,因此从建成后的第三年开始,库区内多次发现溶洞漏水,坝后多次发现涌砂漏水和坝坡塌陷,以及沼泽化现象。因此,该坝被列为云南省重大病险水库之一,虽经三次处理,但未能根除病害。

1984年,经调查研究和室内试验,决定采用$O_{90} = 0.10$ mm的涤、丙纶针刺土工织物作上游坝面护坡反滤层,其上覆盖预制混凝土块或干砌块石。在坝的下游做反滤排水沟,反滤层用的是同一型号的土工织物,如图3-2。

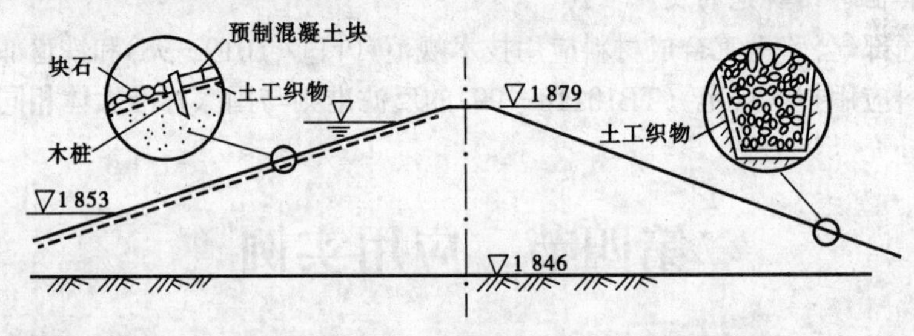

图3-2 麦子河土坝断面图 (单位:m)

经过对土工织物与被保护土(包括坝土和地基土)进行系统的反滤试验,结果表明,在试验7~8 d后,渗透系数和渗透流量均保持不变,这说明既不发生淤堵,也不产生管涌,完全满足反滤要求。

土工织物在该工程上应用后,经7年运行,效果良好。

[实例3] 棘洪滩引黄平原水库围坝干砌石护坡塌坑修复试点工程

棘洪滩水库位于山东省青岛市棘洪滩镇,引黄济青输水工程末端,是向青岛市供水的引黄蓄水调节工程,水库设计总库容为1.44亿m^3,围坝总长14.28 km,水面面积14.42 km^2,围坝最大坝高15.24 m,平均坝高10 m。

水库自1989年1月建成蓄水至1994年,经历了五次充水和降水过程。在运用过程中,围坝迎水面干砌块石护坡曾多次发生大面积塌陷变形破坏,虽经多次维修,但塌陷损坏现象仍未能得到制止,给水库安全运用带来很多问题。

调查研究表明,水库干砌块石护坡四年累计破坏多达 664 处以上,其中塌坑 272 处。破坏总面积近 2 万 m^2。

破坏形式以塌坑和大面积垫层流失、淘空、沉陷、位移(砌缝张开)为主,块石翻倒、脱落亦属多见。

由于干砌块石及砌筑质量较差,碎石垫层粒径偏小,导致护坡抗风浪能力差,垫层粒料大量流失,这就是护坡块石脱落和大面积出现塌坑的根本原因。

根据水库护坡破坏原因,塌坑修复采用土工织物封闭砂砾石垫层,同时加大土工织物以上、干砌块石以下碎石垫层的粒径,并按与土工织物及碎石相适应的标准控制块石及砌筑质量,以求防止垫层流失和提高护坡抗风浪的能力。

为了进行对比,选择了两个塌坑,分别采用两种不同类型的土工织物,即 10+400 塌坑采用编织型土工织物,11+235 塌坑采用针刺无纺型土工织物,塌坑修复设计如图 3-3。

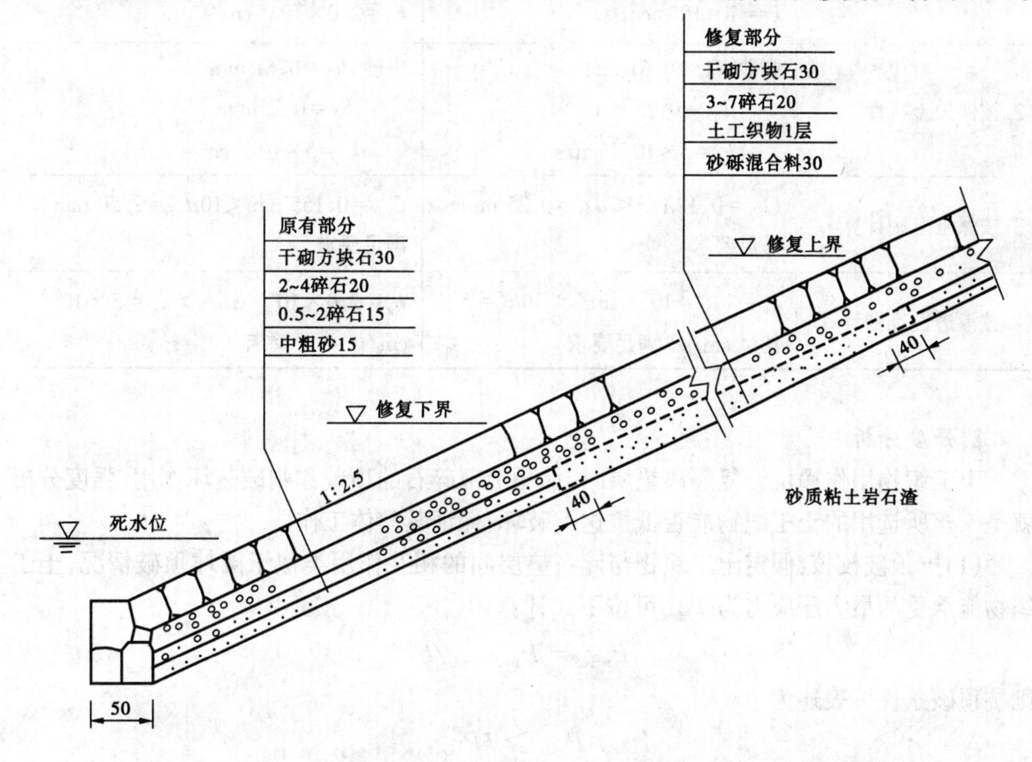

图 3-3 棘洪滩水库围坝护坡塌坑修复方案 (单位:cm)

1.反滤计算

对于受往复水流和波浪作用的针刺型土工织物垫层,可采用我国国标(GB5090—98)提出的保土性准则,对于非粘性土,紊流及波浪作用下,要求满足

$$O_{95} \leqslant d_{85}$$

渗透性准则可采用 $$k_g > 10k_s$$

式中:O_{95} 为土工织物的有效孔径;d_{85} 为被保护土的特征粒径;k_g、k_s 为给定荷载下土工

织物和被保护土的渗透系数。

编织型土工织物垫层的反滤计算,可采用我国水电规范(SL/T225—98),要求满足

保土性准则　　　　　　$O_{95} \leqslant d_{85}$

渗透性准则　　　　　　$k_g > k_s$

式中符号含义同前。计算表明,两个塌坑所采用的土工织物均满足反滤要求,成果列于表3-11中。

表 3-11　　垫层反滤计算成果

项　目	11+235 塌坑	10+400 塌坑
1.土工织物垫层特性	齐鲁丙纶厂 270 g/m² 针刺型土工织物 $O_{95}=0.12$ mm $k_s=1\times10^{-1}$ cm/s	青岛麻纺厂 2050 型编织型土工织物 $G=280$ g/m² $O_{90}\approx0.155$ mm $k_g=2.0\times10^{-2}$ cm/s
2.被保护土特性	中砂 $d_{90}=0.61$ mm $d_{85}=0.25$ mm $k_s=5\times10^{-3}$ cm/s	中砂 $d_{90}=0.61$ mm $d_{85}=0.25$ mm $k_s=5\times10^{-3}$ cm/s
3.按保土准则计算	$O_{95}=0.12$ mm$<d_{85}=0.25$ mm 满足要求	$O_{90}=0.155$ mm$<10d_{85}=2.50$ mm 满足要求
4.按渗透性准则计算	$k_g=1.0\times10^{-1}$ cm/s$>10k_s=5\times10^{-2}$ cm/s　满足要求	$k_g=2.0\times10^{-2}$ cm/s$>k_s=5\times10^{-3}$ cm/s　满足要求

2.强度分析

土工织物用作塌坑修复隔离垫层时,承受上部碎石的顶破和刺破破坏作用,强度分析就是校核所选用的土工织物能否抵抗这类破坏,保证其整体工作。

(1)抗顶破校核:假定土工织物与碎石垫层间的相互作用类似于圆球顶破情况,土工织物能承受的最大压应力为 P_{max} 可按下式计算

$$P_{max} = P_n \times b_b / b$$

则抗顶破条件可表述为

$$P_{max} \geqslant kP$$

式中:P_n 为圆球顶破试验中,织物破坏时作用在其上的法向压应力,Pa;b_b 为圆球顶破试验的圆孔直径,m;b 为圆孔直径或碎石之间的等效圆孔直径,m;k 为抗顶破安全系数,一般可取为1.5;P 为实际作用在土工织物上的平均法向压应力,Pa。

就水库塌坑修复而言,P 为织物以上碎石、块石重量与浪压力之和,考虑压力经过面石和碎石的扩散均化,实际作用于织物上的平均法向压应力 P 可按下式计算

$$P = \rho h + \frac{1}{4} P_{maxh}$$

式中:ρ 为上覆材料平均容重,取 $\rho=18.63$ kN/m³;h 为0.5 m;设计情况(风速30 m/s,

吹程 3.37 km,水深 7.7 m,波高 1.82 m)的最大局部波压力 P_{maxh} 为 36 796 Pa。将以上数值代入公式得出 $P=18.52$ kPa。

对于编织型土工织物(10+400 塌坑),$P_n=1\ 320.40$ kPa;$P_{max}=2\ 122.10$ kPa$>kP=1.5\times18.52=27.8$ (kPa),安全。

对于针刺无纺型土工织物(11+235 塌坑),$P_n=383.54$ kPa;$P_{max}=616.40$ kPa$>kP=27.8$ kPa,安全。

3. 抗刺破校核

织物隔离垫层在碎石棱角作用下,可能刺破,对于一个接触点的情况其接触力 R_p 为

$$R_p = P_0 d^2$$

则抗刺破条件为

$$R_b \geqslant kR_p$$

式中:P_0 为作用于土工织物上的平均法向压应力,Pa;d 为作用于土工织物上的块石(碎石)的平均直径,m;k 为抗刺破安全系数,一般可取为 1.5;R_b 为土工织物的抗刺破强度(试验值),N。

对于塌坑修复工程,$d=0.07$ m;织物以上块石及碎石层厚度 $h=0.5$ m;上覆材料容重 $\rho=18.63$ kN/m^3;设计波高时平均波浪压力 $P_h=36\ 796$ N,作用在织物上的法向压应力为

$$R_P = (\rho h + \frac{1}{4}P_h)d^2 = 90.7\ (\text{N})$$

取抗刺破安全系数为 1.5,编织型土工织物抗刺破强度为 700 N

$$R_b = 700\ \text{N} > k\,R_b = 1.5\times 90.7 = 136.1\ (\text{N}) \qquad \text{安全}$$

对于针刺型土工织物,抗刺破强度为 551 N

$$R_b = 551\ \text{N} > k\,R_b = 1.5\times 90.7 = 136.1\ (\text{N}) \qquad \text{安全}$$

1991 塌坑修复后,经过两年多的运用,情况良好。1994 年 2 月,水库最高蓄水位为 12.81 m,同年 6 月底水位降落至 10.0 m,在这期间,修复部位始终处于风浪作用下工作,期间最大北风(包括西北风)风速达 17 m/s 左右(风力 7~8 级)。根据同年 5 月下旬检查,两个采用土工织物修复的塌坑,未发现沉陷、面石松动及脱落现象,而同期采用传统方法修复的塌坑及 1991 年采用面石勾缝的护面则有不同程度的破坏。

在各种可能的修复方案中,土工织物方案技术性能最为优越,其主要优点首先是从根本上杜绝了垫层流失的通道,大大提高了干砌块石的抗风浪稳定性能,并对护坡破坏具有一定的限制作用,有利于及时抢护;其次是采用土工织物修复护坡,可以改变现有护坡年年破坏年年小修的被动局面,延长护坡使用寿命,加长小修、中修和大修周期,减轻管护工作压力,节省管护维修费用;第三是施工方便,速度快,用工省,质量易于保证。

在经济方面,编织型土工织物方案效益也十分显著,工程造价最低,比费用最高的勾缝方案低 27%,比按原设计方案低 16%。如果考虑在实际使用时,织物方案可以适当放宽对块石和碎石垫层在体型和尺寸上的要求,费用至少还可再降低 10%以上。如果在新建工程中实施,就棘洪滩水库而言,砂砾垫层亦可省去,护坡工程造价估计可降低 30%以

上。

［实例 4］ 田村水库，用土工织物在大坝心墙下游作反滤层

位于广西金秀河上的田村水库，库容 887 万 m^3，拦河坝采用碾压心墙堆石坝，坝高 45.7 m，心墙用两种土料经碾压而成，心墙后用土工织物作反滤层，见图 3-4，心墙土料及土工织物有关特征值见表 3-12 和表 3-13。

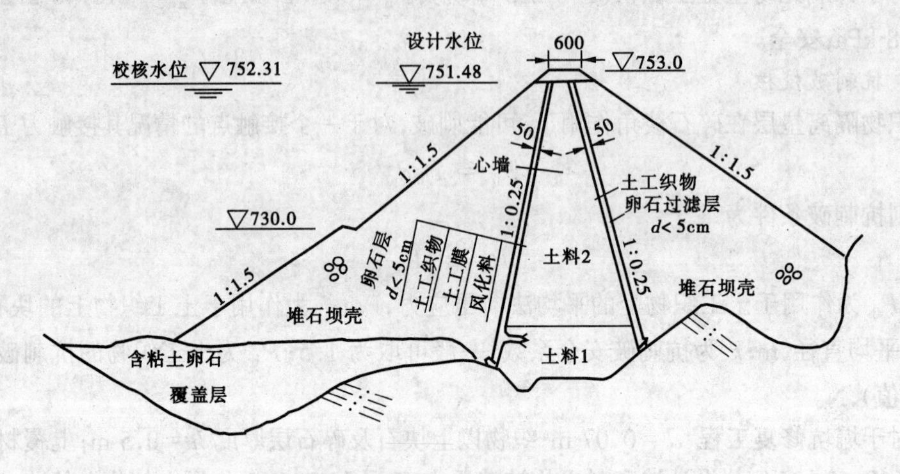

图 3-4 土工织物反滤层示意图 （单位：尺寸 cm，高程 m）

表 3-12 土工织物的有关特征值

规格(g/m^2)	厚度(mm)	O_{90}(mm)	抗拉强度(N/5 cm)	渗透系数 k_g(cm/s)
450	4.98	0.07	950	1.36×10^{-1}

表 3-13 土料有关特征值

土料＼特征值	d_{85}(mm)	d_{15}(mm)	k_s(cm/s)
土料 1	0.078	0.001 3	2.796×10^{-5}
土料 2	0.079	0.001 5	5.05×10^{-5}

因该坝比较高，土工织物随着压力的增加厚度变薄，渗透系数随之减小。根据试验，当拟选用的土工织物在 0.3 MPa 压力作用下，渗透系数减小到原渗透系数的 8%。为安全计，大坝建成后，设计取受压后的渗透系数为原渗透系数的 5%，故受压后织物的渗透系数为

$$k'_g = 1.36\times10^{-1}\times5\% = 6.8\times10^{-3}\text{(cm/s)}$$

反滤功能检验(按几何比准则)：用以上提供的数据检验所选用的土工织物是否满足反滤要求。

1. 保土性准则

$$O_{90} < d_{85} \quad \text{(技术规范发布前应用，未修改，下同)}$$

$$O_{90} = 0.07\ \text{mm} < d_{85} = (0.078\sim0.079)\ \text{mm}$$

故满足保土准则要求。土工织物受压后孔径进一步变小，保土性能还会提高。

2. 透水性准则

$$O_{90} > d_{15}$$

$$O_{90} = 0.07 \text{ mm} > (0.001\,3 \sim 0.001\,5) \text{ mm}$$

同时，土料 1：$\frac{k'_g}{k_s} = \frac{6.8 \times 10^{-3}}{2.796 \times 10^{-5}} = 243 > 25$

土料 2：$\frac{k'_g}{k_s} = \frac{6.8 \times 10^{-3}}{5.05 \times 10^{-5}} = 135 > 25$

故满足透水性准则要求。

[实例 5] 金鸡山水库坝后用土工织物贴坡反滤

位于湖南省湘阴县的金鸡山水库，大坝为均质土坝，量大坝高 13.4 m，坝顶高程 70 m，设计水位 67.9 m。当库水位达 6.64 m 时，坝外坡 58 m 高程以下出现散浸现象；当水位上升至 67.4 m 时，则呈渗水饱和状态，坝脚形成沼泽，危及坝体稳定。由于采用土工织物滤层贴坡排水措施，上述问题得到了根治。坝的断面与贴坡排水见图 3-5。大坝与基础土样特征值见表 3-14，选用土工织物的主要特征值见表 3-15。

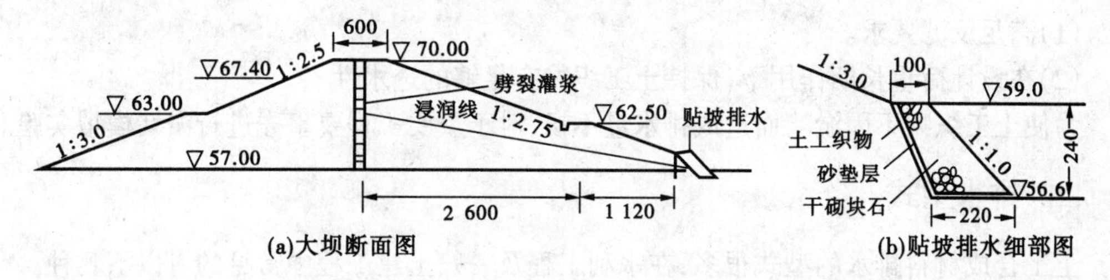

图 3-5　金鸡山水库大坝　(单位：尺寸 cm，高程 m)

表 3-14　大坝与基础土样特征值

土　样	d_{85}(mm)	d_{50}(mm)	d_{15}(mm)	k_s(cm/s)
坝　体	0.22	0.008 7	0.001 5	8.82×10^{-5}
坝基Ⅰ组	1.10	0.030	0.003 1	1.29×10^{-5}
坝基Ⅱ组	4.50	1.350	0.015	2.61×10^{-5}

采用几何比用反滤准则检验所用土工织物是否满足要求。

1. 保土准则

$$O_{90} < d_{85}$$

$$O_{90} = 0.09 \text{ mm} < d_{85} = (0.22 \sim 4.5) \text{ mm}$$

满足保土准则要求。

2. 透水准则

(1)　$O_{90} > d_{15}$

$$O_{90} = 0.09 \text{ mm} > (0.001\,5 \sim 0.015) \text{ mm}$$

(2)　$k_g > 25k_s$

$$k_g = 2 \times 10^{-2} \text{ cm/s}$$

表 3-15　选用土工织物的主要特征值

规格 (g/m^2)	厚度 (mm)	O_{90} (mm)	k_g (cm/s)
300	3	0.08~0.1	2×10^{-2}

$$k_s = (2.61 \sim 8.82) \times 10^{-5}\ \text{cm/s}$$

$$\frac{k_g}{k_s} = (226 \sim 766) > 25$$

满足透水准则要求。

工程完成后,测压管实测资料表明,下游浸润线跌落,坡面干燥,排水沟渗水清澈透明,反滤效果良好。

第五节 土工合成材料排水

一、基本要求

对于水利工程及其他土建工程中的排水设施,都可以采用土工织物、排水板、土工复合排水材料和土工合成材料与砂石料组合构成。对于用作排水的土工合成材料的基本要求是:

(1)满足反滤要求。

(2)在设计荷重长期作用下,保持土工织物有足够的透水性。

为使土工织物不因淤堵而造成排水量不畅,对于重要工程要事先进行淤堵模拟实验。

二、排水型式

土工合成材料排水的型式很多,在水利工程及一般土建工程中常见的有以下几种。

(一)挡土墙后排水

在挡土墙建成以后,墙后常有地下水作用,若不及时排出,则将对挡土墙稳定产生极大的影响,因此,在挡土墙后铺设砂砾料排水体,通过墙身或墙底所设排水管将渗水排出墙外。由于粒料排水的质量往往难以保证,常造成排水失效。用土工织物代替粒料排水,不仅可以保证排水质量,而且可以降低工程造价。

土工织物在挡土墙后作排水用的典型铺设型式如图 3-6 所示。

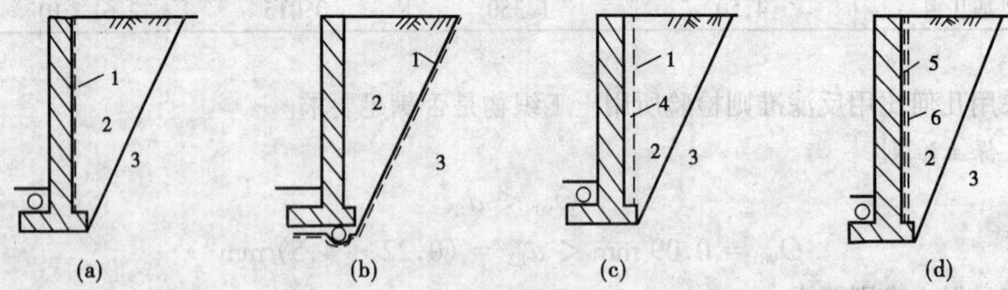

1—土工织物或复合土工织物;2—回填土;3—天然土;4—砂;
5—土工织物(排水);6—土工织物(反滤)

图 3-6 挡土墙排水型式

最简单的情况是在挡土墙与回填土之间铺设一层针刺土工织物,如图 3-6(a)所示,或者将土工织物铺在回填土与原状土之间,如图 3-6(b)。为了增加排水量,可在土工织物与挡土墙之间铺放一层粗砂，如图 3-6(c)所示。有时，为了增大排水效果，铺设两层土工织物，一层主要作反滤，另一层主要作排水，如图 3-6(d)所示。若土工织物本身就制造成表面紧密中间疏松的复合结构，就可用一层土工织物代替两层，既方便又经济；复合型排水反滤材料中间空隙较大时，其排水反滤效果更好。

(二)堤坝的内部排水

堤坝内部有渗水，特别是堆筑较高的土坝、尾砂坝等需要设置排水体将渗透水排出坝外，以降低坝体内浸润线的高度和防止渗透变形。排水体型式有坝内竖式排水、褥垫排水、坝趾棱体排水、贴坡排水等。土工织物用作排水时，有时与砂石料排水体联合使用，并起反滤作用，也可单独用土工织物作坝体排水结构。图 3-7 是下游排水中应用土工织物的几种型式，图 3-8 是土坝坝体内竖式排水中应用土工织物的形式。

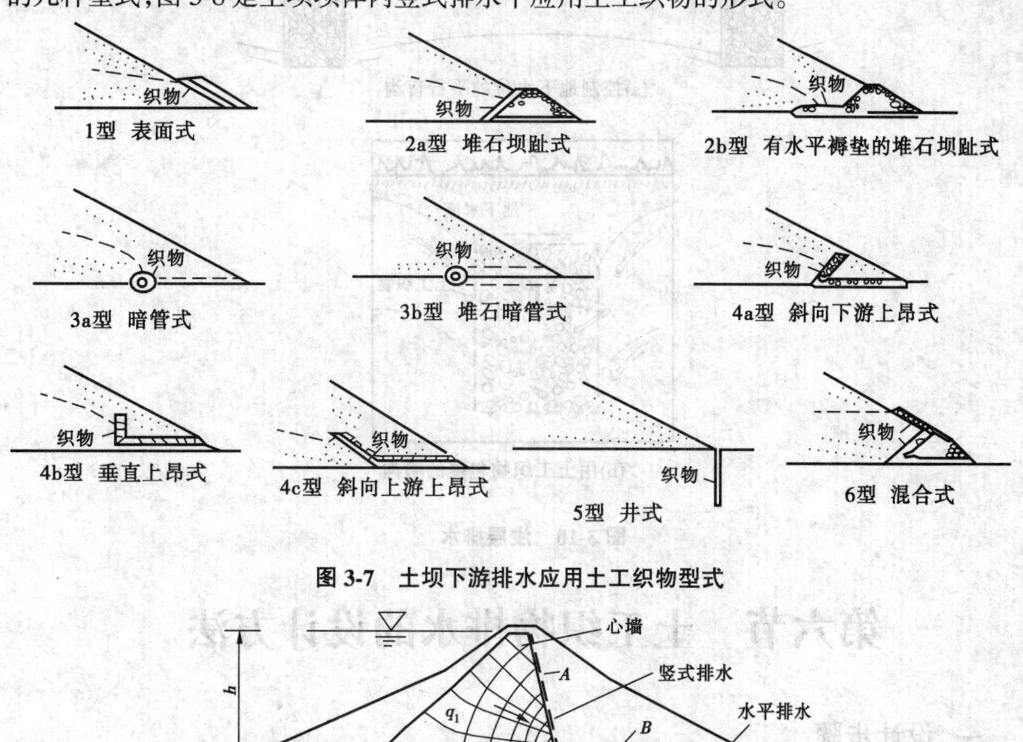

图 3-7 土坝下游排水应用土工织物型式

图 3-8 坝内排水示意图

(三)堤坝、路基底部排水

在饱和软土地基或超软基上修筑堤坝或修建道路时，为了加速土体排水固结，可将土工织物铺在建筑物底部，以排出地基渗水，如图 3-9(a)所示。为了有效地排除地基渗水，减小渗透水压力，加速地基固结，还可采取外包土工织物的塑料排水板垂向插入地基或采取垂直砂井，与水平铺放的土工织物联合排水的结构，见图 3-9(b)、(c)。

(四)盲沟排浅层水和雨水

利用盲沟排出地表浅层水或降雨渗入地下的渗水，对降低路基下的浅层水位，或排除

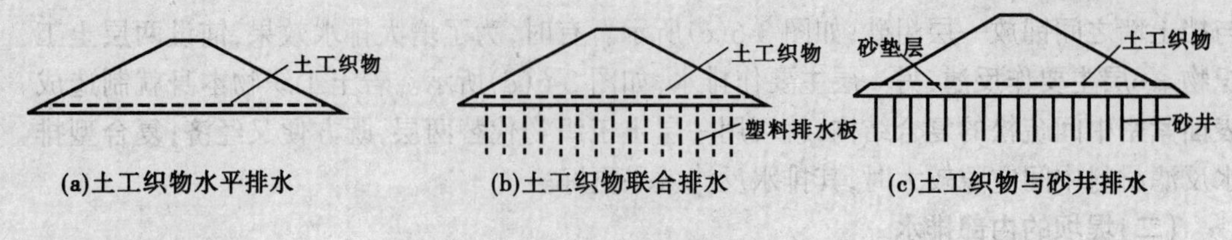

(a)土工织物水平排水　(b)土工织物联合排水　(c)土工织物与砂井排水

图 3-9　土堤底部排水

农田的积水都是有效的方法。图 3-10 为两条平行铺设的盲沟排水和土工织物包裹的暗沟排水构造。

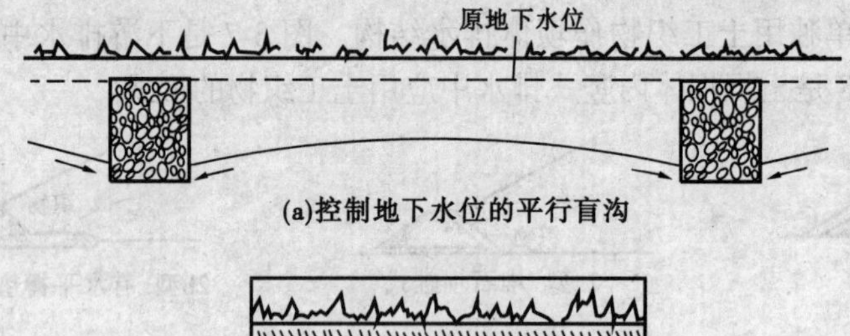

(a)控制地下水位的平行盲沟

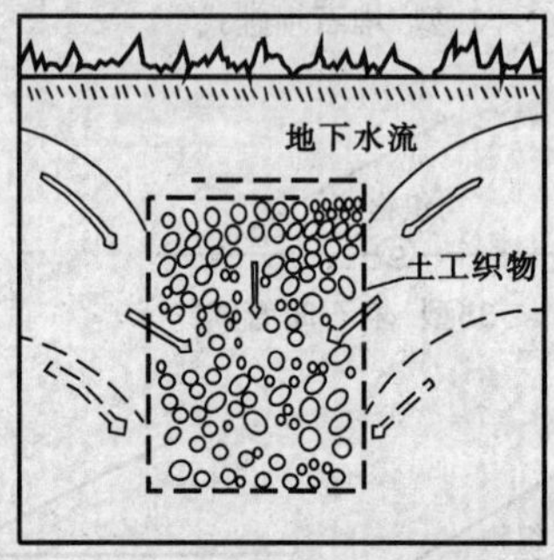

(b)用土工织物包裹的暗沟

图 3-10　浅层排水

第六节　土工织物排水的设计方法

一、设计步骤

土工织物用作排水时，材料选择可按以下步骤进行：

(1)待选土工织物应符合反滤准则。

(2)按下式计算土工织物的导水率 θ_a 和要求的导水率 θ_r

$$\theta_a = k_h \cdot \delta \tag{3-22}$$

$$\theta_r = q/i \tag{3-23}$$

(3)待选土工织物的导水率 θ_a，应满足下式要求

$$\theta_a \geqslant F_s \cdot \theta_r \tag{3-24}$$

式中　θ_a——土工织物导水率，cm^2/s；

θ_r——排水所需导水率，cm^2/s；

δ——土工织物在预计现场压力作用下的厚度,cm;

q——预估单宽来水量,cm^3/s;

k_h——土工织物的平面渗透系数,cm/s;

i——土工织物首末端间的水力梯度;

F_s——安全系数,可取 3~5,重要工程应取大值。

(4)当土工织物导水率不满足时,可选用较厚的土工织物,或采用其他复合排水材料。

二、膜后土工织物排渗能力核算

(1)计算条件。计算图如图 3-11。从坝断面浸润线最高点自上而下将断面分为若干层。

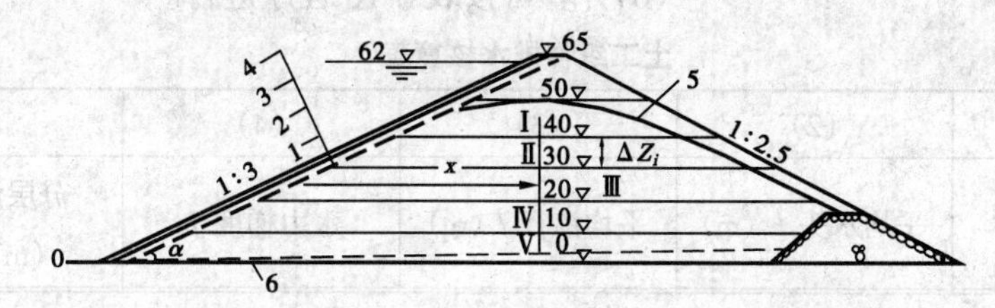

1—土工织物;2—土工膜;3—防护层(上垫层);4—护坡;

5—浸润线;6—排水管

图 3-11　土工织物排水计算图　(单位:m)

(2)估算来水量。设某层厚度为 ΔZ_i,由该层流入土工织物的水量应按下式计算

$$\Delta q_i = kJ_i\Delta Z_i \tag{3-25}$$

$$J_i = \frac{h_i}{l_i} \tag{3-26}$$

式中　k——坝体土料的渗透系数,m/s;

J_i——第 i 层的平均水力梯度;

h_i——第 i 层中点处的水头,m;

l_i——渗水流程,m。

第 i 层土工织物接受的来水量 q_i 应为该层以上各层来水量之和

$$q_i = \sum_1^i \Delta q_i \tag{3-27}$$

(3)土工织物要求的导水率 θ_r 按下式计算

$$\theta_r = \frac{q_i}{J_g} \tag{3-28}$$

$$J_g = \sin\alpha \tag{3-29}$$

式中　q_i——单宽流量,由式(3-27)算得,$m^3/(m\cdot s)$;

J_g——来水沿土工织物渗流的水力梯度;

α——土坝上游坡角。

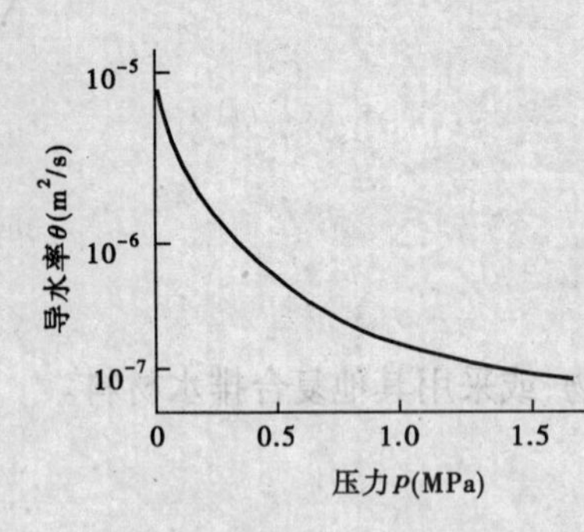

图 3-12　针刺土工织物压力与导水率关系示意

(4)土工织物实际提供的导水率 θ_a 按式(3-22)计算。式中土工织物沿平面的渗透系数(k_h)由试验确定,但针刺土工织物系蓬松材料,其厚度及渗透系数随压力而变化,故应先通过试验求得土工织物的导水率与压力的关系($\theta \sim p$),以备查用,如图 3-12。式中土工织物厚度(δ),如有数层织物,则为各层厚度之和。

(5)排水能力评价。比较各层的 θ_r 与 θ_a,要求每层 $\theta_r > \theta_a$,并有适当的安全系数(可取 3)。如不满足,可以增加织物层数,或采用其他复合排水材料,直至满足要求。

(6)计算可按表 3-16 程序进行。

表 3-16　土工织物排水核算表

(1)	(2)	(3)	(4)	(5)
分层号	平均水头 h_i(m)	平均渗径 l_i(m)	水力梯度 J_i	分层流量 Δq_i (m^3/m·s)

(6)	(7)	(8)	(9)
累计流量 q_i (m^3/m·s)	要求的 $\theta_r = \frac{q_i}{\sin\alpha}$ (m^2/s)	土工织物所受压力 p_a (kPa)	提供的 $\theta_a = k_h \cdot \delta$ (m^2/s)

二、应用实例

[实例 1]　杨大城子水库坝后暗管排水

杨大城子水库位于吉林省孟礼河上,总库容为 8 600 万 m^3,大坝为均质土坝,最大坝高 17 m,坝顶全长 2 550 m,正常高水位 179.55 m。1980 年水库蓄水,当库前水位升到 176.69 m 时,坝下游坡就有渗水逸出。由于原坝后排渗沟部分段被淤死堵塞,致使坝体浸润线抬高,坝后地下水位上升,使 20 hm^2 农田严重沼泽化,7 hm^2 多鱼池不能发挥效益,并使溢洪道左岸海漫段滑坡 70 m,涵洞海漫段以下滑坡近 600 m,水库一直不能正常蓄水运行。为了治理该水库的病害,经过方案比较,选取坝后暗管排渗方案,暗管中心位于 173.0 m 高程,水平位置距下游坝脚 9 m 处,根据渗透流量设计采用管径为 600 mm 的钢筋混凝土花管作为排渗暗管,开孔率大于 2%,暗管采用土工织物作反滤层,如图 3-13 所示。

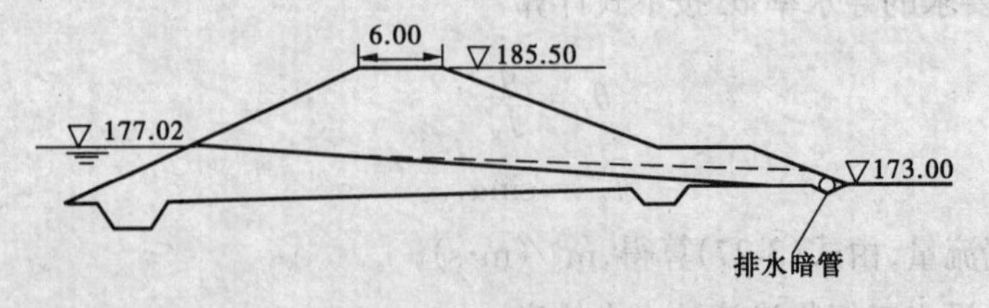

图 3-13　杨大城子水库土坝断面图　(单位:m)

坝后土特征值为 $d_{85}=(0.069\sim0.090)$mm，$d_{15}=(0.019\sim0.023)$mm，$k_s=(1.53\times10^{-5}\sim4.96\times10^{-6})$cm/s。

选用的土工织物规格为 400 g/m²，有效孔径 $O_{90}=0.054$ mm，渗透系数 $k_g=4.7\times10^{-3}$cm/s，受压后（压强为 147 kPa）$k_g=1.75\times10^{-3}$cm/s。

用反滤准则进行检验（按几何比准则）：

保土准则：$O_{90}<d_{85}$

$$O_{90}=0.054\ \text{mm}<d_{85}=(0.069\sim0.090)\ \text{mm}$$

故满足保土准则要求。

透水准则：$O_{90}>d_{15}$与 $k_g>25k_s$

$$O_{90}=0.054\ \text{mm}>d_{15}=(0.019\sim0.023)\ \text{mm}$$

$$\frac{k_g}{k_s}=\frac{(4.7\sim1.75)\times10^{-3}}{(15.3\sim4.96)\times10^{-6}}=(114\sim947)\gg25$$

故满足透水性要求。

根据经济技术效益比较，在费用上用土工织物代替砂砾料作反滤层可节约材料费 80%，并大大缩短了工期，保证了工程质量。该工程于 1986 年 9 月 9 日开工，同年 11 月 1 日全部完工。经过一段时间，坝体浸润线大幅度下降，坝后大片沼泽化消失，排渗暗管排出的渗流水清澈透明，1987 年被评为四平地区优质工程。近年来的观测资料表明，排渗管一直工作良好。

［**实例** 2］ 塑料排水板在地基加固中的应用

第一航务工程局科研所有关单位在天津新港四区集装箱码头后面，用土工织物塑料排水板做的排水井加固软土地基 1 250 m²，取得了良好效果。

1. 土层的地质条件和物理力学性质

该地带属第四纪全新世地层，土的含水量高，压缩性大，强度低，地面以下 17 m 范围内为淤泥质粘土或亚粘土，天然含水量大于液限，天然孔隙比 ε 在 1.0～1.6 之间，土质的特性指标及其变化见图 3-14。

2. 选用的土工织物塑料排水板的性能

选用我国生产的 SPB－1 型塑料排水板，该排水板由带沟槽的聚氯乙烯塑料芯板与外包涤纶土工织物组成，如图 3-15 所示，成卷包装，每卷重约 25 kg，其规格与基本性能见表 3-17。

3. 观测点的布置

该工程分两区，面积均为 25 m×25 m，塑料板排水井间距在Ⅰ区为 1.3 m，在Ⅱ区为 1.6 m，井深均为 10 m。为了掌握实际效果，在两个区内系统布置了地基沉降、孔隙水压力以及压载前后地基强度变化的观测点。

4. 地基固结度及沉降量的计算

塑料板排水固结和砂井排水固结一样均属竖直向排水固结法，因此有关砂井的固结理论和计算方法完全可以用在塑料板排水设计中。计算时首先将塑料板换算成当量直径 D 的砂井（见后注），然后根据本工程具体条件和有关参数，计算地基固结度和沉降量。

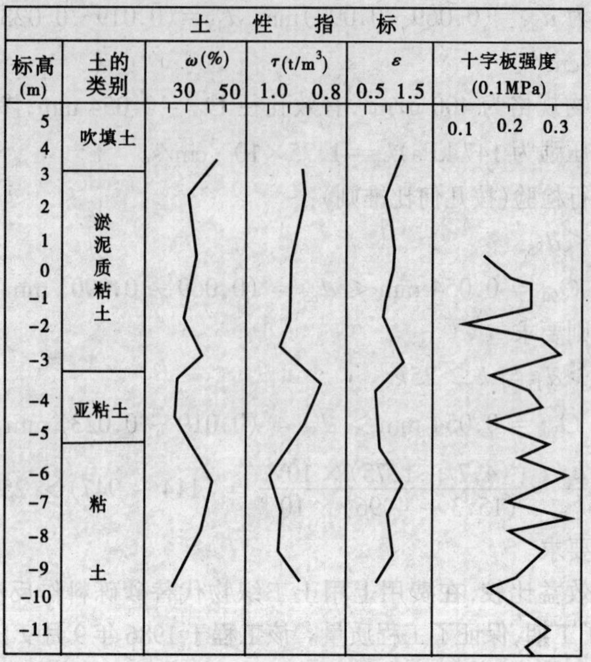

土 性 指 标
标高 (m)
土的类别
ω(%)
30 50
τ(t/m³)
1.0 0.8
ε
0.5 1.5
十字板强度 (0.1MPa)
0.1 0.2 0.3
5
4
3
2
1
0
-1
-2
-3
-4
-5
-6
-7
-8
-9
-10
-11
吹填土
淤泥质粘土
亚粘土
粘土

图 3-14 土的特性指标

土工织物滤布
芯板
4.0
100

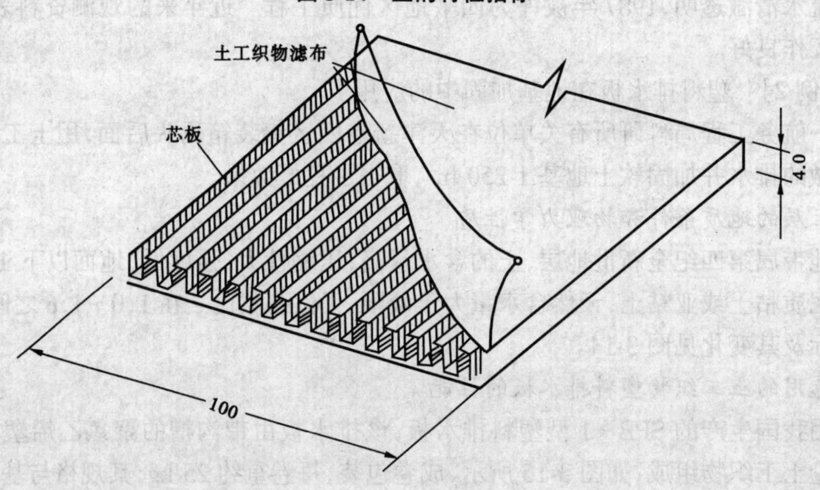

图 3-15 土工织物塑料排水板 （单位:mm）

5. 预压及沉降观测

将塑料排水板按设计要求用插板机插入相应位置后，用煤矸石进行预压，加载历时 19 d。设计加载为 70 kPa，实际加载 68 kPa。在施加荷载的同时，实测地表沉降随时间的变化，如图 3-16 所示。从图上可以看出，在 100 d 时，Ⅰ区中心部分平均沉降 75.3 cm，固结度达 78%；Ⅱ区中心部分沉降 77.1 cm 固结度达 73%。刚加载后一段时间的沉降量，Ⅰ区（井距为 1.3 m）比Ⅱ区（井距为 1.6 m）的大，57 d 后二者趋向一致。在同时间内的固结度，Ⅰ区也大于Ⅱ区，说明井距小则固结快。

表 3-17　　　　　　　　　SPB－1 型塑料排水板的规格及性能

项　　目		SPB－1
断面尺寸(mm)		100×4
材　　料	芯　　板	聚氯乙烯
	滤　　布	涤纶土工纤维
纵向沟槽数		38
沟槽面积(mm^2)		152
滤布渗透系数(cm/s)		4.2×10^{-4}
抗拉强度	芯板(kN/m)	17
	滤布(kN/m)	4.43
滤布顶破强度(MPa)		0.5
滤布撕裂强度(kN)		1.34

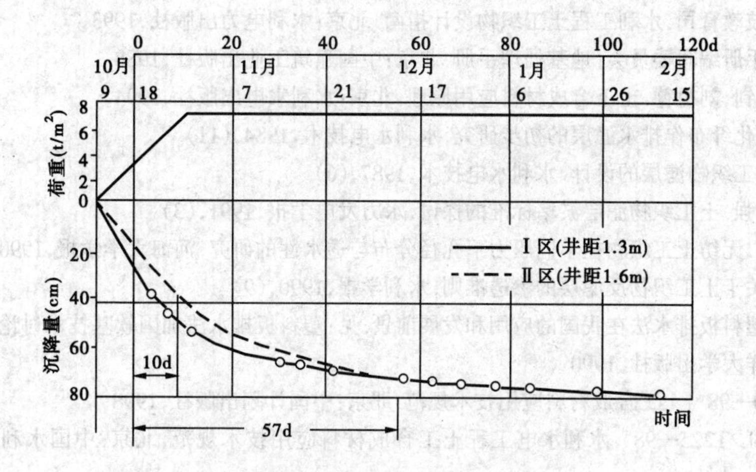

图 3-16　地表沉降随荷载历时的变化

6. 工程效果

(1)地基强度得到了提高。对比加固前后地基强度得知,地面以下十字板强度平均提高 70%,无侧限抗压强度平均提高一倍,荷载板试验强度也提高一倍。

(2)塑料板排水井的技术经济效益。Ⅰ区塑料板断面为 100 mm×4 mm,井距 1.3 m,井深 10 m,经过 100 d,实测固结度达 78%。在相似条件下,采用直径为 70 mm 的袋装砂井,实测固结度为 80%。二者加固效果基本一致,但塑料排水板具有施工快,运输量小,施工质量有保证等优点,而且塑料板及插板机重量轻,可以在大面积的超软土地基上进行机械化施工,经济效益和技术效益都是十分显著的。

[注]塑料排水板的排水原理和加固作用均与常用的排水砂井相同。因此有关砂井地基的固结理论与设计方法均可应用于塑料排水板的设计计算,但砂井的断面为圆形,而排水板的断面为长方形,因此,需要进行换算。将排水板长方形断面换算为圆形断面的计算

公式为

$$D = \alpha \frac{2(b+\delta)}{\pi} \tag{3-30}$$

式中 D——换算后的直径,mm;

b——塑料排水板的宽度,mm;

δ——塑料排水板的厚度,mm;

α——换算系数,对宽度 $b=100$ mm,厚度 3～4 mm 的标准塑料排水板,取 $\alpha=0.75$,理想的塑料排水板,不考虑井内的水头损失时 $\alpha=1$;

π——圆周率。

参考文献

1 土工合成材料工程应用手册编写委员会.土工合成材料工程应用手册.北京:中国建筑工业出版社,1994

2 朱诗鳌.土工织物应用与计算.北京:中国地质大学出版社,1989

3 水利部科技教育司.水利工程土工织物设计指南.北京:水利电力出版社,1993

4 地基处理手册编写委员会.地基处理手册.北京:中国建筑工业出版社,1988

5 陆士强,王钊,刘祖德.土工合成材料应用原理.北京:水利水电出版社,1994

6 陶同康.用化纤布作排水滤层的初步研究.水利水电技术,1984,(11)

7 刘宗耀.土工织物滤层的设计.水利水电技术,1987,(6)

8 王钊,陆士强.土工织物滤层淤堵标准的探讨.水力发电学报,1991,(3)

9 速宝玉,等.无纺土工织物在不同压力下孔径分布与透水性的研究.河海大学学报,1990,(2)

10 陈星柏.关于土工织物反滤层的渗透准则.水利学报,1990,(9)

11 叶柏荣.塑料板排水法在我国的应用和发展前景.见:塑料板排水法加因软基技术讨论会议论文集.青岛:海洋大学出版社,1990

12 GB 50290—98 土工合成材料应用技术规范.北京:中国计划出版社,1998

13 水利部.SL/T225—98 水利水电工程土工合成材料应用技术规范.北京:中国水利水电出版社,1998

第四章　土工膜防渗结构

第一节　概　述

采用以高分子聚合物为原料制成的土工膜防渗结构，是近代水利工程及其他土建工程的一项先进技术，它具有不透水性强，抗冻性好，厚度薄，重量轻，体积小，便于施工和造价低等特点。土工膜防渗结构大大扩展了水利工程及其他土建工程防渗设施的类型，推动了水工建筑物的结构改革。

以高分子聚合物为原料的土工膜种类很多，在水利工程中最常用的有：聚氯乙烯(PVC)、氯磺化聚乙烯(CSPE)、氯化聚乙烯(CPE)、低密度聚乙烯(LDPE)、高密度聚乙烯(HDPE)和弹性聚烯烃(ELPO)等。

土工膜的厚度为0.25～4 mm，最常用的是0.5～1.5 mm，土工膜的幅宽一般为2～4 m，特殊需要时可加宽到10 m。

为了提高土工膜的力学性能，可用土工织物加筋，用作加筋的有纺织物有锦纶丝布和绵纶帆布等，厚度较大的丙纶、涤纶无纺型织物常与土工膜组成复合土工膜，常用的品种为一布一膜和二布一膜，需要时亦可做三布两膜。

土工膜在土建工程中的应用，自1937年美国一处游泳池用PVC作防渗层算起，迄今已有60多年的历史，20世纪50年代以后又被大量用于渠道防渗工程，土工膜用作土石坝防渗结构时间也比较早，但在较多大型工程上使用还是近20年来的事情。例如，西班牙1984年建成的Pozade Losramos堆石坝，坝高97 m，防渗层采用2 mm厚聚氯乙烯薄膜，是当今采用土工膜防渗的最高的堆石坝。法国从1968年至1991年间共修建坝高为10～28 m的土工膜防渗堆石坝17座，都取得良好的防渗效果。苏联在土工膜防渗方面起步较早，20世纪60年代开始就对土工膜土石坝和渠道防渗进行了大量试验研究。据不完全统计，苏联在1988年以前已建成土工膜防渗的土石坝总数在150座以上，其中，1970年建成的阿特巴申坝，坝高79 m，上部30 m采用3层厚为0.6 mm的聚氯乙烯膜防渗；1970年建成的努列克坝，坝高300 m，其围堰也是坝体的一部分，高125 m，上部50 m用土工膜防渗。美国在应用土工膜于海岸防护、渠道和混凝土坝方面领先，在土石坝上的应用却比较保守，但从20世纪90年代开始有加快的趋势。

我国在土建工程中使用土工膜的时间并不很晚，20世纪60年代土工膜首先用于渠道防渗，1967年用于坝高为79 m的辽宁桓仁混凝土大头坝坝面裂缝修补，效果良好，这是我国采用土工膜作坝面防渗的首例。据不完全统计，近20年来，我国已有200多项水利工程采用土工膜防渗，其中包括山丘区新建的土石坝和病险水库防渗加固、平原水库围坝、重要堤防、大型施工围堰、库区防渗、隧洞和大型渠道防渗衬砌，等等，都获得了良好的技术经济效果。土工膜防渗技术在水利及其他土建工程中的应用，已进入了一个广泛采用的新时期。

但应指出,土工膜作防渗材料也有值得注意的问题。首先是一般的塑料类和沥青混合类的土工膜力学强度不高,易破损,在施工中如果受损或薄膜产品质量不好(有疵点、破洞等)都会造成渗漏;其次,土工膜防渗结构,可能因薄膜下面的气体或液体压力作用而被浮托起,亦可因膜面铺设方式不合理等原因,造成滑坡;第三,寒冷地区如使用低温下易脆裂的土工膜,将会失去其防渗功能;第四,一般的土工膜抗紫外线能力较差,在运输、储藏、施工和运行过程中,长期暴露受阳光直接照射时,易发生老化。此外,还易被啮齿动物咬坏及芦苇刺破。正因为上述一些原因,尽管土工膜是一种较理想的防渗材料,但要取得预期的效果,关键还在于恰当选择聚合物品种,合理设计,精心施工。

因此,在采用土工膜防渗时,对土工膜品质及性能应提出以下基本要求:

(1)具备足够的抗拉强度,能承受施工铺设时的拉应力和使用期在水压力作用下不损坏,特别是当地基产生较大变形时,不因变形过大而发生剪切和拉伸破坏。

(2)在设计应用条件下,有足够长的使用寿命,至少应与建筑物的设计寿命相匹配,即在此期限内不致因老化而使其强度降低到设计允许值以下。

(3)在有侵蚀性液体环境中应用时,应有足够的抗化学侵蚀能力。

此外,还应具有抵抗使用环境下可能出现的其他侵袭的能力。

对设计和施工的基本要求是:

(1)根据工程环境条件和作用荷载,按上述要求选择合适的土工膜品种并进行强度校核。

(2)保证不发生膜体下滑或保护层失稳,应进行防渗体的稳定性计算。

(3)保证焊(粘)接质量或满足搭接要求,土工膜周边与建筑物或基岩的联接要牢靠密实,使防渗体具有良好的整体性。

(4)采取措施尽量消除土工膜下的静水压力和气体压力,保证土工膜不因扬压力、气体压力而涨破。

(5)施工期土工膜不因过大的拉力或上下表面存在尖刺物而破损,同时不因暴露时间过长而造成强度过大降低。

第二节 土工膜的工程特性

土工膜作为土工合成材料的一个品种,其基本工程特性及测试方法已在第二章中作了全面阐述,这里仅就土工膜的防渗特性、耐水压力和界面摩擦特性再作一些补充说明。

一、防渗特性

在绝大多数情况下,使用土工膜的目的就是为了防渗。土工膜就其分子结构和制造工艺来说,应该说是不透水和不透气的,但是试验研究和工程实践证明,由于制造工艺上的种种原因,常用的土工膜不是绝对不透水的,或者只能说是相对不透水的。如果沿用达西渗透定律的概念,在水利工程中认为渗透系数 $K<10^{-10}$ cm/s 的粘土为不透水土,则可以称为不透水的土工膜的渗透系数应为 $K<10^{-14}$ cm/s,这是因为土工膜防渗体的厚度比粘土防渗体的厚度薄得很多,在相同水头差作用下其水力梯度比后者大很多。所以,对

一般的水利工程而言，渗透系数 $K<10^{-13}\sim10^{-15}$ cm/s、质量满足要求的土工膜是可以认为满足不透水要求的。但是，如果用于防有毒液体或气体的渗漏，则应对土工膜的不透水性提出更高的要求。

对于土工膜防渗特性的另一个重要问题是其用作防渗结构时，在与界面土体(或混凝土等其他材料)共同工作时，由于接触面的不平整，土体颗粒粗糙以及土体局部变形较大等方面的原因，在高水头作用下土工膜有可能被刺破、撕裂，从而失去或减弱其防渗性能，因而有必要进行相应的防渗漏试验。

土工膜的渗透性可以用渗透系数或透水率来表示。前者的优点是便于和土体的渗透系数相比较。土工膜的渗透系数一般都是很小的，但其厚度也很小，其渗透性用透水率更能够充分地反映出来。对水库或渠道来说少量漏水影响不大，但对环境工程中污染源的隔离来说，则对渗漏量的要求要严格得多。

土工膜的渗透系数不是一固定值，而是随土工膜所承受的正压力而变化，总的趋势是随压力的增加而减少。

二、耐水压性能

作为防渗结构主体的土工膜，在工作时承受着较大的（有时甚至是巨大的）水压力，土工膜可能在支持层颗粒孔隙处被水压压破而击穿。苏联全苏水工科学研究所曾对铺在不同级配的砂卵石支持层上的聚乙烯薄膜试验击穿水头，其成果列于表 4-1，可以看出：颗粒级配愈好，耐水压性能愈强；颗料愈细，耐水压力也愈强；厚度为 0.25 mm 的聚乙烯土工膜在级配较好的砂卵石层上可承受 200 m 水头。

表 4-1　　聚乙烯薄膜铺在颗粒支持层上能承受的水头

支持层的颗粒级配(%)									不同薄膜厚度承受的水头(m)	
50~30 mm	30~20 mm	20~10 mm	10~5 mm	5~2 mm	2~1 mm	1~0.5 mm	0.5~0.25 mm	<0.25 mm	0.25 mm	0.65 mm
100									60	100
20.4	16.3	16.3	10.0	4.1	6.1	6.1	6.1	14.6	200	
	2.1	58.1	32.9	6.9					82	
	100									130
		46.5	52.4	1.1						215
		100							100	170

当土工膜承受压力(水头或覆盖层荷载)较大，而接触层的土粒较粗时，需要进行防渗漏试验，即在土工膜与实际土体相接触的条件下逐步增加水的压力，直到土工膜被刺破漏水为止。防渗漏试验在特定条件下比土工膜的渗透试验更为重要。一般情况下压力愈大、土粒愈粗，土工膜也愈容易被刺破。试验表明，同样的 PE 膜分别与细砂、中砂和粗砂

相接触，其结果是：刺破的水压力分别为0.5 MPa、0.4 MPa和0.3 MPa。当与粗砂接触，采用两层PE膜时其刺破水压力增加到0.6 MPa。由此看出，土工膜不宜与较粗的土粒相接触，必要时应当用复合土工膜，以土工织物保护土工膜不被损害。

三、摩擦特性

当在斜坡上铺设土工膜时，土工膜与其他材料(包括土类)之间的摩擦特性，是设计上一个很重要的控制指标。土工膜表面较为光滑，它与其他材料之间的摩擦角较土的摩擦角小，很容易沿界面产生滑动。

测定土工膜摩擦特性的试验方法与土工织物的相似，也可以在现场进行摩擦试验，如进行类似于无粘性土的休止角的抬板实验，即将土工膜铺在平板上，然后在土工膜上堆放实际的材料(土或土工织物等)，逐步抬高板的一端，则可以测得开始产生滑动时的坡角。

根据一些研究成果，土工膜摩擦特性有以下4个特点：

(1)界面上的剪切应力与位移之间为非线性的关系，受所接触土料变形性的影响，在峰值点以前的应力与位移关系基本上符合双曲线关系。

(2)界面的峰值摩擦阻力与正应力呈(通过原点)直线关系，其斜率为$\tan\delta$，δ为土工膜与该材料的摩擦角。

(3)摩擦角的大小与膜材料的界面特性有关，光面膜与土之间的摩擦系数最小，经常是滑动的薄弱面。

(4)在一般情况下，水下的摩擦角要比干燥时小2～5°，在设计时，需要慎重考虑。

表4-2～表4-6所列数据，可供使用参考。可以看出，表4-2中砂Ⅰ和砂Ⅲ为尖角砂粒，砂Ⅱ为圆角砂粒，故其摩擦角有时反小于砂Ⅲ。土工膜以HDPE的摩擦角最小，因为它是半结晶的热塑性材料，其强度和硬度较其他的土工膜大，故更为光滑。土工膜与土工织物之间的摩擦角普遍都不高，尤其对HDPE膜，甚至有人认为HDPE膜与土工织物之间的摩擦角可以视为零。

土工膜在水压力作用下工作时，当其支持层表面颗粒较粗或有裂缝时，土工膜有可能被水压击破(或颗粒刺破)，这时需要在现场或摸拟现场条件做抗水压试验，即在土工膜与实际接触条件下逐步增加水的压力，直至土工膜破坏为止，并据以确定土工膜的厚度。

表4-2　土工膜与其他材料之间的摩擦角　(单位:(°))

土工膜	砂			土工织物				混凝土	
	Ⅰ $\varphi=30°$	Ⅱ $\varphi=28°$	Ⅲ $\varphi=26°$	针刺 C2600	热粘 Typer3401	丙纶纺织 Polyfil terx	丙纶编织 500s	室内试验	现场试验
PVC(粗)	27		25	23	20	11	28		
PVC(光)	25		21	21	18	10	24	16.7	13.5
CSPE	25	21	23	15	21	9	13		
HDPE	18	18	17	8	11	6	10		

表 4-3　　　聚乙烯膜、土工织物与土砂、混凝土板之间的摩擦系数(成都科技大学)

土工合成材料		粘　土		沙壤土		细　砂		粗　砂		混凝土块		聚乙烯膜 0.05 mm		聚乙烯膜 0.12 mm	
		干	湿	干	湿	干	湿	干	湿	干	湿	干	湿	干	湿
聚乙烯膜	0.06 mm	0.14	0.13	0.17	0.19	0.22	0.23	0.15	0.16	0.27	0.27	0.15	0.14	0.19	0.16
	0.12 mm	0.14	0.12	0.22	0.24	0.34	0.37	0.28	0.30	0.27	0.27	0.15	0.14	0.14	0.13
土工织物	250 g/m²	0.45	0.41	0.40	0.43	0.35	0.37	0.35	0.37	0.39	0.41	0.15	0.14	0.14	0.13
	300 g/m²	0.48	0.45	0.47	0.46	0.54	0.55	0.44	0.43	0.40	0.41		0.10	0.15	0.14
编织袋		0.26	0.21							0.29	0.27	0.14	0.11		

表 4-4　　土工膜、土工织物与土、砂的摩擦角 φ(°)与粘结力 C(kPa)(Williams.N.D)

材　　料	粉质粘土		粘质粉土		粘　土		砂质粘土		山　砂		河　砂		土工织物	
	C	φ	C	φ	C	φ	C	φ	C	φ	C	φ	C	φ
土 对 土	9	38	12	34	20	23	2	21	0	40	0	36		
氯化聚乙烯	8	38	3	24	13	17	10	19	0	10	0	27	0	23
高密度聚乙烯	8	26	2	23	14	15	14	15	0	18	0	18	0	11
聚 氯 乙 烯	9	38	4	23	14	16	12	17	0	25	0	20	0	19
聚乙烯橡胶	8	22	9	24	10	9	9	17	0	25	0	21	0	16
土 工 织 物	4	32		32	14	30	10	22	0	30	0	26	0	20

表 4-5　　　土工膜与土工织物、土工格栅之间的摩擦系数(Williams.N.D)

土工膜	聚酯短纤维非针刺土工织物(Tremira2125) 强度:25 kN/m	经向聚丙烯、纬向聚酯织物(Geolon1500) 强度:经 193 kN/m 纬 490 kN/m	中密度 PE 格栅(Tensar DN3W) 强度:44 kN/m	尼龙热粘褥垫排水(Enkadrain) 强度:纵 16 kN/m 横 9.5 kN/m
HDPE	0.179	0.165	0.266	0.161
PVC	0.326	0.361	0.261	0.311
Hypalon(合成橡胶)	0.302	0.359	0.322	0.439

表 4-6　　聚氯乙烯、合成橡胶、土工织物与粗砂、砾石、混凝土板之间的摩擦系数

材　　料	0.7 mm 砂	3 mm 砾石	5 mm 砾石	10 mm 砾石	混凝土板
聚氯乙烯或合成橡胶(Hypalon)	0.532～0.700	0.554～0.754	0.625～0.810	0.649～0.839	0.213～0.240
土 工 织 物	0.488～0.531	0.488～0.554	0.510～0.577	0.532～0.625	

第三节　土石坝土工膜防渗

一、结构型式

土石坝的土工膜防渗结构，按其设置分为土工膜斜墙和土工膜心墙两大类型。

土工膜斜墙一般设置于土石坝上游侧，与上游坡面近乎平行，铺设方式一般有以下几种：

(1)薄保护层平直铺设，如图 4-1(a)、(b)所示。

(2)厚保护层平直铺设，如图 4-1(c)所示。

(3)锯齿形铺设，如图 4-1(d)所示。

土工膜防渗心墙一般设置于土石坝的坝体中部，或土石混合坝下游堆体的上游一侧，如图 4-1(e)、(f)所示。

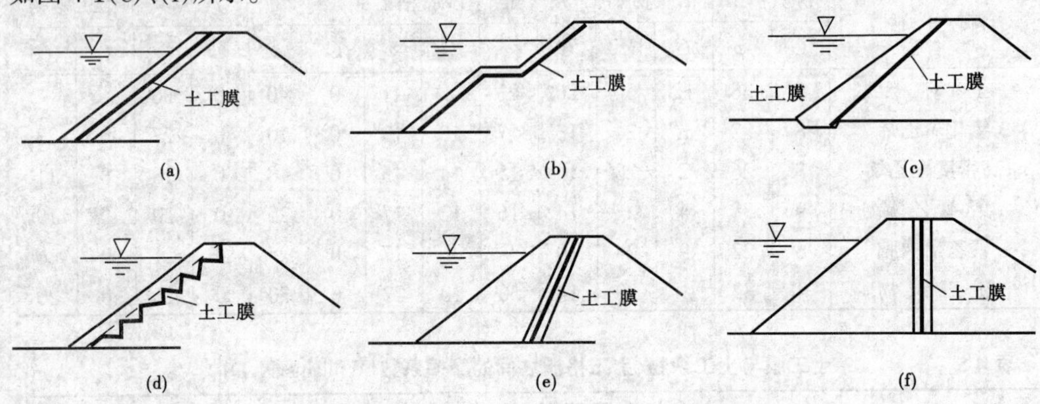

图 4-1　土石坝防渗结构形式

对于坝高较低的土石坝及平原水库围坝，采用一坡到底的薄层平铺型防渗结构，具有节省材料、便于施工和便于维修等优点，因而在实践中已得到广泛采用；带有戗台的平铺型式则多用于坝高较大的情况。

心墙型防渗结构多用于坝高超过 40～60 m 的新建工程，坝体构造上应采用有支持体的防渗结构或多层土工膜防渗结构，以确保工程防渗性能。

二、土工膜防渗结构的组成

在一般土石坝工程中，土工膜防渗结构由土工膜(薄膜层)、支持层(也称支撑层)和膜上保护层等三部分组成。当然，如果采用复合土工膜，膜后支持层、垫层和膜上保护层在结构上可以简化，有时甚至可以取消。

(一)薄膜层

薄膜层即土工膜层，它是防渗结构的主体，应满足施工和运行期间承受的应力要求。由于土工膜的防渗效果与膜的强度和厚度有关，因此，要根据设计应力选择适当的厚度。除施工应力外，土工膜防渗层运行期间承受的应力主要来自地基的不均匀和局部沉陷及其他异常现象,如地基中出现孔洞和滑动等。

土工膜的设计厚度还与支持层的材质和形状有关,例如,砂质土支持层的粒径越大和有棱角,则所需厚度就越大。

膜面一侧或两侧与土工织物复合为一体的复合土工膜,由于其整体强度比较高,抗撕裂、抗顶破、抗刺破能力比较强,复合在膜面上的土工织物实际上就起了支持、保护作用。因此,对于采用复合土工膜的防渗结构,在一般情况下,膜上过渡层和膜后支持层皆可简化,即在膜上直接铺设混凝土护面或由碎石垫层与混凝土板块、干砌石和浆砌石等构成的护面。膜后则可直接铺设中粗砂垫层或直接与坝身土体接合。

(二)支持层

土工膜是柔性的,支持层的作用是使土工膜受力均匀,免受局部集中应力的损坏。支持层与其下卧层的具体条件有密切的关系,同时又与工程的类别及使用条件有关。

堆石坝土工膜防渗,膜下应铺设由垫层和过渡层组成的支持层。做法是先将堆石体上游面基本整平,铺设碎石过渡层。过渡层最大粒径 15 cm 左右,最小粒径 5 cm 左右,要核算过渡层与堆石的层间系数,即

$$\frac{D_{15}}{d_{85}} \leqslant 7 \sim 10 \tag{4-1}$$

式中 D_{15}——堆石的计算粒径,小于该粒径的料按重量计占堆石总量的 15%;

d_{85}——过渡层的计算粒径,小于该粒径的料按重量计占过渡料总量的 85%。

式中 7~10 的范围,对粗糙多棱的料用大值,反之用小值。

关于垫层粒径,根据土工膜厚度而不同。当膜厚为 1.0 mm 左右时,可用粒径小于 1.0 cm 的小碎石或小于 2.0 cm 砾卵石作垫层。当膜厚度在 0.6 mm 左右,用粒径小于 0.5 cm 的砾石作垫层。这些垫层料与过渡层料之间也要满足式(4-1)层间系数要求。

堆石体与土工膜之间的支持层除采用上述传统的砂石反滤结构外,还可以采用土工织物与砂石混合结构,即在膜下铺设一层土工织物,织物与堆石之间铺设一层满足层间系数要求的碎石。

堆石坝上游面采用复合土工膜防渗时,对垫层的要求可放松一些,即粒径可粗一些。可用小于 4 cm 的卵砾石或碎石作垫层。

如果在小于 4 cm 的卵砾石或碎石层上面铺筑 2 cm 厚的无砂小砾石沥青或无砂小砾石水泥混凝土,则厚 0.6 mm 以上的土工膜可直接铺设在其上面,不需土工织物保护。

在壤土、沙壤土坝坡面铺设土工膜防渗时,应在膜与土之间铺设土工织物,把可能因接缝漏水或通过土工膜入渗的水汇集到管道或盲沟,排向下游,以避免水库水位下降时,膜后滞留的水反压土工膜而使防渗层失稳。当然,也可以使用复合土工膜,膜下的针刺型无纺织物,不但可起排水作用,还可增大土工膜与坝坡之间的摩阻力。

(三)膜上保护层

在土工膜之上铺设保护层是为了防御波浪淘刷、风沙吹蚀、人畜破坏、冰冻损坏、紫外线辐射以及膜下水压力的顶托等。

保护层的结构、层次和材料与工程的重要性、工程规模和使用条件等有关,可根据工程的具体情况,提出合理的设计方案。

以土工膜防渗的土石坝,膜上保护层由面层和垫层两部分组成。

常用的面层类型有:预制混凝土板、现浇混凝土板、钢筋网或铁丝网混凝土板、干砌块石、浆砌块石等。根据面层和土工膜的类型,采用不同的垫层方式。

预制混凝土板可铺设在复合土工膜的土工织物上,可以不设垫层。对于单膜,上面没有土工织物,可先喷沥青砂胶,或浇筑薄层(厚约 4 cm)无砂混凝土作为垫层,然后铺预制混凝土层。预制混凝土板的厚度,根据坝坡坡率及波浪高度计算确定,还要计算冰对面板的推拔力。为了防止土工膜老化,混凝土板厚度至少在 12 cm 以上。

现浇混凝土板或钢筋混凝土板,可在复合土工膜的土工织物上浇筑,可以不设垫层。对于单膜可在土工膜上面先浇筑 5 cm 左右薄层细砾无砂混凝土垫层,然后浇筑混凝土,分缝间距 8~15 m。缝内填塞经防腐处理的木条或防渗胶泥,并预留排水水孔。如用滑模浇筑,可不设横缝。现浇混凝土板的厚度不小于 15 cm。

干砌块石面层,因块石重量大且棱角尖锐,不宜与土工膜或复合土工膜直接接触。在复合土工膜的土工织物上可铺粒径 4~7 cm 碎石垫层,厚度 10~15 cm,再在其上做干砌块石。对于单膜,可浇细砾无砂水泥混凝土或细砾无砂沥青混凝土作垫层,厚度约 8 cm,再在其上做干砌石面层。干砌块石的块径和厚度的计算方法可参阅有关专著。

浆砌块石面层,可在复合土工膜的土工织物上先铺粒径小于 2 cm 的碎石垫层,厚约 5 cm,再在其上砌筑浆砌块石。在非复合土工膜上,可先铺筑厚约 5 cm 的细砾混凝土垫层,再在其上砌筑浆砌块石。浆砌块石面层应设排水孔,间距 1.5 m×1.5 m。

三、土工膜厚度的确定

土工膜的厚度应依据防渗和强度两方面的要求来确定。控制渗漏量对隔绝污染源来说尤为重要。按照达西公式,渗透系数为 10^{-12} cm/s 的 1 mm 厚的土工膜与渗透系数 10^{-10} cm/s 的厚度为 20 cm 的粘土相比,其渗透系数虽然相差 100 倍,但土工膜的透水率反而比粘土大一倍。加厚土工膜可以有效地减少渗透量。另外,确保土工膜在水压力下不被刺穿漏水,膜厚也是一个重要因素。

土工膜被刺破必须有接触面不平整的条件。引起刺破的压力可以是水压力或粗粒土传递的荷载,根据一些试验结果,认为土工膜抵抗后者刺破的能力比抗水压力大,所以只对水压力的作用加以介绍。目前,在水压力刺破方面有两种厚度计算模型。一种是土工膜铺在粗料土表面,在水压力作用下有一个嵌入作用,原来相对平直的土工膜下陷在粗粒土的孔隙中,土工膜受拉达到一定程度后,拉应力超过断裂强度,土工膜便被拉破。另一种是土工膜施工前都要求整平地面,对缝和洞的空隙都应充填,但如充填物质受水压力或水流的作用下陷开裂使得土工膜在局部地点下沉,并承受拉力,严重时也可能拉破土工膜。这两种情况在计算时,都可以看做是四边支持的弹性薄膜承受均匀水压力的弹性理论问题。以下简要介绍确定土工膜厚度的各种计算方法。

(一)水压力作用下土工膜厚度的计算

目前,对于铺设在颗粒地层或缝隙上受水压力荷载时的膜厚计算方法,比较著名的有薄膜理论公式(顾淦臣 1985)和苏联全苏水工科学研究院的经验公式。我国规范推荐使用薄膜理论公式,现简述如下。

1. 薄膜理论公式

将薄膜张在某种形状的边界上，在均匀水压力作用下，土工膜发生挠曲变位 $\omega(x,y)$，并受到均匀拉力 T(单位长度的力)，根据微元各边拉力与水压力 $p\mathrm{d}x\mathrm{d}y$ 平衡的条件，即可得出以下偏微分方程

$$\frac{\partial^2\omega}{\partial x^2}+\frac{\partial^2\omega}{\partial y^2}=\frac{P}{T} \tag{4-2}$$

根据边界条件，各边界上变位 $\omega=0$，便可求得此解。根据膜的变位方程式，用积分法求膜在各方向的伸长量，进而求得以下应力(单位长度的力)与应变关系方程式。

(1)边界为正方形的膜，在对称轴上，即 $x=a/2$ 线上，拉力最大

$$T=0.122\frac{Pa}{\sqrt{\varepsilon}} \tag{4-3}$$

式中 T——单位宽度土工膜所受拉力(或拉应力)，kN/m；

ε——膜的拉应变(%)；

P——膜上作用水压力，kPa；

a——正方形边界的边长，m。

(2)边界为圆形的膜，在直径方向，即 $x=a/2$ 线上，拉力最大

$$T=0.11\frac{Pa}{\sqrt{\varepsilon}} \tag{4-4}$$

(3)长条形边界上的膜，在垂直于长条方向，拉力最大

$$T=0.204\frac{Pb}{\sqrt{\varepsilon}} \tag{4-5}$$

式中 b——垂直于长条方向边界的宽度，即长条缝的宽度，m。

2. Giroud 公式

Giroud 假定铺设在宽长缝上的弹性土工膜在均布荷载作用下，膜的变形为圆弧形，经过分析求解得出作用在膜上的拉力计算公式如下：

当应变(相对延伸率)$\varepsilon=20\%$时

$$T=0.587Pb \tag{4-6}$$

比薄膜理论的 $T=0.456Pb$ 偏大 29%。

当应变 $\varepsilon=10\%$时

$$T=0.725Pb \tag{4-7}$$

比薄膜理论的 $T=0.645Pb$ 偏大 12%。

由于假定膜的挠曲线为圆弧线，因而实际所求得的 T 是箍应力，因此，该公式在理论上可视为近似公式。

图 4-2 为上述公式的曲线表示形式。

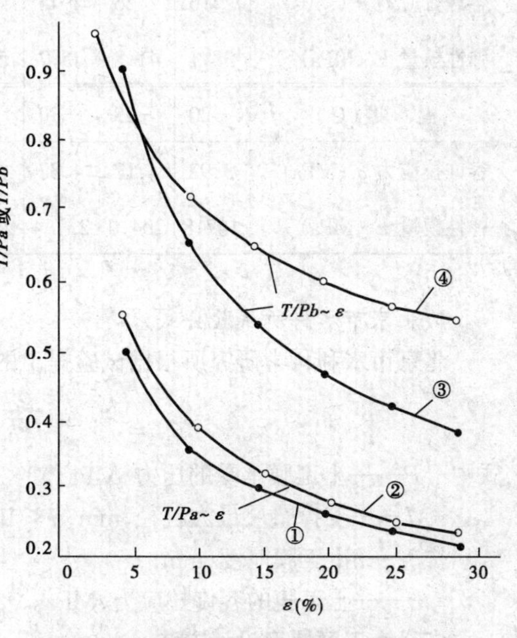

①—正方形边界上的膜；②—圆形边界上的膜；③—长条形边界上的膜；④—缝槽上的织物或膜 Giroud 公式

图 4-2 拉应力—拉应变关系曲线

我国水利部规范推荐采用薄膜理论长条缝公式(4-5)计算铺盖土工膜的厚度。

3. 苏联的经验公式

1987年，苏联出版的《土坝设计》中推荐的聚合物土工膜厚度计算公式为

$$\delta = 0.135E^{1/2}\left(\frac{Pd}{\sigma^{3/2}}\right) \tag{4-8}$$

式中 σ——土工膜的容许拉应力，MPa；

E——设计温度下土工膜的弹性模量，MPa；

P——土工膜承受的水压力，MPa；

d——与膜接触的土、砂、卵石层最粗粒组的最小粒径，mm；

δ——土工膜的厚度，mm。

如果用上式得出的膜厚较厚时，即当 $\delta > \frac{1}{3}d$，则改用下式计算膜厚

$$\delta = 0.586E^{1/2}\frac{P^{1/2}d}{\sigma^{1/2}} \tag{4-9}$$

如果算出的膜厚 $\delta < \frac{1}{3}d$，则采用 $\delta = \frac{1}{3}d$。

苏联水工科学研究院提出的聚乙烯薄膜的允许应力和弹性模量参考值见表4-7。

表4-7 聚乙烯薄膜允许拉应力及弹性模量参考值

温　度(℃)	30	25	20	15	10	5	0	−5	−10	−15
容许拉应力 σ (MPa)	2.16	2.26	2.45	2.65	2.75	2.94	3.04	3.24	3.43	3.63
弹性模量 E (MPa)	38.1	41.2	45.7	50.3	56.3	65.9	79.1	96.1	117.7	140.3
温　度(℃)	−20	−25	−30	−35	−40	−45	−50	−55	−60	
容许拉应力 σ (MPa)	3.92	4.12	4.32	4.71	5.10	5.30	5.49	5.98	6.57	
弹性模量 E (MPa)	167.8	204.0	237.4	292.3	335.5	386.5	438.5	486.6	507.2	

4. 北京市水科所试验公式

北京市水利科学研究所根据试验提出的塑料薄膜与支持层颗粒级配关系为

$$\frac{Pd}{4\delta} < \sigma \tag{4-10}$$

式中 P——土工膜承受的压力，MPa；

d——支撑垫层最大粒径，mm，$d < 100$ mm；

δ——土工膜厚度，mm；

σ——土工膜的容许拉应力，MPa。

(二)土工膜厚度设计方法

(1)计算公式选择薄膜理论公式(4-5)，式中 b 为预计膜下地基可能产生的裂缝宽度。

(2)假设铺盖裂缝宽度为 b_1、b_2，则 $T_1 = 0.204Pb_1/\sqrt{\varepsilon_1}$、$T_2 = 0.204Pb_2/\sqrt{\varepsilon_2}$。

(3)绘制 $T \sim \varepsilon$ 曲线，如图4-3。在同一图中绘出选用土工膜的试验曲线。交点对应

的应变 ε_1、ε_2 分别为裂缝宽 b_1、b_2，拉力 T_1、T_2 时的拉伸应变。

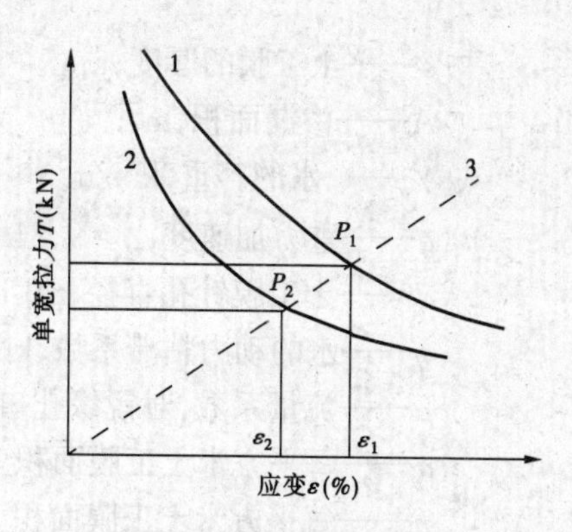

1—b_1 曲线；2—b_2 曲线；
3—选用土工膜的试验曲线

图 4-3　土工膜应力—应变关系

如果选用土工膜的极限抗拉强度为 T_f，相应应变为 ε_f，则拉力与应变的安全系数 F_s 分别为

拉力安全系数　$$F_s = \frac{T_f}{T} \tag{4-11}$$

应变安全系数　$$F_s = \frac{\varepsilon_f}{\varepsilon} \tag{4-12}$$

（T、ε 分别为 T_1 或 T_2，ε_1 或 ε_2）

要求的安全系数为 $F_s = 4 \sim 5$。如不满足，应选较厚膜。

(4)也可以采用经验公式，直接求出所需的土工膜厚度值，然后考虑其他因素，确实最终采用值。

四、土工膜防渗结构的渗透计算

(一)膜体渗透水量计算

土工膜也和其他材料一样，尽管其透水性极弱，但仍然会有水透过，特别是当材料本身存在缺陷或运输、施工过程中破损，这种情况下的渗水量会更大。据此，通过土工膜的渗透水量估算可分为三个部分，即：由于膜本身的渗透性产生的渗透水量、沿针孔的渗透水量和沿孔洞的渗透水量。

土工膜的渗透性产生的渗透水量。可采用达西公式近似估算

$$Q = K_g \frac{H}{\delta} A \tag{4-13}$$

沿针孔的渗透水量。孔径明显小于土工膜厚度的孔眼视为针孔，这样就可以把它作为小管，利用泊谡叶(Poiseuille)公式计算流量

$$Q = \pi \gamma_w g H d^4 / (128 \eta \delta) \tag{4-14}$$

沿孔洞的渗透量。孔洞明显大于膜厚的孔眼视为孔洞，并利用孔口出流的伯努利方程计算其流量

$$Q = \mu a \sqrt{2gH} \tag{4-15}$$

由式 4-13～式 4-15，可得坝坡与库底均铺设土工膜时总渗漏量计算式

$$Q_1 = (H/\delta)[K_g + \pi \gamma_w g d^4 n/(128\eta)](S + S'/2) + 0.85 a N \sqrt{gH}(S + 2S'/3) \tag{4-16}$$

由式(4-16)可得当只有坝坡铺设土工膜时，渗漏量为

$$Q_1 = \left\{ \frac{H}{2\delta}[K_g + \pi \gamma_w g d^4 n/(128\eta)] + 0.567 a N \sqrt{gH} \right\} S' \tag{4-17}$$

式中　Q_1——总渗漏量，m^3/s；

K_g——土工膜的渗透系数，m/s；

H——水深，m；

δ——土工膜的厚度,m;

A——渗漏面积,m^2;

γ_w——水的容重,kN/m^3;

g——重力加速度,$g = 9.81\ m/s^2$;

d——土工膜针孔直径,m;

η——水的动力粘滞系数,kN/ms;

μ——流量系数,对锐缘孔口可取0.6~0.65;

a——每平方米土工膜面积上的大洞面积,m^2;

n——每平方米土工膜面积上的针孔数目,个;

N——每平方米土工膜面积上的大洞数目,个;

S——水库库底面积,m^2;

S'——水库边坡的表面积,m^2。

(二)膜后排水量计算

膜后支持层排水量根据达西公式计算

$$Q_3 = K_s \frac{H}{L} A \tag{4-18}$$

式中 Q_3——排水量,m^3/s;

K_s——支持层土料的渗透系数,m/s;

A——排水面积,m^2;

H——水深,m;

L——渗径,m。

(三)土工膜防渗结构的总体防渗校核

为了达到设置土工膜防渗结构的预期目的,从总体防渗角度考虑,应满足以下3点要求:

(1)通过土工膜防渗结构的水量应满足防渗要求。

(2)通过土工膜的渗水不造成膜后土体的渗透变形,否则应该增加厚度以减少渗透水量或在膜后采取针对性工程措施。

(3)膜后支持层的排水能力应大于渗透水量,并保持排水畅通。

应该再次指出,由于针孔和孔洞数目很难确定,土工膜接缝的渗漏水量亦未计入,同时,孔口渗漏不完全是自由出流。因此,计算是比较粗略的。计算时可根据实际情况适当留有余地,并加强工程原体监测。

五、土工膜防渗结构的稳定分析

(一)基本概念

采用土工膜防渗的土石坝的边坡稳定分析,与一般土石坝相同。当土工膜心墙位于坝体中部时,对坝坡稳定没有影响。但由于土工膜斜墙靠近上游坝坡,土工膜或复合土工膜与坝体之间的摩擦系数一般小于坝体的内摩擦系数,因此,需要计算校核土工膜与保护层、土工膜与支持层或坝体之间的抗滑稳定性。由于防渗膜承受上游水压,使膜与膜后支持层之间产生较大的抗滑阻力，再加上膜与坝体的连接固定等因素，在正常挡水情况下，膜后抗滑稳定一般没有问题。

为了提高膜上保护层的抗滑稳定性能，保护层应选用透水性好的材料。粘性大的土料不仅与膜面的摩擦系数较小，而且当水库水位下降较快时，保护层内的反向渗透水压力将可能造成保护层的滑塌。此外，采用表面加糙的土工膜、复合土工膜或采用台阶形铺膜方法（包括设置防滑槽等）都可以增加保护层的抗滑稳定性。

土工膜保护层稳定分析的方法有两类，一类是传统的极限平衡法；另一类是有限元数值分析法。前者方法简单，有丰富的工程实践基础，为我国土工合成材料应用技术规范所推荐采用。有限元法虽然在理论上更能反映出土工膜的工作状况及膜体对整个坝身的应力及变形的影响，但是，限于边界条件和参数选择方面的问题，目前尚不成熟，只在一些大型重点工程中，用作探讨研究。

土工膜防渗结构的稳定分析按正常蓄水和水位骤降两种工作情况进行。根据保护层材料的透水性能分为透水性良好和透水性不良两种情况。

（二）用极限平衡法计算防护层的稳定性

1．等厚度防护层

1）透水性良好的保护层

堆石、干砌块石护坡，混凝土板和砂砾料组成的护坡及预制混凝土板块和土工织物垫层组成的护坡都是透水性良好的护坡，这种情况下，当水库水位消落时，保护层内的浸润面也同时下降，因而无需考虑护面层上反向渗透水压力的作用，护面块石和保护层的容重为湿容重，安全系数 F_s 可按下式计算（图 4-4）

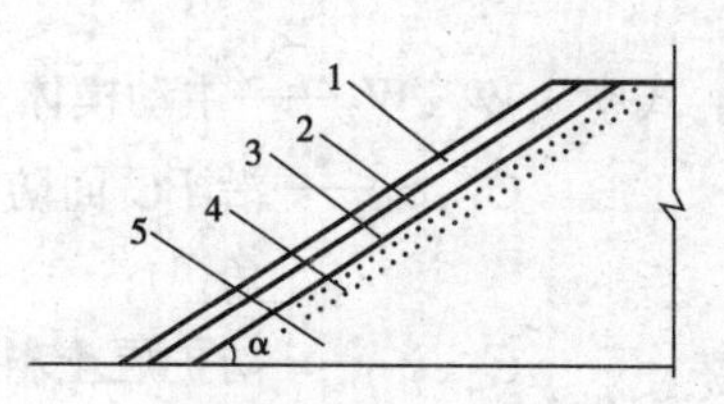

1—防护层；2—上垫层；3—土工膜；4—下垫层；5—堤坝体

图 4-4　等厚防护层

$$F_s = \frac{\tan\delta}{\tan\alpha} \tag{4-19}$$

式中　δ——上垫层土料与土工膜之间的摩擦角；$\tan\delta = f$，f 为摩擦系数。

　　α——土工膜铺放坡角。

2）透水性不良的保护层

当护坡不透水或透水性不良时，保护层内的浸润面不能随水库水位下降而同时降落，因而有反向渗透水压力作用。计算时可按简化法进行，即采用容重变化法计及层内孔隙水压力影响。具体做法是：降前水位以上土料及护坡采用湿容重；计算滑动力时，降前水位与降后水位之间用饱和容重，降后水位以下用浮容重；计算抗滑力时，降前水位以下一律用浮容重。土的抗剪强度采用有效指标 C' 和 φ'。

安全系数 F_s 可按下式计算

$$F_s = \frac{\gamma'}{\gamma_{sat}} \cdot \frac{\tan\delta}{\tan\alpha} \tag{4-20}$$

式中　γ'、γ_{sat}——防护层（包括上垫层）的浮容重和饱和容重，kN/m^3。

2．不等厚保护层

不等厚保护层亦称楔形保护层，滑动面 BCE 为折线形（图 4-5），当垂直线左侧的阻

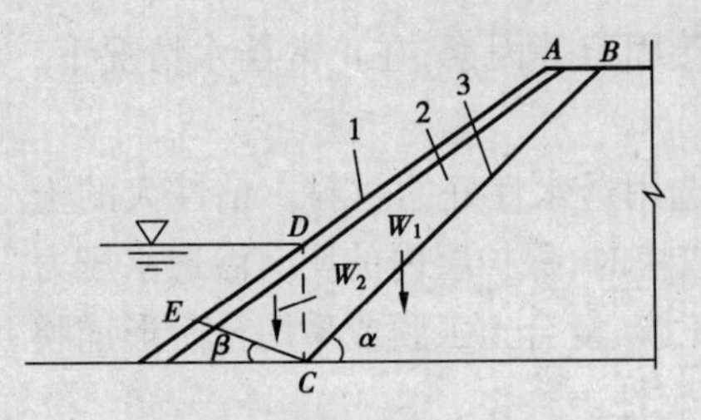

1—护坡；2—防护层；3—土工膜

图 4-5 不等厚防护层

滑三角体 DCE 被右侧滑动土体 $ABCD$ 挤出时，稳定即被破坏，据此，DCE 的阻滑力与 $ABCD$ 的下滑力之比即为保护层的抗滑稳定安全系数。

设主动楔体 $ABCD$ 土体的单宽重量为 W_1，则作用于 DC 面的下滑水平分力 $P_1 = W_1 \sin\alpha \cdot \cos\alpha$；阻滑水平分力 $P_2 = W_1 \cos^2\alpha \cdot \tan\varphi_1 + C_1 l_1 \cos\alpha$。

设被动楔体 DCE 土体的重量为 W_2，当土体 DCE 处于极限平衡时，由 W_2 产生的水平阻滑力为 $P_3 = W_2 \tan(\varphi_2 + \beta) + C_2 l_2 \cos\beta$。

根据阻滑力与滑动力的平衡条件，即可按下式求出保护层的抗滑稳定安全系数 F_s

$$F_s = \frac{\text{阻滑力}}{\text{滑动力}} = \frac{P_2 + P_3}{P_1}$$

$$= \frac{W_1 \cos^2\alpha \cdot \tan\varphi_1 + W_2 \tan(\varphi_2 + \beta) + C_1 l_1 \cos\alpha + C_2 l_2 \cos\alpha}{W_1 \sin\alpha \cdot \cos\alpha} \tag{4-21}$$

式中 W_1、W_2——主动楔体 $ABCD$ 和被动楔体 CDE 的单宽重量，kN/m；

C_1、φ_1——沿 BC 面防护层（上垫层）土料与土工膜之间的粘着力（kN/m²）和摩擦角（°）；

C_2、φ_2——防护层土料的粘聚力（kN/m²）和内摩擦角（°）；

α、β——坡角（见图 4-5）；

l_1、l_2——BC 和 CD 段的长度，m。

当保护层透水性良好时，取公式（4-21）中 $C_1 = C_2 = 0$。

如果保护层透水性不良，按上述容重变化法计算，公式（4-21）中，分子上的 W 应按单宽浮容重，分母上的 W 应按单宽饱和容重计算。

降后水位至图 4-5 中 D 点时，将属最危险情况。

滑动面 CE 或 β 角要通过计算选取 P_3 为最小的最危险面，当考虑到粘结力 $C_2 l_2$ 与 β 的变化关系不大的情况，可得

$$\tan\beta = -f_2 \pm \sqrt{f_2^2 + \left(1 - \frac{1 + f_2^2}{m f_2}\right)} \tag{4-22}$$

式中 $f_2 = \tan\varphi_2$；

m——滑动面 BC 的边坡系数。

按上式计算得出的 $\tan\beta$，一般取正值。

六、土工膜锚固槽的细部构造

锚固槽是土工膜土石坝防渗结构中最重要的细部构造之一，是保证土工膜发挥防渗作用、安全工作的关键部位。土石坝防渗膜的顶部应埋入坝顶锚固槽内，或与坝顶防浪墙紧密连接。膜的底部必须嵌入坝底，如为透水地基，土工膜应与上游防渗铺盖或截水墙紧密连接。土工膜还应与岸坡和其他防渗体紧密连接，构成完整的防渗体系。

土工膜防渗结构的连接细部构造应根据地基土质条件和结构的类型分别采用以下型式:

(1)对于土质地基,可将土工膜直接埋入锚固槽内,然后填土夯实,槽深1~2 m,宽3~4 m,见图4-6(a)。

(2)对于砂卵石地基,应清除砂卵石,直达不透水层,然后浇混凝土底座埋入土工膜。混凝土底座的宽度,对于新鲜和微风化基岩可取为水头的1/10~1/20,对于半风化和全风化基岩可取为水头的1/5~1/10,并应填塞裂隙进行固结灌浆,见图4-6(b)。当砂卵石层厚度较大,不能开挖至不透水层(或开挖方案不经济)时,可将土工膜向上游适当延伸,形成水平铺盖(水平铺塑),延伸长度一般可按透水地基上不透水铺盖的计算方法确定,膜下应设置排水、排气设施,防止水库低水位时地下水顶托而使土工膜鼓起。

(3)土工膜与岩石地基或混凝土结构的连接,可做成图4-6(c)所示的形式。土工膜与廊道、输水管等结构物的连接形式,可参照图4-6(d)和图4-6(e)进行。

可以看出,设计连接锚固细部构造的总原则是相邻材料的弹性模量不能相差过大,连接要尽量平顺,并要充分考虑结构可能产生的位移。

土工膜嵌入混凝土锚固槽的长度与混凝土的允许接触比降有关。由于聚氯乙烯、聚异丁烯橡胶可用胶粘剂或溶化剂良好地粘着于混凝土面,故嵌入长度可以稍短。聚乙烯不能粘着于混凝土面,其允许接触渗透比降应通过试验确定,嵌入混凝土的长度一般不少于0.8 m。

应该指出,以上介绍的连接锚固构造,只反映了前一时期土工膜防渗工程的部分经验,更好、更完善的连接锚固形式还有待在工程实践中继续创造。

七、土石坝土工膜防渗结构工程实例

下面选载了几个具有一定代表性的土石坝土工膜防渗实例。由于土工膜在土石坝中用作防渗结构的历史不长,经验也不太多,更由于土工膜本身从原材料到制造工艺,从单膜到复合膜发展很快,与一二十年前的情况不可同日而语。所以,读者在学习这些工程的宝贵经验时,必须注意当时的技术背景,例如与过去相比现在已经生产出耐久性更好、强度更高、防渗性更好、幅宽更宽的土工膜和复合土工膜,热熔焊接技术已经成熟,垂直铺塑机具的铺塑深度已达20 m左右。所以,在学习以往成功经验的同时,要继续发展新材料、新工艺,建设更好的土工膜防渗工程,创造出更好的新经验。

[**实例**1] 苏联阿特巴申坝

苏联阿特巴申坝于1970年建成蓄水,坝高79 m。此坝有两大特色:一是在两截流戗堤之间深水筑坝,二是用土工膜作中央防渗层。施工方法是:首先用定向爆破法筑下游戗堤截流,然后在水中抛石筑上游戗堤,在两戗堤之间35 m深水中抛填卵砾料,填筑到水面,在其上浇筑混凝土垫座及廊道。水中抛填的卵砾石,用水泥粘土灌浆帷幕防渗,6排灌浆孔,幕厚24 m。 廊道以上,用土工膜作中央防渗层,高40 m。土工膜为三层掺碳黑的聚乙烯薄膜,每层厚0.6 mm。薄膜两面为中粗砂过渡层,过渡层和土工膜随着坝体卵砾石分层碾压逐层上升,土工膜铺设成折皱状。防渗膜与廊道顶的连接锚固构造见图4-6(d)。

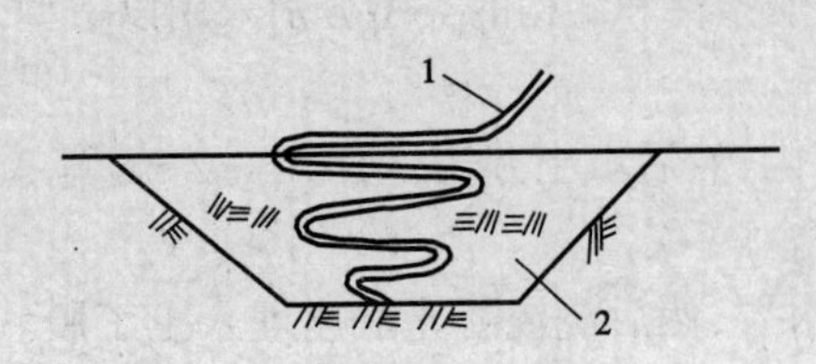

1—薄膜；2—回填夯实粘土

(a)低坝薄膜与粘土地基锚固形式

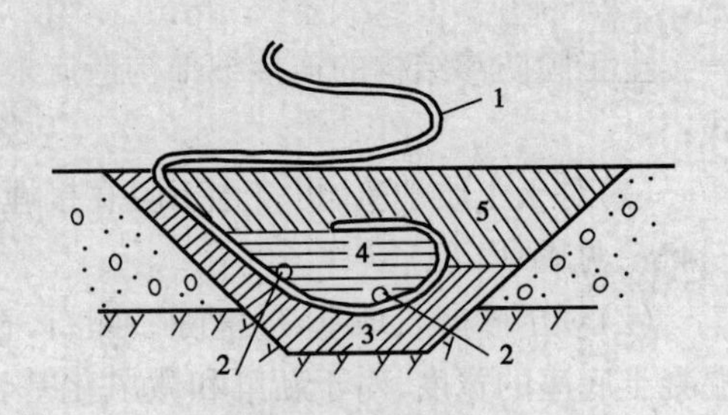

1—薄膜；2—钢筋；3—一期混凝土；
4—二期混凝土；5—三期混凝土

(b)不厚砂卵石地基下有基岩的锚固形式

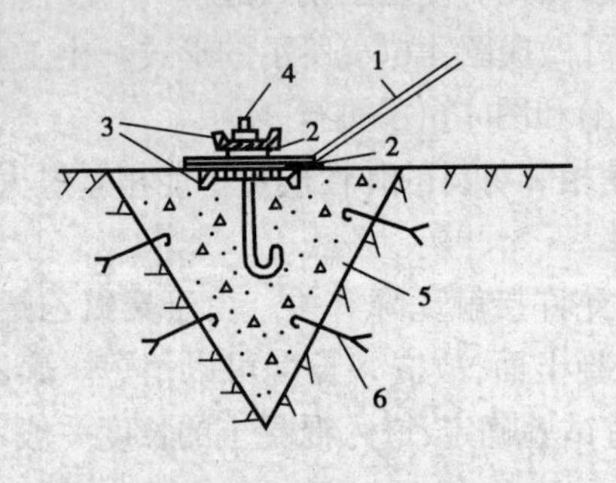

1—薄膜；2—氯丁橡胶垫片；3—槽钢；
4—锚栓；5—混凝土；6—钢筋

(c)岩石地基或混凝土建筑物的锚固形式

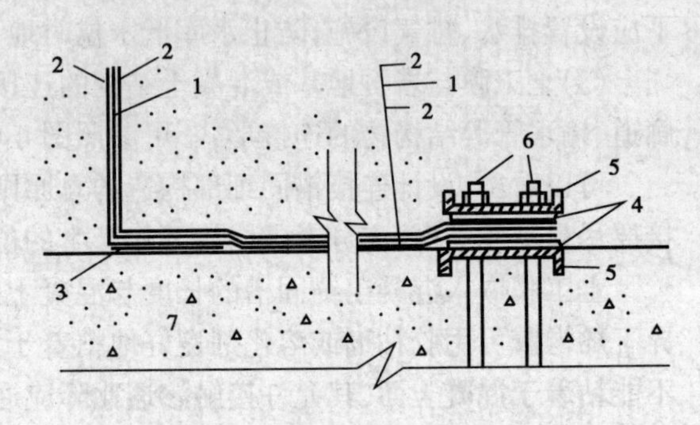

1—工作薄膜；2—保护薄膜；3—有涂料的滑动垫片；
4—氯丁橡胶垫片；5—槽钢；6—锚栓；7—混凝土

(d)阿特巴申坝薄膜与廊道顶的锚固形式

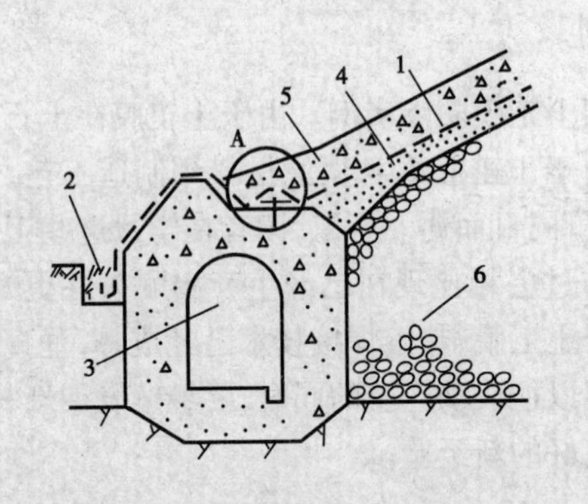

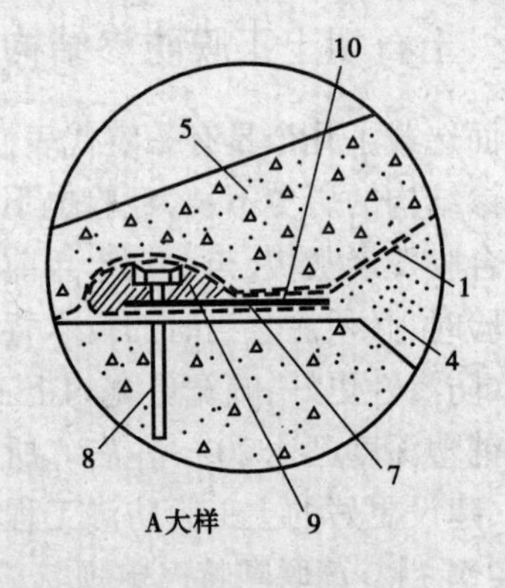

1—土工薄膜与土工织物组合层；2—粘土锚固小槽；3—廊道；4—过渡层；5—混凝土护坡；
6—堆石；7—二层氯丁橡胶片；8—锚栓；9—高密度聚乙烯；10—五层薄膜

(e)考道尔坝薄膜与廊道顶的锚固形式

图 4-6　土工膜锚固细部构造示意图

该坝 1970 年蓄水运行，情况良好，仅心墙与坝两头岸边联接处做得不好，有少量漏水。

[**实例 2**]　四扣引黄平原水库围坝复合土工膜防渗[1]

(一)工程概况

四扣水库位于山东省东营市河口区,为一典型的引黄蓄水平原水库。水库设计总库容 650 万 m^3,水面面积 1.543 km^2,围坝总长 5 210 m,平均坝高 5 m。试点坝段位于南坝东部,长 100 m。四扣水库于 1991 年 10 月动工,1992 年 9 月底除垂直铺塑外全部按设计完成,同年 12 月中旬开始蓄水运用,情况良好。

(二)坝型选择

水库地处黄河冲积平原下游,地形平坦,为第四系黄河冲积层,地层较为复杂。在勘探深度内大致可分 8 层,主要是轻亚粘土、轻亚粘土夹薄层粘土、粘土和亚粘土与轻亚粘土互层。其中第 7 层粘土层厚 1.5~3.2 m,$K=7.03\times10^{-8}$ cm/s,可视为相对不透水层,其他各层 K 值在 $1\times10^{-4}\sim1\times10^{-5}$ cm/s 之间。基本地震烈度 7 度。坝体采用轻亚粘土填筑,压实标准 $\gamma_0=15.2\sim15.7$ kN/m^3。

坝身防渗设施的形式,根据坝高、造价及施工等因素,曾考虑过土工膜斜墙和现浇混凝土面板等方案。土工膜斜墙防渗方案斜墙与垂直防渗设施接头位于上游坝脚,施工时与坝体填筑、护坡衬砌不相干扰,并鉴于围坝坝高较低,把坝身防渗的复合土工膜直接铺设在护坡混凝土预制板下,省去全部垫层和保护层,从而大大降低了工程造价和砂石材料、劳力的消耗。

坝基防渗设施的形式曾比较过水平铺塑、垂直铺塑、高压旋喷板墙和泥浆槽等方案。垂直铺塑方案单位造价最低,在平原水库坝基防渗中具有良好的前景。渗流计算分析结果表明,无专门防渗设施的均质土坝渗漏损失最大,在设计水位时全坝为 1 605 m^3/d,复合土工膜斜墙加垂直铺塑至相对不透水层(深 7 m)时,渗漏损失最小,仅为均质土坝方案的 0.5%,全年可减少渗漏水量损失 26 万 m^3 以上。另外,土工膜斜墙垂直铺塑 7 m 方案,还极大地降低坝身浸润线位置,有效地控制坝身和坝基渗透变形,显著提高了上、下游坝坡的稳定性。围坝设计剖面如图 4-7 所示。

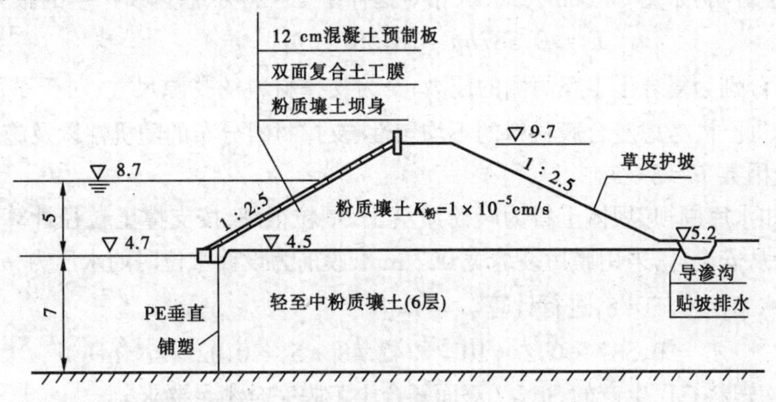

图 4-7　围坝设计剖面示意图　(单位:m)

[1] 徐又建,宋素贞,刘振华. 四扣水库围坝试点段复合土工膜斜墙与混凝土预制板护坡试验研究. 见:全国第四届土工合成材料学术会议论文集. 1996

（三）上游护坡设计

平原水库护坡工程量较大，工作条件恶劣，它不仅承受开阔水面波浪上溯时的冲击和下曳的抽吸作用，北方寒冷地区还将承受冰压力和冻胀影响。因此，平原水库混凝土护坡应选择抗风浪性能好（稳定）、工程量小（薄）、有较好的消浪作用（减少爬高）、施工方便、便于管护的构造形式，以达到提高围坝安全、减少工程造价和运行费用的目的。针对四扣水库围坝的规模和特点，经过比较筛选，确定采用有孔异形混凝土预制板护面，通过计算及室内模型试验，混凝土护坡板块体厚度为12 cm，混凝土标号为200，抗渗标号S_6，抗冻标号D_{150}。

护坡稳定分析内容包括混凝土板与双面复合土工膜迎水面土工织物之间的稳定性、双面复合土工膜背水面与坝体之间的稳定性，稳定分析采用极限平衡理论按等厚保护层透水性良好的公式计算，不考虑坝脚阻滑墩的作用。

混凝土板与复合土工膜之间，透水性良好，接触面摩擦系数$f=0.55$，安全系数$k=1.2$，经计算，极限平衡时坡率$m'=2.2$，显然，坝坡坡率2.5满足安全要求。

（四）围坝防渗结构设计

（1）双面复合土工膜斜墙功能分析：采用双面复合土工膜作为防渗斜墙，不仅大大加强了土工膜的强度和抗破损能力，而且，复合在塑膜上的土工织物所具有的平面排水功能，使它能替代两侧传统的砂砾石垫层，使这种复合土工膜可以直接铺设在坝体之上。

（2）复合土工膜斜墙强度设计：复合土工膜斜墙位于坝身填土之上，承受水压力、土压力和支撑材料引起的顶破及材料尖锐棱角的穿刺。顶破和穿刺的程度取决于压应力的大小、支撑材料的形状和大小以及复合土工膜的强度和伸长率，若复合土工膜受力弯曲的抗变形能力达到并超过其断裂伸长率或者超过其抗拉强度时，复合膜即发生顶破；若膜与支撑材料间的接触力超过膜的抗穿力，膜将被刺破，而且膜的顶破和穿破还与膜的铺设情况有关，情况复杂，一般可按有关文献所介绍的方法计算。

顶破强度分析：采用Giroud公式，取相对延伸率$\varepsilon=20\%$，膜内所产生的张力T为

$$T=0.587bp=0.587b(p_1-p_2)$$

式中：p_1、p_2分别为复合土工膜两侧的压力；b为支撑材料的孔隙尺寸，对于平面问题，b为缝隙宽度。此外，考虑复合膜材料的不均匀性、支撑材料分布的随机性以及施工等不确定因素，安全因数$F=3\sim5$。

对于四扣水库围坝，坝体土料为轻粉质壤土，颗粒很细，按支撑土粒径计算T值，实际意义不大，从安全计，采用膜后裂缝宽0.2 mm，膜前为设计水位时的水压力$p_1=42.48$ kPa，膜后无水$p_2=0$，$F=5$，进行计算。

$$T=0.587\times0.2\times10^{-3}\times42.48\times5=0.025(\text{kN/m})$$

采用济南塑料三厂生产的SJN-2双面复合土工膜完全满足要求。

穿刺强度：研究表明，复合土工膜的抗穿刺力主要与支撑接触面积有关，对于粒径较小的材料其穿刺力可近似表示为$R_p=p_1d^2$。

同时，尚需考虑安全因数$F=1.5\sim3$，对本工程而言，因坝体土料颗粒很细，故无需核算。

对于复合膜斜墙的迎水面，要求在水位骤降、暴雨和波浪下曳时，排水通畅，减少板下扬压力，对于所选用的 SJN-2 型复合土工膜，将 250 g/m^2 土工织物置于迎水面，其导水率 $\theta = 5.0 \times 10^{-2}$ cm^2/s，满足要求。

复合土工膜背水面土工织物的作用是排除透过塑膜和塑膜出现微孔及孔洞时的渗漏水量，具体量值很难确定，对比国内已建复合膜防渗工程资料，SJN-2 复合背水面土工织物为 150 g/m^2，导水率 $\theta = 4.0 \times 10^{-2}$ cm^2/s，足以满足要求。

此外，设计时还对复合土工膜斜墙围坝的应力状况、坝基及坝体抗震性能和土工膜防渗结构的可靠性进行了专题论证。计算表明，复合土工膜斜墙土坝应力状况及稳定性均好于均质土坝，并有较好的抗震性能；土工膜防渗斜墙的结构强度和耐久性能有保证；土工织物的排水性和防淤堵性能满足要求。

（五）结论

（1）复合土工膜斜墙在引黄平原水库围坝中获得成功，证明复合土工膜是一种比较理想的防渗材料，在一般情况下其两侧无需铺设垫层加以保护，因而可以大大简化防渗设施的构造，提高工程防渗能力，简化施工，缩短工期，降低工程造价，减少运输工作量和劳力消耗，对于当地缺少砂石料和粘性土料的黄河三角洲地区具有特殊意义。对于山丘水库及病险水库防渗加固同样可以推广使用。

（2）对于当地缺乏砂石材料的引黄平原水库，采用带有异形混凝土预制块护坡和复合土工膜防渗结构是一种合理的选择，这种护坡结构不仅大大节省砂石材料消耗（30%以上），施工速度快，节省运力和劳力 30%～50%，能大幅度降低工程造价和运行维护费用。同时，还提高了护坡抗风浪能力，与整体混凝土护面相比，有埂护面，厚度可减少 15%～20%。由于坝面加糙，风浪爬高可减少 15%左右。

（3）用双面复合土工膜做防渗斜墙，并在复合土工膜上直接铺设混凝土预制板构成防渗、护面二合一结构，实际运用情况良好，有关设计原则和施工经验，对建设安全、经济的大中型引黄平原水库具有一定的指导作用。

［实例 3］ 鹊山引黄平原水库围坝土工膜防渗❶

（一）基本情况

鹊山水库位于山东省济南市北部黄河北展区末端，是济南市主要供水水源之一，水库设计总库容 4 600 万 m^3，年入库水量 1.7 亿 m^3；蓄水面积 6.07 km^2，围坝总长 11.64 km，围坝坝高 8～9 m。鉴于水库北坝为黄河堤防，南临津蒲铁路，工程十分重要，故把围坝设计标准提高为二级建筑物。其中北围坝还应同时满足黄河一级堤防的有关要求，围坝典型剖面见图 4-8。

鹊山水库于 1998 年 11 月开工，1999 年 12 月完成主体工程，2000 年 4 月正式向济南市供水，运用情况良好。工程总投资 5.8 亿元。

（二）围坝坝基及坝身土工膜防渗结构

根据地质勘探资料，工程位于黄河冲积平原，在勘探深度范围内，库区及坝基岩性以沙壤土、壤土为主，在浅部土层中没有发现大面积的强透水层，但部分坝段分布有较厚的

---

❶ 鹊山水库工程建设指挥部，山东黄河工程局．济南市鹊山水库土工合成材料技术总结，2000

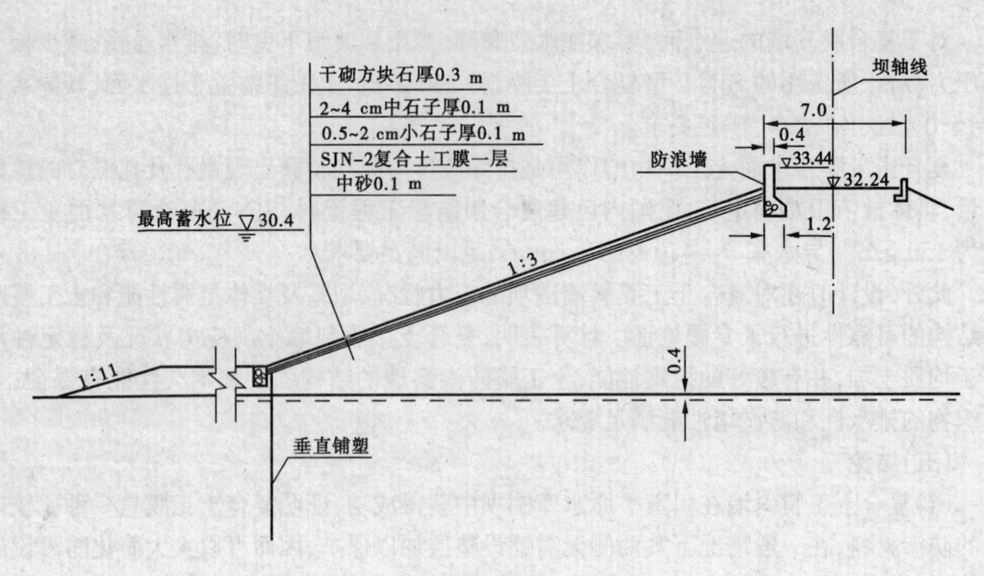

图 4-8　围坝横剖面图　(单位:m)

粉细砂层,局部坝段渗漏问题较为严重,坝基各层渗透系数一般为 10^{-4}～10^{-5} cm/s,粉细砂层为 1.8×10^{-3} cm/s。为了防止水库水量损失,保证大坝安全,防止水库蓄水后库外周围地下水位升高,引起土地沼泽化和次生盐渍化,破坏生态环境等问题,决定对坝身和坝基采取防渗措施,并在坝后设置排渗系统,解决库水外渗问题。

坝体防渗比较过粘土和复合土工膜两个方案,粘土库区储量少,用量大,需远距离调运,工期长,投资多,复合土工膜防渗效果好,有良好的隔水和适应变形的性能,造价便宜,经比较采用济南市塑料三厂生产的 SJN-2 复合土工膜。

围坝坝基采用聚乙烯垂直铺塑截渗,位于围坝上游坡脚,聚乙烯膜厚 0.4 mm,幅宽 8 m,垂直铺塑深度据坝基水文地质情况而定,以截渗墙底部插入透水性较小的粘土层或壤土层为准,最小深度 6 m,最大深度 19 m。根据南京水利科学研究院水工研究所编制的《鹊山水库围坝渗流数学模拟和渗流分析》报告,当防渗结构无破损时,水库年渗漏水量为 168 万 m^3,如果防渗膜有破损(假定 28 m 有 0.1 m 缝隙)时,年渗漏总量则为 309 万 m^3,可见保证防渗膜在运用中的完整性意义重大。

[**实例** 4]　黄河蒲城新堤土工膜防渗❶

(一)基本情况

蒲城新堤位于黄河下游滨州市蒲城黄河左岸,该堤于 1984 年建成,是对北镇老堤裁弯取直的工程。新堤全长 4 447 m,由于堤身土质差,透水性强,基础存有隐患和附近缺少抢险土料等情况,一旦洪水漫滩还将出现顺堤行洪的局面,极易发生险情,是黄河水利委员会(以下简称黄委会)在册险点,因此必须进行防渗加固,经过方案比较,最终选定的加固方案为:

(1)坝基垂直铺塑截渗,做法是在临河堤脚以外 3 m 处进行垂直铺塑截渗,铺塑深度 8 m,顶部与临河地面平齐。

❶ 山东黄河勘测设计院.堤防截渗墙工程设计,1999

(2)堤身铺设复合土工膜防渗斜墙,做法是将原大堤草皮、树株清除整平,清基厚度为水平宽 0.3 m,其上铺设复合土工膜一层,膜上覆盖壤土作保护,保护层顶宽 3 m,内坡 1∶2.5,外坡 1∶3.0,复合土工膜顶部高出 2000 年设防水位 1 m,加固后新堤见图 4-9。

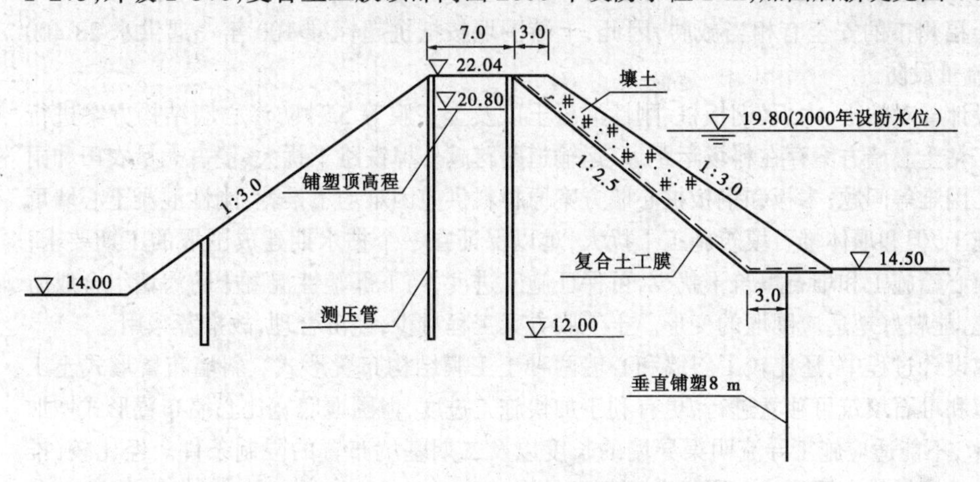

图 4-9 垂直铺塑标准断面 (单位:m)

(二)堤身渗流计算

渗流计算分别按现状和 2000 年设防标准进行,复合土工膜渗透系数 $K_s = 5.0 \times 10^{-10}$ cm/s,膜厚 0.3 mm。计算采用土石坝二向渗流有限单元法由计算机完成,允许渗透坡降按土石坝设计规范 SDJ218—84,采用太沙基公式计算,计算成果见表 4-8。

从表 4-8 可以看出,现状堤身下游坡脚渗透比降大于允许渗透坡降,不能满足渗透稳定要求。对悬挂式垂直截渗,其铺设深度对截渗效果影响较小,考虑施工技术及经济要求,选择铺塑深度为 8 m,满足渗透稳定要求。

表 4-8 土工膜防渗计算成果

项目		渗流量 (m^3/(d·m))	出逸高度 (m)	最大渗透坡降	允许渗透坡降
现状		0.27	0.48	0.29	0.26
加固	铺塑深度 8 m	0.13	0.38	0.21	
	铺塑深度 12 m	0.11	0.37	0.16	
	铺塑深度 16 m	0.10	0.36	0.11	

[实例 5] 福建省水口水电站二期围堰土工膜防渗心墙❶

(一)防渗方案选择

福建省水口水电站装机容量 140 万 kW,其二期围堰是横向上下游的主围堰,用以截流,使河水由导流明渠宣泄,保护主坝和厂房施工。

❶ 葛益恒,刘秀英.水口水电站上下游堆石围堰土工膜防渗心墙设计与施工.土石坝工程,1991(12)

第二期上下游主围堰基础覆盖层厚 24 m,采用混凝土防渗墙防渗。上部用土工膜作中央防渗体,两边堰体为石渣和堆石。由覆盖层表面算起,上游围堰高 42.6 m,下游围堰高 26.2 m。鉴于围堰建成后上游将形成 7 亿～8 亿 m^3 的库容,对距坝址下游 84 km 处的省会福州市的安全有相当威胁,因此,上游围堰按抵抗超标准 100 年一遇洪水 28 400 m^3/s 流量设防。

设计曾对粘土、木板、钢板桩、刚性混凝土以及土工膜等 5 种防渗心墙结构方案进行比较。粘土心墙方案存在料场运距远、运输道路跨越外埠铁路干扰大、侵占大量农田和雨季施工困难等问题;木板和钢板桩心墙方案原材料供应困难均不推荐;刚性混凝土心墙可常规施工,但和堰体堆石填筑施工干扰大,难以保证在一个枯水期建成围堰的工期要求;土工膜心墙施工和堆石填筑干扰少,可保证施工进度,与下部塑性混凝土防渗墙组合成防渗系统,能较好地适应围堰的变形。土工膜方案工程量少,经济合理,故推荐采用。

在设计过程中,还比较了斜墙和心墙两种土工膜结构布置形式。斜墙布置形式土工膜施工和堆石填筑可独立进行,更有利于加快施工进度,但围堰底宽比心墙布置形式增加 40 余米,不能适应施工导流明渠导墙的长度以及二期基坑布置的限制条件。经比较,推荐采用心墙结构布置形式。围堰典型剖面见图 4-10。

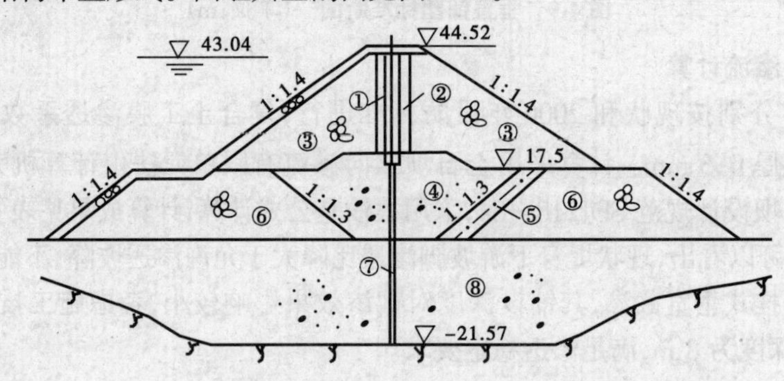

①土工膜;②过渡层;③堆石;④砂砾石;⑤反滤层;
⑥石渣;⑦混凝土防渗墙;⑧砂卵石覆盖层

图 4-10　水口水电站二期上游主围堰　(单位:m)

水口水电站工程于 1989 年 9 月 25 日主河道截流合龙,二期主围堰基坑于 1990 年 2 月 19 日排干;上部堰体加高填筑及土工膜心墙于 1990 年 5 月中旬完成,共铺设土工膜 3.1 万 m^2,填筑堆石、石渣、砂卵石 220 万 m^3,浇筑混凝土防渗墙挡水面积 1.66 万 m^2。工程运用效果良好,争取了时间,并节省工程投资 102 万元。

第四节　土工膜防治库区渗漏

一、基本情况

长期以来,库区渗漏是水库建设中的一个难题。在水库建设时,往往遇到一些地质条件比较复杂的情况,例如岩溶地区的溶洞、漏斗和暗河;透水性大,产状对蓄水不利的岩层；透水性很强的破碎断裂带及古河床，等等。有的工程由于事前缺乏周密完善的地质勘探，设计时对渗漏的严重性又估计不足，或者是因为工程规模不大、经费不足，以致忽视库区渗漏等，都往往导致水库建成后库区因严重渗漏而根本蓄不住水，或者汛期是险库、危坝，汛后库水很快漏光成为干库，工程技术人员对此尽管作过很多努力，在处理方法上进行过大量研究和探索，例如采取回填灌浆和帷幕灌浆（包括水泥、沥青、高分子聚合物和水泥砂石混合物）；采用混凝土或粘土水平防渗铺盖，采用混凝土或浆砌块石堵塞溶洞、漏斗和暗河。但是，由于搞清渗漏原因和渗漏通道需要进行大量的地质勘探，防渗堵漏工程需要耗费巨资，有的工程就是因为治漏工程投资过大，或虽经大量投入，效果仍旧很差而最后放弃成为废库。

土工膜防渗技术问世使库区渗漏防治技术进入了一个新的时期，特别是对于蓄水深度不大的丘陵水库、平原水库，采用土工膜防治库区渗漏更是一种治漏效果好、施工简易、速度快、费用低的方法。土工膜使一些原来已经被废弃或欲治无方（投资或技术上有很大困难），欲弃不舍的病库、漏库复活，也使一些原来认为不能修建的水库（或费用过大）的地方成功地建库蓄水，造福人民。

关于采用土工膜防治库区渗漏的设计、施工方法，基本原则与土工膜土石坝防渗和土工膜渠道防渗相同，计算方法也大同小异。但是必须注意库区治漏一定要针对库区地形地质特点，采取相应的工程结构措施才能达到预期目的。参照国内外土工膜防治库区渗漏的成功经验，可以概括为以下四点：

（1）通过地质勘探等技术手段，弄清库区的地质情况，找准渗漏原因和渗漏地段。

（2）针对地质情况和渗漏原因，采用土工膜（单膜、复合土工膜或多层土工膜）封闭发生严重渗漏的区域（对于中小型水库甚至可能是整个库盆，或一面岸坡）。

（3）针对渗漏特点，因地制宜地采用合适的防渗结构形式，确实做到土工膜防渗层在工作时，不会因支持层变形或塌陷而导致撕裂，或因膜下出现空洞而被水压力击穿。因此，库区的塌坑、漏斗要妥善予以堵塞，透水岩层及破碎带与土工膜的接触面要做好反滤垫层，有时甚至要设置排水以防地下水流顶托。土工膜面以上要设置保护层，防止无水时土工膜受紫外线、动物、植物和人为破坏。

（4）设置渗漏监测装置，加强监测和工程养护，发现情况及时维修。

以下工程实例，可供参考，阅读时请注意工程年代及技术背景。

二、工程实例

［实例 1］ 土工膜在西骆峪水库库区防漏中的应用

（一）概况

西骆峪水库位于陕西省周至县，该库建于 1958 年，1970 年主体工程和配套渠道基本完成并投入运行，设计灌溉耕地 0.47 万 hm^2，当年受益。枢纽工程按 50 年一遇洪水设计，按 200 年一遇洪水校核。坝型为均质土坝，坝高 31 m，坝顶长 820 m，坝顶宽 5.5 m。溢洪道最大泄流量 318 m^3/s，输水洞为直径 2 m 砌石圆涵洞，输水流量为 8 m^3/s。

水库存在的主要问题是渗漏问题，坝基及左岸分布有宽达 1 110 m，厚度为 10～133.44 m 透水性很强的砂卵石层（以下未钻探），测得坝基 50 m 范围内渗透系数 $K=$

30.19～72 m/d,造成水库严重渗漏 ,若水库继续兴建,则需将存在渗漏问题的部位全部按1/6水头和边缘1 m的厚度做黄土铺盖处理,填土质量与坝体相同,干密度在1.65 t/m^3以上。

在铺盖实施过程中,1959年因资料不足,故只按常规处理,将坝底河谷低槽按10倍水头长度345 m做了黄土铺盖,铺盖宽230 m,厚度为0.8～1.5 m。根据1964年技术补课要求,于1970年主体工程完成后,将河谷中段及近坝二级台地的沙石层加做了铺盖,并对左岸作了粘土斜墙封闭;对砂壤土地区,采用深翻碾压封闭处理;为防止入库水流对铺盖切割,又修了宽3 m的砌石导流渠。铺盖厚度仍为1/10的水头,边缘厚度为0.5 m,斜墙边坡在1∶1.5～1∶2之间,厚度为1～2.5 m,两次铺盖搭接长度100 m,第三次处理于1972年完成,共填土31.3万m^3。

黄土铺盖完成后,当年蓄水效果明显,空库时由于上游来水摆动切割严重,加之铺盖厚度不够,致使随着时间推移,渗漏日渐增大。据统计,1974年5月14日蓄水377万m^3至7月10日历经57天,不计入来水,渗漏213万m^3;1976年5月2日,蓄水365.4万m^3,至6月18日历经48天渗漏152.4万m^3。

1976年至1977年对水库全面检查发现,二级台地出现塌坑80个,直径为0.4～1.0 m, 深0.22～0.8 m, 并在河谷等处发现塌坑76个,最大直径为2.5 m,深为2.3 m者有4个之多,同时发现有不规则裂缝200余条。

(二)土工膜防渗设计

(1)薄膜厚度的选定:

①薄膜理论厚度的计算:采用苏联全苏水工科学研究院的经验公式计算,得出当膜上作用水头$H=16$ m,计算温度$t=30$ ℃,土壤粒径$d=4$ mm时,所需最小膜厚$\delta=0.11$ mm,若$d=7$ mm,则$\delta=0.156$ mm。

对于冬季严寒情况,计算温度$t=-20$ ℃,$H=16$ m,$d=7$ mm,所需最小膜厚$\delta=0.156$ mm。

由此可见,选用膜厚$\delta=0.156$ mm即可满足强度要求。

②薄膜厚度的选定:根据有关资料,多层薄膜和单层薄膜各有优势,单层使用,优点在于在垫层土中稍有大的粒径,不易使薄膜穿透,但柔性和其他方面在地下则较多层为差。因此,库底防渗采用了0.06 mm厚薄膜3层共0.18 mm,厚度大于理论值,是较安全的。

(2)薄膜铺设和保护层、垫层厚度的选择:

水库蓄水除供农田灌溉外,尚用于养鱼及人畜饮水,考虑到化学作用,采用聚乙烯无毒薄膜是适当的。

薄膜铺设选用搭接法和埋入法,主要是:聚乙烯薄膜尚未有粘合剂,只能用热压电解处理;搭接缝采用10～20 cm,有利于薄膜的移动,不致破坏它的本来状态。

保护层的厚度选择:本库区最低温度为-19 ℃,冻土层20 cm,因此,采用30～50 cm厚度的粘土或沙、砾土防护,碾压后并能起抗冲刷作用。

垫层是关系到薄膜能否安全应用而不被穿破的保护措施,也是铺设薄膜的关键。采用在薄膜上下各为10 cm的垫层,土壤粒径为1～5 mm。

(3)薄膜的防冲问题:

根据地形划分为3个区域，即死库容区，不考虑防冲；二级台地纵横比降在1∶18以下，不构成对薄膜的威胁；中心河槽，纵比降为1∶75，横向为1∶12以下，考虑到空库迎汛和小水摆动切割，采用了结合槽和人工河床式，即长1 000 m，宽100 m，浆砌格干砌石下铺薄膜的防冲办法。

（三）土工膜防渗效果

薄膜铺盖工程从1978年春季开始，经过两个冬春施工至1980年5月底，完成铺膜面积251 100 m^2，占库底面积50.5%，总投资78万元。在高程573.0 m（蓄水105万m^3）已全铺膜，经多次测试，渗漏接近全部停止。当蓄水到高程580.0 m时，与过去同水位相比较，日渗漏减少4.12万m^3。比沥青混凝土防渗方案减少投资100.44万元。

［实例2］ 复合土工膜在黑虎山水库副坝基础截渗工程中的应用❶

（一）工程概况

黑虎山水库位于山东省青州市弥河支流，总库容5 680 m^3，该工程于1966年10月动工，1972年11月建成，当年蓄水兴利，枢纽工程由主、副坝，溢洪道，放水洞组成，主坝为粘土心墙坝，长480 m，最大坝高40.5 m，副坝为均质坝，长955 m，最大坝高24 m。

该水库是山东省重点病险水库之一。大坝建设时，利用坝前一自然沟开挖至基岩面回填亚粘土作为副坝坝基的二级台地的防渗斜墙，斜墙与副坝坡脚间60～100 m宽的二级台地上的亚粘土覆盖层（厚8～18 m），与斜墙共同组成副坝防渗体系。因亚粘土覆盖层与下面的砾卵石层直接接触，中间无过渡层，节理垂直，透水性强。在高水头长期作用下，亚粘土覆盖层被水击穿，透过坝基，形成副坝基础集中渗漏，覆盖层表面产生众多裂缝和塌坑，有的裂缝宽达0.5 m，深5 m以上，长达数十米，并导致副坝沉陷变形，严重危及水库安全。

1992年1月，经专家组实地考查论证，通过分析裂缝塌坑产生的原因，并对混凝土板墙、高喷板墙、粘土铺盖、帷幕灌浆、土工膜防渗等多种方案进行比较，最后决定采用投资省、施工方便、工效快、效益好的复合土工膜副坝基础截渗加固方案。

（二）土工膜防渗设计

（1）通过综合考查，选用济南塑料三厂生产的PVC二布一膜复合土工膜，单位面积质量500 g/m^2，膜厚0.33 mm，抗渗透强度900 kPa，渗透系数$K=10^{-11}$ cm/s，幅宽4 m，每边留有10 cm宽的焊接段。

（2）土工膜厚度选择。为满足台地安全渗透比降要求，由达西公式及水流连续性条件导出需要的膜厚计算公式为

$$\delta \geqslant \frac{K_s H}{K_s [J_e]}$$

式中 K、K_s——分别为土工膜和台地透水层的渗透系数，cm/s；

H——作用在土工膜上的水头；

$[J_e]$——台地透水层的允许渗透比降。

❶ 曹光矩，等．复合土工膜在黑虎山水库副坝基础截渗工程中的应用．山东省水利系统土工合成材料应用技术研讨会论文，2000

按照水库校核洪水位 171.68 m,至坝前截渗沟底水头为 35.37 m,至副坝坝脚水头为 18.68 m,至副坝坝坡土工膜斜墙起点处水头为 11.68 m(160.00 m 高程),用公式分别求得相应的计算厚度为 0.168 mm、0.089 mm 和 0.056 mm。同时,参照苏联全苏水工科学研究院的试验成果(表 4-1),选用膜厚 0.33 mm,在强度上足够安全。

(3)水工膜防渗结构设计。副坝水工膜防渗结构如图 4-11 所示,二级台地的自然坡

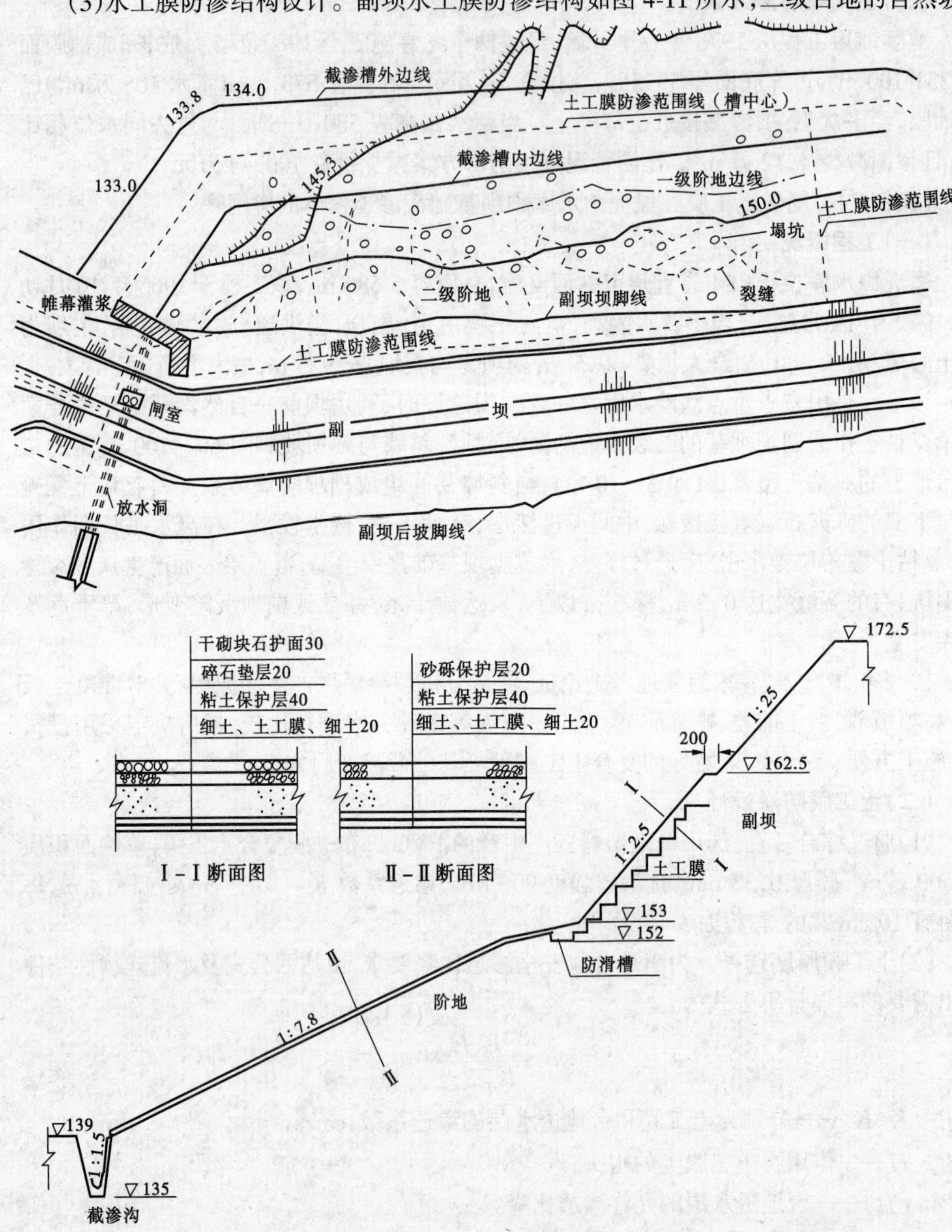

图 4-11 黑虎山水库副坝及台地土工膜防渗处理 (单位:高程 m,尺寸 cm)

度为 1:7.8。将原坡面碎石、杂物予以清除，整平碾压后加铺细土垫层作为铺塑的基面，台地以上副坝坝坡为 1:2.5，为防止膜上保护层及膜体本身顺坡下滑，将坝坡坡面挖成高 1 m、宽 1 m 的台阶形式；在副坝坝脚和台地防渗斜墙的起点处设置宽高均为 1 m 的防滑槽；在台地防渗斜墙的底部将膜片埋固在底宽 2 m、深 4 m 的截渗沟内。

膜上保护层设计主要考虑水库泄洪时近岸水流流速和就近利用粘土、节省投资等因素，采用粘土作为膜上保护层材料。参照有关资料，从安全考虑，采用保护层厚度为 60 cm，其中靠近膜面的 10 cm 为细土层，铺土时不能踩踏、车压和机具碰撞膜体，后加盖的 50 cm 亚粘土层则分两层压实，干密度要求达到 1.65 g/cm^3 以上。副坝坝坡部分，则在粘土保护层上再加铺 20 cm 厚的砂滤层和 30 cm 厚的干砌块石护面层。

复合土工膜采用热焊机焊接，经注试液检验不渗水后，再完成上下无纺布的缝合。

黑虎山水库副坝台地土工膜防渗工程于 1999 年 4 月 17 日开始，同年 7 月 10 日结束，历时 83 天，共铺设复合土工膜 5.6 万 m^2。工程总费用为 460 万元，比粘土铺盖方案和高喷板墙方案分别节省 62% 和 66%，工期缩短一半以上。工程结束后即开始蓄水运行，土工膜防渗体全部浸入水中，防渗效果良好，达到了预期要求。

[实例 3] 尹回水库库区防渗

平遥县尹回水库是 1958 年兴建的一座小一型水库，1977 年 8 月 5 日因溢洪道消力池破坏逐步坍塌而导致土坝决口。同年 10 月 17 日开始修复，翌年 8 月 27 日重新拦洪，扩建为一座中型水库，坝高 20 m，总库容 2 530 万 m^3。由于在修复扩建时，多处未按设计要求施工，如垮坝时上游被冲的冲沟未回填，下游排水棱体未做，决口段两侧削坡不够，新老坝结合不好，回填土质量过差，另外将坝肩右岸的黄土台地削坡作为大坝的延长部分、左岸将一土崖包进坝体，等等，致使 1978 年蓄水后数年中在决口段下游出现砂沸、管涌现象，下游坝坡浸润线逸出点高达 3.28 m，渗漏量大。为解决这一问题，提出土坝的加固除险设计。经方案比较，决定用塑料薄膜进行库底和坝坡铺盖。

(一)塑料薄膜铺盖设计

(1)材料选用。水库近期供给农业用水，也即将担负城市生活供水，故选用无毒的聚乙烯，膜厚 0.1 mm，幅宽 3 m，密度 0.91～0.92 g/cm^3，抗拉强度 1 050～1 540 kN/m，极限伸长率＞300%，抗冻性 −60 ℃。

(2)渗透稳定计算。确定铺盖长度，根据库水位 773.64 m 时(河底高程 764.72 m)，远离坝脚 90 m 的地方，仍有数处砂沸或管涌发生这一实际情况，按下式反推渗透坡降

$$J = \frac{H}{L_1 + L_2}$$

式中 H——水头差(8.92 m)；

L_1——坝底宽(131.25 m)；

L_2——砂沸、管涌发生处至坝脚的最远距离(90 m)。

则有 $J = \frac{8.92}{131.25 + 90} = 0.04$。

为安全计采用允许渗透坡降 0.03，需铺盖长度 $L = \frac{13}{0.03} = 302.08(m)$(13 m 为正常

高水位时的坝前最大水深)。

西库区垮坝时淤积被冲毁,铺盖长采用 300 m,东库区铺盖长采用 200 m。

(3)薄膜厚度按苏联全苏水工研究院经验公式计算,$\delta=0.002$ mm 即可满足温度要求(土粒计算粒径 $d=0.1$ mm),参照国内外工程实践,从安全出发,设计选用薄膜厚度为 0.1 mm,双层,总厚度为 0.2 mm。

(4)防渗范围见图 4-12,上游坝坡全铺,西库区铺盖长 300 m,东库区长 200 m,库岸铺设高程 775 m。

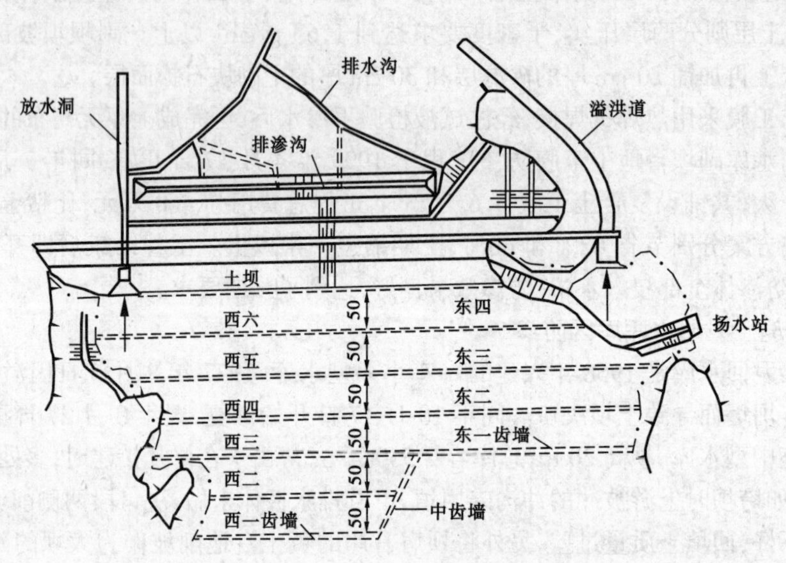

图 4-12　尹回水库土工膜铺设范围示意图　(单位:m)

(5)保护层厚度。根据平遥 12 年气象资料统计,最大冻土深 71 cm,按 80 cm 冻土深设计。库区铺盖保护土层厚 80 cm,坝坡最小保护土层厚 50 cm(土层上有砂砾料垫层 30～40 cm、干砌石护坡厚 30 cm,总厚 110～120 cm)。

(6)接头形式。选用搭接形式,搭接长 20 cm。

(7)薄膜防冲问题。为防止薄膜鼓起,采取三种措施:①设置齿墙;②设置防冲带;③预留进水口。

(8)各部位结构设计如图 4-13。

(二)工程效果

整个工程从 1985 年 5 月上旬开工,同年 8 月底结束,历时 3 个半月。共铺设土工膜 21.91 万 m^2(51.46 t),总投资 109 万元,比高压定喷垂直防渗方案节省投资 70%,比粘土斜墙铺盖防渗方案节省投资 68%,工期缩短一年。

水库于 1985 年 8 月 3 日开始蓄水,同年 9 月 17 日至 1986 年 3 月 29 日,历时 6 个月处于高水位运行(超过历史最高蓄水位 0.64 m)考验,防渗防漏效果良好,渗漏水量减少 46.6%,原决口段坝体浸润线降低 2～4 m,下游坝坡没再有渗水逸出痕迹;下游砂沸、管涌现象基本消除,沼泽干涸。

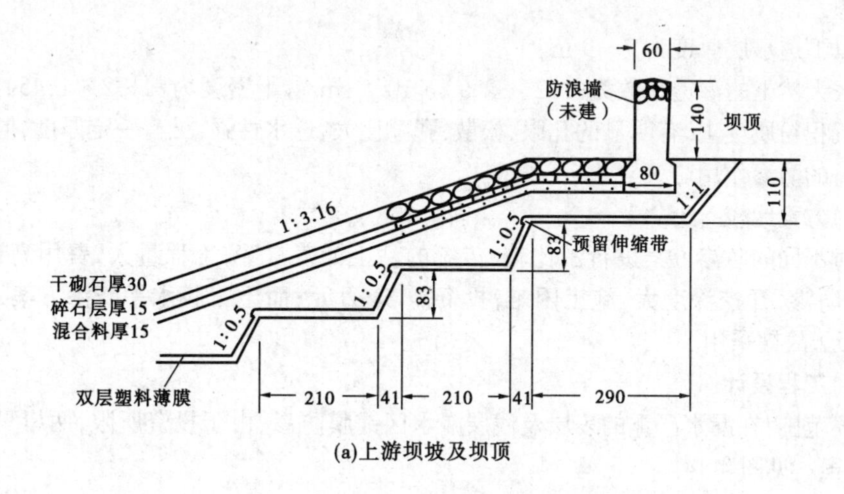

(a)上游坝坡及坝顶

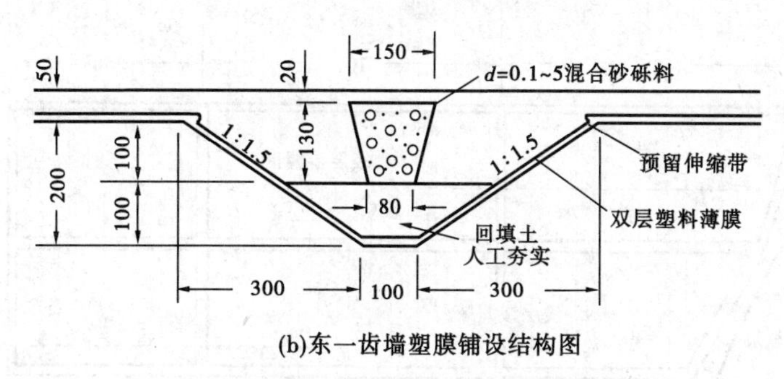

(b)东一齿墙塑膜铺设结构图

图 4-13　尹回水库各部细部构造　（单位:cm）

［实例 4］　莲花池水库库区防渗❶

(一)水库概况

莲花池水库位于大清河水系北易水上游,1957 年兴建,1958 年 6 月竣工,控制流域面积 13.5 km^2,总库容 234 万 m^3。主坝为均质坝,坝顶高程 26.3 m,最大坝高 17.3 m,副坝最大坝高 10 m,宽顶堰溢洪道在主坝右侧,堰顶高程 21 m,堰宽 44 m,埋管式输水洞位于坝下。

(二)存在问题

由于副坝坝基及坝前没做防渗工程,蓄水后,副坝基础和坝前库区、岸坡渗水严重。当库水位达到 20.3 m 时,坝后边坡潮湮湿,副坝埋管(废管)出口处有滴水现象,坝后耕地出现沼泽化现象,当库水位达 21.52 m 时,坝后 200 多米远的大龙华村渗流漫街,村东南大坑中终年积水。

为进一步摸清渗漏部位及渗流走向,在副坝前库区进行了物探和钻探。据资料分析,在副坝前 35 000 多平方米的库区均有渗漏现象。由副坝脚起的东侧库区为深层渗漏区,西侧为浅层渗漏区,其余的为表层渗漏区。渗流自西北流向东南。库区天然土层厚度由坝脚向库内变薄(从 7 m 到 0.5 m),且局部有砾质沙壤土及砂砾石出露。在 15 m 高程天

❶　曹全平,牛良民.塑料薄膜在莲花池水库防渗工程中的应用.见:全国第三届土工合成材料学术会议论文选集,1992

然土层以下透水层厚度为 7～9 m。

库区天然土的渗透系数为$(1.2\sim2.9)\times10^{-3}$ cm/s,干密度为$(1.32\sim1.45)$ g/cm³,为近代沉积粉质壤土,有明显的孔眼,松散,孔隙比大,透水性强,虽有一定厚度,但起不到天然铺盖的防渗作用。

(三)方案比较

曾对不同的防渗方案进行了比较,传统的粘土铺盖方案,工程量大,费用高达 58 万元;垂直防渗,开挖深度大,施工困难,投资需 54 万元;而土工膜水平防渗方案,投资仅 15.6 万元,故被采用。

(四)工程设计

铺膜范围:在漏水严重的表层及浅层漏水区铺膜防渗,由于投资所限,两岸只铺设到 18 m 高程。见图 4-14。

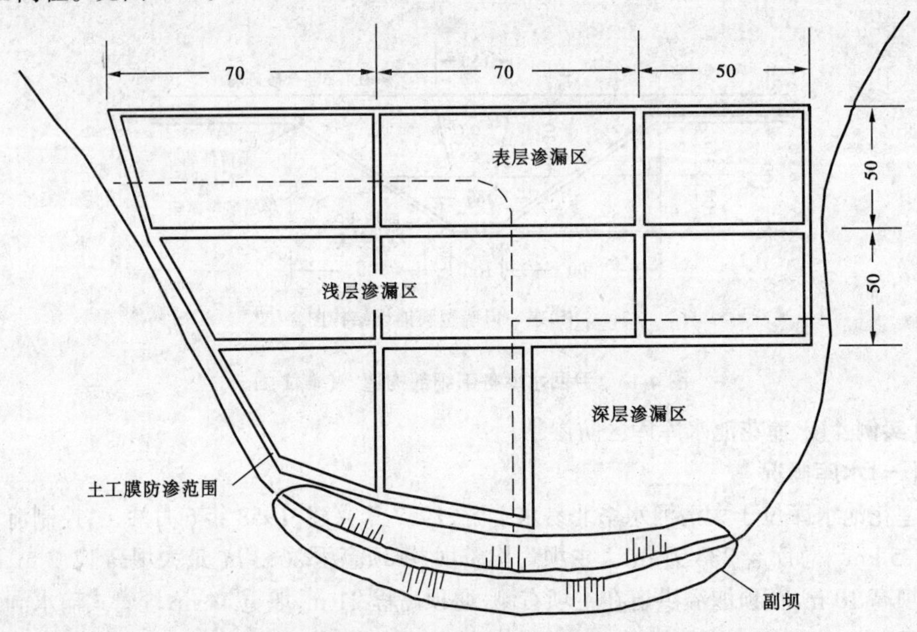

图 4-14 莲花池水库土工膜防渗示意图 (单位:m)

防渗材料的选择:此水库不仅提供农业灌溉用水,而且还供人畜生活用水及库区养殖。因此,选用无毒的聚乙烯膜为防渗材料,幅宽 10 m,厚 0.11 mm,抗拉强度纵向 16.68 MPa,横向 15.10 MPa。伸长率为 300%,使用温度为 −20～30 ℃。

塑膜防渗厚度的确定:防渗膜在水压力作用及稳固土层的支持下工作,其厚度取决于防渗膜接触土层颗粒粒径大小,粒径越小,要求的防渗膜越薄,根据苏联全苏水工科学研究院经验公式计算,结合水库的实验资料,选用 0.11 mm 厚的聚乙烯膜两层即满足要求。

防渗膜保护:为使塑膜在施工中不遭破坏,施工后长期起作用,在膜上下填 10 cm 厚的细土,再加 50 cm 厚的土层保护,以防紫外线照射、植物根穿透和人为破坏,并有防冻作用。

在塑膜覆盖的周围,均开挖深 1.5 m、宽 0.8 m 的齿槽,将膜埋入,再回填土夯实,表层以块石或砾石盖重,以防水流冲刷破坏。

在铺膜区,顺坝轴方向及垂直坝轴向,每隔 50 m 左右挖一道压重齿槽,深 1 m、宽 1 m、边坡 1:1,以稳固塑膜,防止膜被水流冲刷露出及渗压浮起。

(五)施工要求

在施工中要求挖出的基面平整,无泥泞,在个别凹陷处,先用均匀的细土填平后,再用拖拉机压实。如开挖出的基底为砾石、碎石或不均匀的粗砂时,为改善膜的受力条件,需垫 10 cm 厚的细土后,方可铺膜。

铺膜顺序从库内向坝脚逐幅平行于坝轴铺设,上游幅压下游幅,搭接长度 20 cm,两层膜接头留有最大错距,铺设时,不准拉紧膜,要留有 3%～5% 的松动量,以克服基面的不均匀沉陷。如发现有破损现象应立即修补。

两层膜间不得夹带杂物、泥土,不得有夹气夹水现象,如发现,应剪口处理后封补。

膜上回填细土时要轻放,由一侧向另一侧依次进行,以利排除层间夹气。为缩短膜在阳光下暴露的时间,铺膜速度应与回填土速度紧密配合,速度一致。

工程于 1990 年 10 月开工,11 月底完工,工期 57 天。完成铺膜面积 25 000 m^2,开挖平整基面 26 200 m^2,人工开挖齿槽土方 3 400 m^3,用细土 3 450 m^3,回填土 1 760 m^3,砾石或块石压重 800 m^3,总投资 15.6 万元,平均 6.24 元/m^2。

(六)防渗效果

工程完成后,取得了令人满意的效果。在铺膜前后库水位相同的情况下,副坝后测压管水位较防渗前下降 0.44 m,副坝后 100 多米处的大龙华村北 5 眼压水井全干涸。村内地窖不再出现渗水,村东南大坑干涸。副坝后耕地沼泽化现象解除。

[实例 5]　切吉水库大坝土工膜防渗除险加固❶

(一)概况

切吉水库位于青海省共和县,大坝由主坝和副坝组成,为折线形壤土斜墙坝,坝高 20.5 m,原坝顶高程 3 290.5 m,主坝长 138 m,副坝长 142 m,顶宽 5 m。总库容 410 万 m^3。

切吉水库是在勘测资料不足的情况下进行设计施工的。建成后一直带病运行,曾多次出现险情,主要问题是:斜墙、截水墙质量差,基岩面清理不彻底,渗漏严重。切吉水库因此列入青海省重点维修计划,需要进行防渗除险加固。

(二)防渗加固设计

(1)大坝加固设计:切吉水库为小一型四等工程,加固整修的基本原则是维持原大坝不变,重点加固坝坡,重新修建土工膜防渗体,以减少渗漏。

大坝坝轴线维持原设计,坝顶设计高程 3 291.0 m,宽 5.0 m。上游坝坡 1:2.5,下游坝坡 1:2.0,上游边坡土工膜与过渡层土界面抗滑稳定安全系数大于 1.20 ,是安全的。考虑渗透水压力,其抗滑稳定安全系数亦大于 1.15。

(2)副坝铺盖设计:为减小副坝坝基古河床渗漏,按经验取地基允许水力坡降为 0.1,在副坝前设土工膜铺盖。经计算,铺盖最长处 90 m,最短处 50 m。铺盖缓坡段为砂砾石

---

❶ 王丰,张原川,等.切吉水库大坝土工膜防渗除险加固设计与施工.见:全国第四届土工合成材料学术会议论文集,1996

护坡。3 286.0 m 高程以上陡坡区在土护坡上增设干砌石。大坝平面布置如图 4-15。

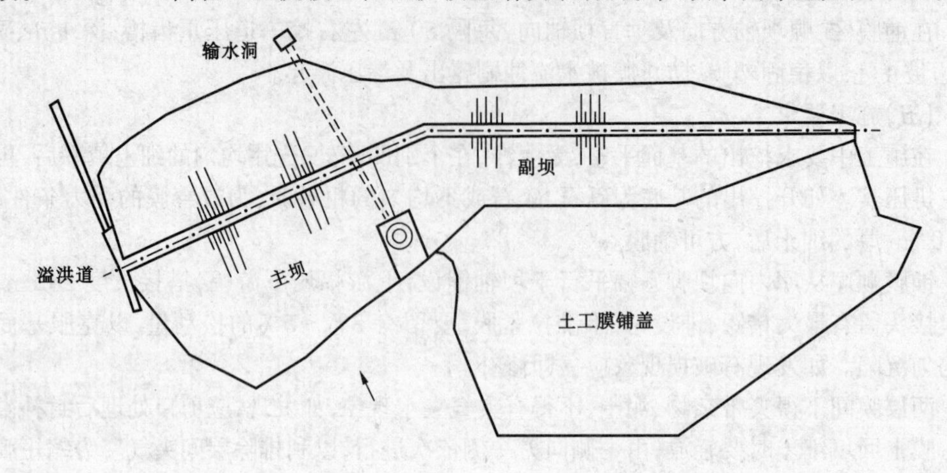

图 4-15　切吉水库土工膜铺盖防渗

(3)土工膜选择：切吉水库地处高寒地震多发区，地震烈度 8 度，所选防渗土工膜材料必须适应抗震和耐高寒的特殊要求。经试验，切吉水库选定北京塑料十四厂生产的1 mm厚高密度聚乙烯片材作为主副坝和铺盖的防渗材料。

(4)坝体防渗细部结构：主坝坝体土工膜防渗系统为土工膜防渗层—细砂和砂—砾石过渡层—混凝土板保护层。

坝面采用斜坡振动碾压，压实标准按相对密度 0.35、干容重 2.11 t/m^3 控制。由于高密度聚乙烯片材表面比较光滑，为提高抗滑能力，铺设时沿坝面每 3.0 m 设一松弛峰，向下埋入砂砾石坝体，用砂浆固定，向上插入过滤层内。

考虑到当水库水位骤降时，土工膜后可能产生一定的反向渗透压力。为此，在土工膜后 3 273.6 m 高程铺设一层用土工织物包裹的砂石纵向排水体，用以保证渗透水汇集于排水层，通过放水管顶的专用排水管排向下游。

(三)施工

基础渗漏是切吉水库渗漏主要通道之一，也是此次整修的重点。按设计清除上游坝脚覆盖至新鲜基岩，浇筑混凝土齿墙，将土工膜埋设在齿墙内，以备与坝体防渗土工膜连接。坝肩和铺盖周边均用混凝土齿板，坝坡整修填筑符合要求后铺设土工膜。

上游坝坡填筑干密度要求达到 2.1 g/cm^3 以上，整修填筑符合要求后，铺设土工膜。土工膜幅宽 1.1 m，用自动爬行式焊接机焊接，缝宽 6 cm，漏焊或破损处用热吹风及压滚加压补粘。

防渗加固工程从 1991 年 9 月开始到 1992 年 10 月竣工。共铺设土工膜 3 500 m^2。

(四)防渗效果

切吉水库曾先后采用过红粘土、塑料薄膜、玻璃丝油毡进行防渗处理，均未达到预期目的。此次采用防渗性能好的高密度聚乙烯土工膜，对主副坝进行了防渗处理，增设副坝前土工膜铺盖，防渗效果显著，达到了防渗除险的目的。

第五节　渠道及蓄水池土工膜防渗

一、概　述

按人均标准考虑，我国是一个水资源严重匮缺的国家，是全球13个贫水国家之一，按联合国统计划分标准，我国有16个省、区属缺水区，有6个省、区为水危机地区，因此，除了开源之外，节水是缓解我国水资源短缺的根本出路之一。目前，我国农业用水占总用水量的70%～80%，全国平均灌溉水利用系数只有0.3～0.4，渠系水利用系数平均为0.4左右(其中，土渠0.3～0.4，浆砌石渠为0.5左右)。显然，如果采用土工膜渠道防渗措施，把渠系水利用系数提高到0.7～0.8，全国即可增加可利用水量1 000亿m^3以上，节水潜力很大。由于渠道土工膜防渗具有造价低、渗漏少、施工方便等优点，彻底改变了传统的浆砌石和混凝土防渗衬砌防渗效果较差、工程量大、造价高、不可能短期实现的困难局面，所以，在灌溉渠道和蓄水池建设中广泛推广使用土工膜防渗，对于落实国家节水政策，缓解当前水资源紧缺状况，具有重大的战略意义。

早在1954年，美国即进行了塑料薄膜衬砌渠道的多种试验，认为塑料薄膜防渗能减少渗漏损失90%以上，苏联于1958年在灌溉渠道上也进行了铺塑防渗试验，并都得出厚度为0.2 mm、有保护层的聚乙烯薄膜，使用寿命可达20年以上的结论。

20世纪60年代中期，我国山东打渔张引黄灌区四干、河南省人民胜利渠东一灌区和北京市东北旺农场南干渠及山西消河南干渠等，采用塑料薄膜进行过渠道防渗试点；70年代中期，新疆生产建设兵团将土工膜大量用于渠道防渗工程；80年代末期，渠道土工膜防渗技术推广发展很快，几乎遍及全国，效果显著。根据一些工程及科研部门对土工膜的老化问题所作的长期观测研究，按实测老化速率估计，认为在有保护层覆盖的情况下，土工膜的使用寿命可达30～40年以上。

二、土工膜防渗渠道的断面型式

土工膜防渗渠道基槽和铺膜断面常有梯形、阶梯形、锯齿形和矩形等四种，见图4-16。常用的断面以梯形居多，其优点是断面小，省工省料，操作方便，缺点是边坡稳定性较低。阶梯形和锯齿形断面的边坡系数$m_1 = m_2$，优点是抗滑稳定性好，缺点是土方量大，用工多，薄膜材料消耗多。矩形断面的优点是防止芦苇穿透效果好，稳定性好，缺点是土方量大，用料多，这种型式较适用于有芦苇穿透问题和较小的渠道。

土工膜防渗渠道应采用埋藏式铺膜，其结构可分为有过渡层和无过渡层两种。在岩石、砾石渠道上铺膜时应设过渡层，如图4-17所示。在土渠上铺膜时一般不设过渡层(如图4-18所示)，但当堤内地下水位高而且有内水压力作用时，应设置排水层，降低地下水位，以免顶起薄膜，破坏渠坡。

渠道断面尺寸应通过水力计算确定。设计中考虑的因素有：设计流量、渠道纵坡、渠堤高度、边坡系数、允许流速、渠床土质及基本断面型式等。

土工膜衬砌渠道的保护层分刚性与土料两种。刚性保护层常见的有混凝土板、砌石，

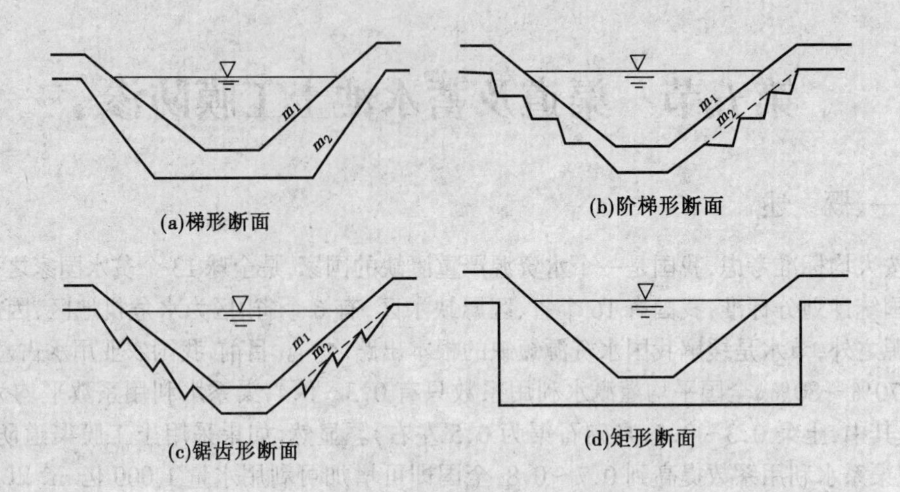

图 4-16 土工膜防渗渠道常用断面型式

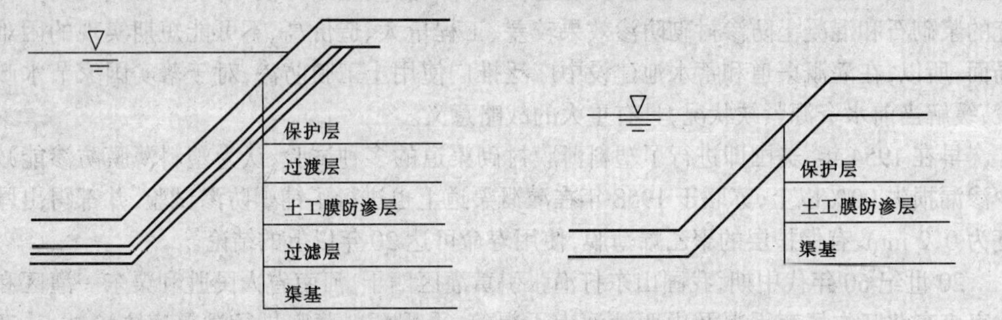

图 4-17 有过渡层防渗体结构 **图 4-18 无过渡层防渗体结构**

土料保护层多用粘性土。

土料保护层和刚性保护层最小边坡系数见表 4-9 和表 4-10。

表 4-9 土料保护层土工膜防渗渠道的最小边坡系数

保护层土质	渠道设计流量(m^3/s)			
	<1	1～5	5～30	>30
粘土、重壤土、中壤土	1.50	1.50 ～1.75	1.75～2.00	2.25
轻 壤 土	1.50	1.75～2.00	2.00～2.25	2.50
沙 壤 土	1.75	2.00～2.25	2.25～2.50	2.75

薄膜防渗渠道保护层的破坏原因之一是渠道冲刷。保护层破坏后,薄膜暴露,易于受到损坏和失去应有的防渗能力。为避免出这种情况,渠道流速应限制在允许范围之内。

三、土工膜防渗结构

(一)土工膜

目前,渠道防渗中常用的膜料为低密度聚乙烯(PE)、聚氯乙烯(PVC)薄膜及沥青玻璃丝布油毡。此外,有的地方采用了线性低密度聚乙烯(LLDPE)、高密度聚乙烯(HDPE)

和复合土工膜。

表 4-10　　　　　　　　　　　**刚性护面防渗渠道的最小边坡系数**

护面和防渗材料	基　土	渠道设计水深(m)											
		＜1.0			1.0～2.0			2.0～3.0			＞3.0		
		挖方	填　方		挖方	填　方		挖方	填　方		挖方	填　方	
		内坡	内坡	外坡	内坡	内坡	外坡	内坡	内坡	外坡	内坡	内坡	外坡
混凝土、石料保护层的膜料防渗	稍胶结的卵石	0.75			1.00			1.25			1.50		
	夹砂的卵石或砂土	1.00			1.25			1.50			1.75		
	粘土、重壤土、中壤土	1.00	1.00	1.00	1.00	1.00	1.00	1.25	1.25	1.00	1.50	1.50	1.25
	轻　壤　土	1.00	1.00	1.00	1.00	1.00	1.00	1.25	1.25	1.25	1.50	1.50	1.50
	沙　壤　土	1.25	1.25	1.25	1.25	1.50	1.50	1.50	1.50	1.50	1.75	1.75	1.50

聚乙烯膜的优点是质地柔软、比重小、耐低温；缺点是抵抗杂草、芦苇的穿透能力较差。聚氯乙烯膜的优点是强度高，抗杂草和芦苇穿透能力比聚乙烯强，其缺点是耐低温性较差、易老化，所以在寒冷地区以选择聚乙烯膜为宜。在杂草、芦苇生长的地方，以结合使用灭草剂选择聚氯乙烯膜为宜。颜色以透光差的深色为好，有利于抑制薄膜下的植物生长，减少薄膜被植物穿透破坏。薄膜的厚度可用上节所述的公式计算，但目前多根据经验选用，一般选择厚度为 0.12～0.2 mm。

复合土工膜的厚度一般在 0.2～0.5 mm 之间。复合土工膜既有防渗功能，又具有较高的强度。当采用非织造土工织物与土工膜复合时，还具有排水功能，其与土的摩擦系数大，可提高保护层的稳定性。

(二)膜下过渡层

对于岩石或砂砾石渠基，过渡层一般可用灰土、塑性水泥土、砂浆、素土和砂等，厚度 5 cm 左右。

(三)护面层

1. 土料保护层厚度

确定保护层厚度时要考虑边坡稳定、渠道水深、牲畜践踏、冰冻破坏、节省土方等因素。温和地区可按下式计算

$$\delta_b = \frac{h}{12} + 25.4 \tag{4-23}$$

寒冷地区可按下式计算

$$\delta_b = \frac{h}{10} + 35 \tag{4-24}$$

式中　δ_b——土料保护层厚度，cm；

　　　h——渠道水深，cm。

寒冷地区的保护层厚度也可参考表 4-11 选用。当计算值与表列值有差异时，采用较大值。寒冷地区土工膜埋深还要考虑土的冻胀影响，一般可取冻深的 1/3～1/2。

土料保护层以壤土为好，不宜用砂土。沙壤土和壤土的压实干密度不小于1.5 g/cm^3。

表 4-11 寒冷地区保护层厚度 (单位：cm)

保护层土质	渠道设计流量(m^3/s)			
	<1	1～5	5～30	30
沙壤土、轻壤土	50	50～60	60～70	75
中 壤 土	40	45～55	55～60	65
重壤土、粘土	35	40～50	50～55	60

2. 刚性材料保护层厚度

刚性材料保护层的厚度与工程地质、水文地质、气温、渠道流量及流速大小有关。气温较高的地方厚度一般比较大。保护层的厚度可按表4-12选用。也可在渠底、渠坡或不同渠段采用具有不同抗冲能力、不同材料的组合式保护层。在一般情况下，混凝土板保护层的厚度，小渠道采用4～5 cm，中型渠道采用5～8 cm，大型渠道采用8～12 cm，寒冷地区可加厚2～4 cm。混凝土板的标号一般为100～150号。整体浇筑的混凝土板要设横向伸缩缝，伸缩缝间距2～5 m。填缝止水材料常用水泥砂浆，不少地方采用了聚氯乙烯胶泥或焦油塑料胶泥，效果较好，但造价较高。

表 4-12 刚性材料保护层厚度 (单位：cm)

保护层材料	块石、卵石	砂砾石	石 板	混 凝 土	
				现 浇	预 制
保护层厚度	20～30	30～40	>3	4～10	4～8

3. 保护层的稳定分析

铺塑衬砌渠道保护层的抗滑稳定分析，与前述斜墙薄膜层抗滑稳定计算方法相同。当不满足抗滑稳定要求时，则应放缓边坡或改换材料品种及铺塑构造，直到满足为止。

四、蓄水池土工膜防渗

蓄水池土工膜防渗处理要解决的问题和前述土石坝、渠道土工膜防渗大体相同。主要是结构造型、土工膜材料选择、膜上保护层、膜下支持层和锚固、排水、排气等细部构造，以及渗漏计算、边坡稳定计算和施工技术等问题。

(一)衬砌型式

蓄水池土工膜防渗衬砌根据使用要求可以有单层衬砌、双层衬砌和三层(多层)衬砌等三种类型。

单层衬砌是最常见的衬砌形式，一般由土工膜、膜下支持层和膜上保护层三部分组成，也包括将土工膜贴在已经开裂的混凝土或沥青混凝土衬砌上作为防漏处理的情况。

双层衬砌的防渗层是两层土工膜之间夹着一层中间排水层，如果上层膜发生渗漏，渗水可以通过自流或水泵排走。

三层衬砌多用于防渗要求很高的污水处理池、工业废液池、垃圾处理场和固体废物处理设施等工程。此外,有时也用一些特别珍惜水量的工程,如抽水蓄能库盆、缺水地区的人工湖等。

至于蓄水池的边岸形状,则应在满足蓄水池的功能要求前提下,择优选型。

(二)土工膜材料选择

在蓄水池防渗中,塑料(热塑聚合物)、橡胶(热凝聚合物)类和复合土工膜均有应用,但目前国内应用较广的仍然是聚乙烯和聚氯乙烯材料。对这些材料的基本要求与前面所述相同。厚度亦可按前述方法计算,实际应用中一般取 0.12～0.2 mm,重要的蓄水池膜厚应加大到 0.3 mm 以上。对于污水池等含化学侵蚀物质的工程,选择材料应考虑其化学稳定性。例如,低密度聚乙烯(PE)抵抗汽油、甲苯的能力较差,而高密度聚乙烯(HDPE)对上述物质就有较好的抵抗能力。聚氯乙烯(PVC)抵抗有机质的能力较差,与有机液体长期接触时会变硬发脆,而当采用高分子聚合物类塑化剂(聚丙烯酯酸或泌酯酸盐)时可避免或减弱这种现象。

(三)蓄水池膜下支持层

蓄水池一般为地下或半地下工程,也有地上蓄水池。要根据天然地基或填筑土质和地下水条件来设计支持层。对于级配较好的透水地基,只要做好排水措施,整平压实天然基面,即可铺设土工膜防渗层(即不另设支持层)。土基一般需设支持层,支持层的材料宜是透水料,以排除透过土工膜的水和地基内部的渗流水,避免膜下水压力过大而使土工膜浮起。地下水影响不大的,土工膜可直接铺设在天然土基上,但要清除树根、芦苇等杂物,以免刺破土工膜。

土工织物是很好的透水层,所以采用复合土工膜或在膜下铺土工织物不仅可保护土工膜免受下层具有尖角物体的刺破,还可使膜下水顺畅排除。

(四)保护层

为了防止日光直射加速土工膜材料老化和被地下水顶托浮起,水面较大的蓄水池还可能产生小的风浪,因此,土工膜上应设置保护层,当存有顶托力时,保护层的厚度要通过计算确定。但就构造要求而论,壤土及砂砾土保护层的厚度一般不小于 0.3 m。如果采用浆砌石和混凝土等刚性护面,护面与膜之间要设置细土砂砾或土工织物过渡层(或垫层),如果采用复合土工膜,过渡层就不再需要。

对于地质情况复杂,边墙(岸)高度较大的蓄水池,亦需对蓄水池的渗漏和边坡(边墙)进行计算分析,方法与土石坝相同。

严寒地区的蓄水池,应考虑衬砌的冻胀破坏问题。

五、土工膜的锚固与周边联接构造

渠坡和蓄水池边坡铺薄膜时,坡顶处要挖沟槽将薄膜端头锚固在沟槽内,用粘土分层夯实或用混凝土浇筑锚固。薄膜与周边建筑物联接时,用胶或沥青砂胶将薄膜粘接在混凝土或金属构件表面上,然后在薄膜与建筑物联接处抹一层混凝土砂浆,将联接处薄膜覆盖。

土工膜在土坡上的锚固可挖锚固沟槽，将土工膜埋在沟内，见图 4-19。当蓄水池为钢筋混凝土挡水结构时，可将土工膜粘贴在墙面上，抹混凝土或水泥砂浆棱体，将土工膜埋在混凝土内，也可用图 4-20 的锚固方式。

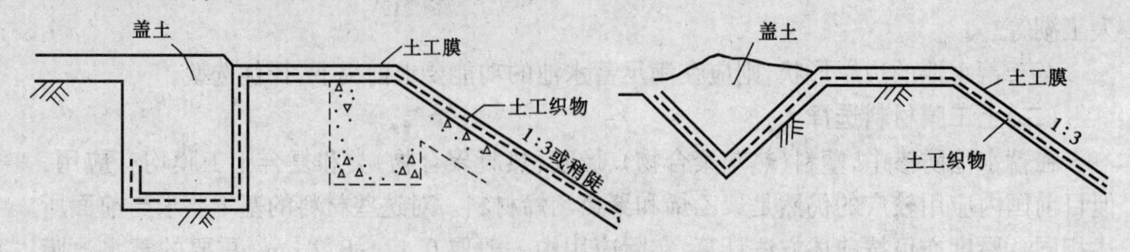

图 4-19 土工膜和土工织物与土坡锚固

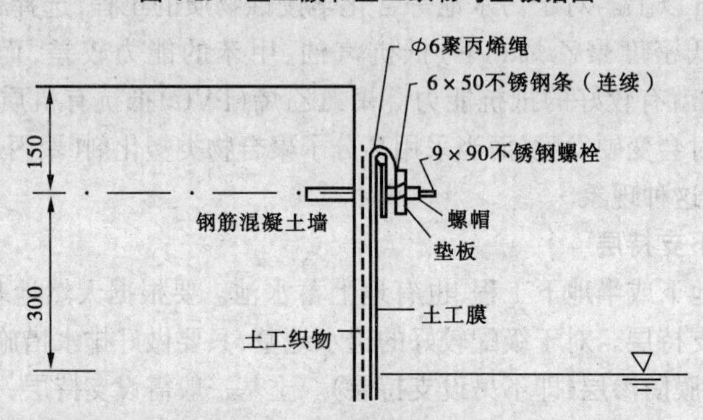

图 4-20 土工膜和土工织物与建筑物锚固 （单位:mm）

六、渗漏、膜下排水及排气

薄膜渗漏估算和排水设计按第一节中所述方法进行。当薄膜下面出现静水压力或气体压力时，薄膜有可能被抬起，乃至被鼓破。静水压力可能是由于池(库)渗漏和供水期地下水位抬高而产生的，气体压力是由于薄膜下有机物的分解和地下水位升高使土中气体向上挤压造成的。因此，水气排输，特别是对大面积的水池(库)对于保护防渗薄膜层不受损坏是很有必要的。为使水气排出，薄膜下必须有透水透气层，而且要有足够的排水和排气能力。当膜下产气量不大时，在满足前述排水计算的条件下即可满足排气要求。但当地下水位抬高或产气量很大时，单纯依靠土工织物或粒料垫层排除水气是困难的，此时应有专门的排渗沟或其他设施。图 4-21 是一种排气装置，图 4-22 是一种阀式薄膜装置。前者设置在斜坡上，把气引到库外边缘，并通过排气管排出。后者设置在池(库)底平面上，利用不可逆膜阀消减扬压力。

七、防渗衬砌的抗冻问题

冻胀对衬砌的破坏是严寒地区水工建设中的一个重要问题，它直接影响防渗效果和工程的正常运行。防止衬砌冻害破坏，要从规划布置、渠床处理、防渗排水和隔热保温、断面的结构形式、衬砌材料以及管理维护等方面综合考虑，采取综合措施。研究表明，冻胀破坏的基本因素是土的性质、土中水分(含水量和地下水位)及负温，这三者缺一不可，只

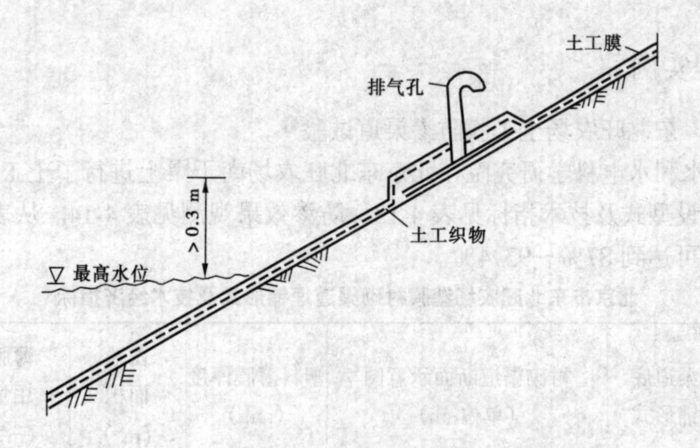

图 4-21 排气示意图

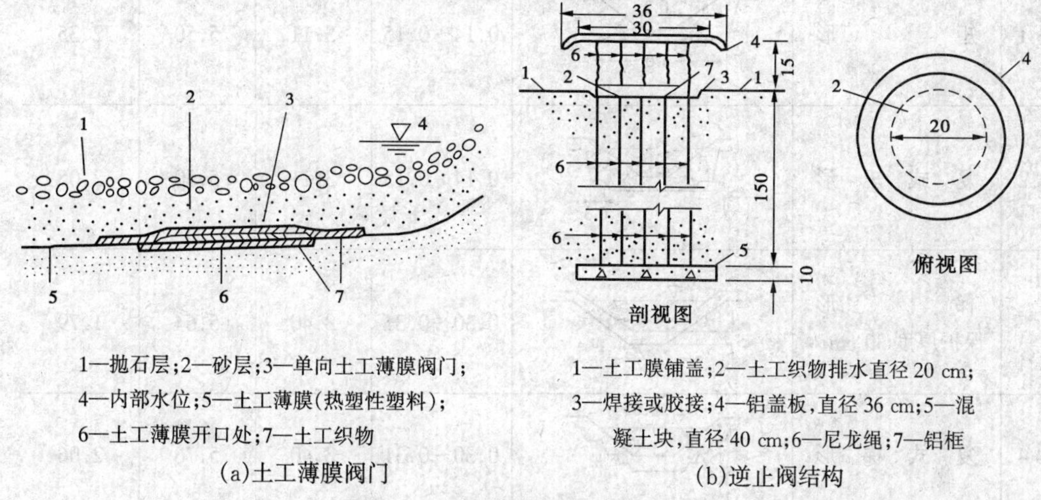

1—抛石层;2—砂层;3—单向土工薄膜阀门;
4—内部水位;5—土工薄膜(热塑性塑料);
6—土工薄膜开口处;7—土工织物

(a)土工薄膜阀门

1—土工膜铺盖;2—土工织物排水直径 20 cm;
3—焊接或胶接;4—铝盖板,直径 36 cm;5—混凝土块,直径 40 cm;6—尼龙绳;7—铝框

(b)逆止阀结构

图 4-22 阀式薄膜装置 (单位:cm)

要消除其中一种因素,冻胀就不会产生。在土工膜防渗渠道中采取冻害防治措施时,首先要确定冻胀的可能性及其等级。在土的冻结深度超过 30 cm 的地区,当土的含水量超过起始冻胀含水量(一般情况下,粘性土的起始冻胀含水量略大于塑限含水量),地下水位在临界深度(一般与毛细管水上升高度一致,壤土约 1.5 m,粘土约 1.8~2.0 m,砂土约 0.5 m)时,应考虑冻胀问题。

渠堤含水量和地下水位往往因渠道渗漏的影响而提高,特别是较干旱地区更是如此。因此,严格保证薄膜质量,防止被损坏,以及接缝严密,可以起到防冻、防渗的效果。

对于地下水位较高的地段,还可以采取降低地下水位,换填非冻胀性土以及使用允许护面一定变形的柔性结构及其他措施。

对于严寒地区长期与水接触的土工膜防渗结构,还可以采用保温衬砌,即在土工膜与护面之间设置隔热保温夹层。适用作保温夹层的材料有聚苯乙烯硬质泡沫板、浮石、陶粒珍珠岩和硅质页岩等。

黑龙江、山东等省(区)用聚苯乙烯泡沫板(EPS)作为水库土石坝保温防冻护坡和大型渠道的保温衬砌,都取得了良好效果,详细情况可参阅有关文献。

八、工程实例

[**实例 1**] 东北旺农场土工膜防渗渠道试验❶

1965 年,水利水电科学研究院在北京东北旺农场南干渠上进行了土工膜防渗渠道试验。土工膜铺设型式及技术指标见表 4-13。防渗效果观测见表 4-14。从表中可见,土工膜的防渗效果可达到 87%~93.4%。

表 4-13　北京市东北旺农场塑膜衬砌渠道埋铺形式及技术经济指标

编号	梯形断面渠道底下塑膜埋铺形式	衬砌渠道断面示意图(单位:m)	塑料薄膜厚度(mm)	占地面积(m^2)	薄膜用量(m^2)	保护层土方量(m^3)
1	矩　　形	0.3　1:1.5　3.0	0.14~0.15	3.11	5.50	2.35
2	复式矩形	0.75　1:1.5　0.5　0.3	0.14~0.15	3.11	5.50	2.05
3	梯　　形 保护厚度 30 cm	1:2　0.8　0.3	0.30~0.31	3.40	5.64	1.79
4	复式梯形	0.65　1:2　0.3	0.30~0.31	3.40	5.76	2.06
5	梯　　形 保护层厚 40 cm	0.4　1:2	0.12~0.14	3.40	6.10	2.40
6	复式梯形 保护层厚 40 cm	0.4　1:2	0.12~0.14	3.40	5.88	2.54

试验段运行 20 年之后,仍保持良好的防渗效果。经 1985 年取样试验,在 30~40 cm 厚的保护层下使用 20 年的聚乙烯膜(厚 0.15 mm),柔性和延伸度有所降低(延伸度纵横向损失率为 5%~7%),但保持良好的光泽,抗拉强度则有所提高(纵横向增率为 47%~56%)。老化现象轻微,埋藏 18 年后的聚乙烯膜(厚 0.12~0.15 mm),经试验得出抗拉强度纵横向增大率为 36%~72%,延伸度纵横向损失率为 15.1%~98.5%。可见延伸度明

❶ 水利水电科学研究院水利所.北京市东北旺农场混凝土和塑料薄膜防渗运用 20 年经验.渠道防渗技术特辑(1),1984

显降低，而抗拉强度则显著增加，反复折叠数十次甚至百余次不断裂，说明仍保持一定韧性。

表 4-14　　塑料薄膜衬砌渠道防渗效果测验成果

试验情况	渠床土质	水深 (m)	相应流量 (m^3/s)	水面降落速度 (mm/min)	渗漏量 ($m^3/(s·km)$)	每公里渗漏损失率 (%)	防渗效果 (%)
未作防渗处理	中　壤	0.75～0.80	0.700	0.170	0.011 9	1.7	0
薄膜厚 0.14～0.15 mm 搭接	中　壤	0.75	0.625	0,025	0.001 35	0.216	87
薄膜厚 0.14～0.15 mm 焊接	中　壤	0.75	0.625	0.013	0.000 705	0.113	93
薄膜厚 0.36～0.38 mm 焊接	中　壤	0.75	0.625	0.016	0.000 867	0.138	92

［**实例** 2］　山西潇河灌区土工膜防渗渠道[1]

山西省潇河灌区位于晋中盆地东北边缘，1965 年开始采用土工膜进行渠道防渗。保护层分四种：①原渠土料；②干砌石；③干砌石混凝土预制板；④浆砌石和浆砌石混凝土预制板。断面结构见表 4-15 和图 4-23～图 4-27。

表 4-15　　潇河南干渠塑料薄膜防渗衬砌型式表

项　目		修文段	要村段	东郝段			修文段
铺衬渠道长度 (m)		5 755	1 311	184.5	660	100	80
防渗部位		渠底		全断面	全断面	全断面	全断面
保护层	渠底	土料		土料	干砌石	混凝土预制板	土料
	渠坡			土料	干砌石	混凝土预制板	冬季水位以下浆砌石，以上浆砌混凝土预制板
渠道边坡 m		1		1.5	1.5	1.5	1.5
塑料薄膜名称		聚氯乙烯		聚乙烯	聚乙烯	聚乙烯	聚乙烯
施工日期		1965 年 9 月		1974 年 10 月	1974 年 10 月	1981 年 10 月	1981 年 10 月
运用时间		19 年		10 年	10 年	3 年	1 年
图　号		图 4-23		图 4-25	图 4-24	图 4-26	图 4-27

[1] 山西省水利科学研究所. 塑料薄膜衬砌渠道试验总结，1980

以上五种不同衬砌型式中,图 4-25 、图 4-26、图 4-27 的型式为试验性质,其余两类均已在实际渠道中成功运用。

土料保护层薄膜防渗渠道(图 4-25),在引水水位超过设计水位后,水位降落使土料保护层产生局部滑坡破坏,造成土工膜裸露,其余两种保护层基本完好。

测试数据说明,混凝土板下铺土工膜与未衬砌渠段的冻结层相比,地温提高,冻胀量和冻深显著减少。在同一时刻、同一深度,土工膜下地温的提高幅度比未衬砌段最大可达 2 ℃,冻胀量减少 3.1 cm,最大冻结深度减少 25 cm。

虽然热塑薄膜遇冷发脆,处于冻土中虽冻得发硬,但这不意味着它本身解体或破坏。如不受外力作用,当温度慢慢回升时,土工膜亦逐渐恢复原有性能,所以,寒冷地区,热塑聚乙烯薄膜是渠道防渗的适用材料。

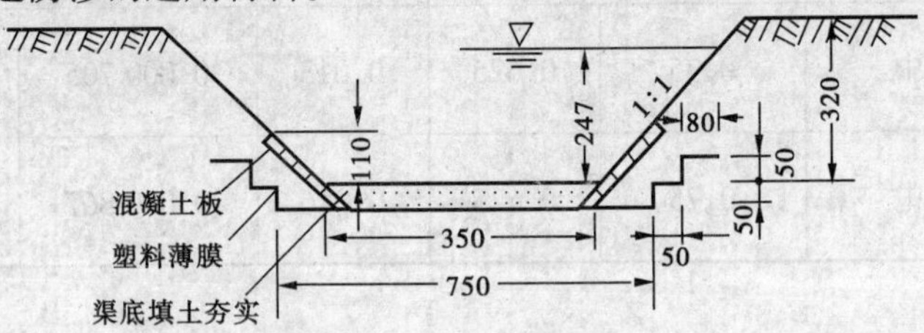

图 4-23　混凝土与塑料薄膜衬砌断面　(单位:cm)

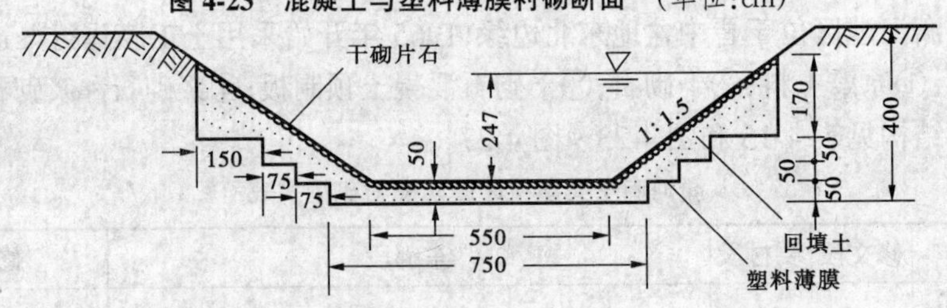

图 4-24　干砌石与塑料薄膜衬砌断面　(单位:cm)

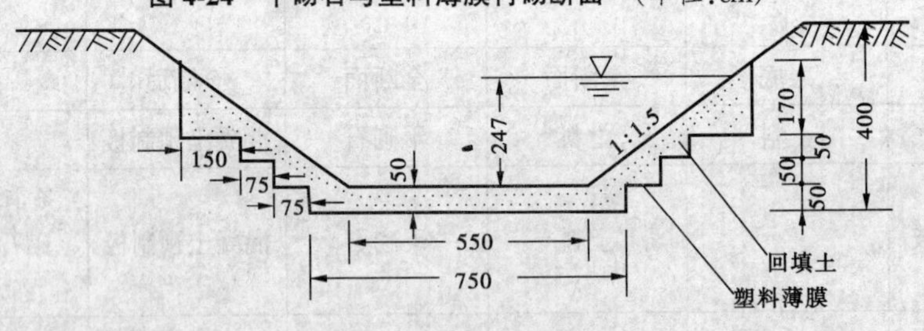

图 4-25　土料保护层塑料薄膜衬砌断面　(单位:cm)

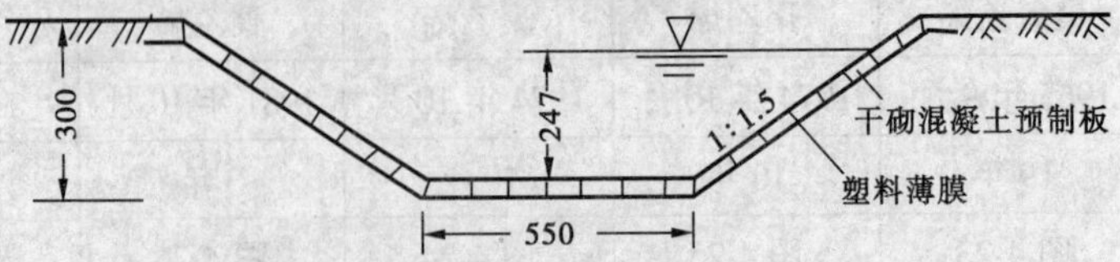

图 4-26　混凝土板与塑料薄膜衬砌断面　(单位:cm)

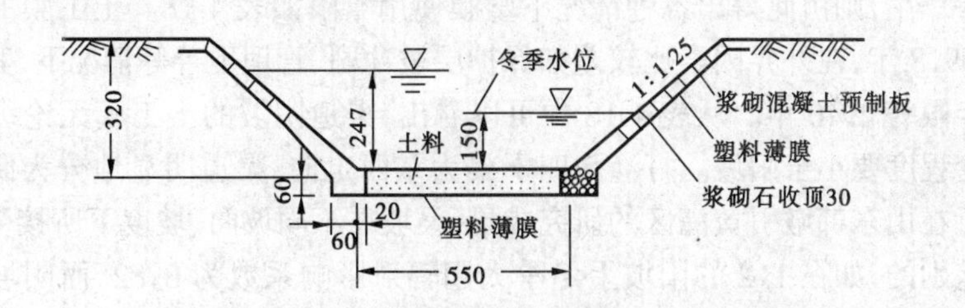

图 4-27　渠底土料保持层、渠坡浆砌石与浆砌混凝土板护坡、薄膜全断面衬砌铺渠断面　(单位:cm)

[实例 3]　打渔张引黄灌区四干土工膜渠道防渗[1]

(一)概况

山东省打渔张引黄灌区四干渠全长 33.4 km,入口流量 23.0 m^3/s,渠床多为粉沙壤土,渠道渗漏十分严重,造成两侧土壤盐碱化。为解决这一问题,1964～1965 年国家投资 76 万元,在四干渠上游进行了四种材料的防渗试验,其中聚氯乙烯薄膜试验段长 500 m,铺设面积为 10 230.0 m^2。土工膜有深灰色和棕黑色两种,厚度均为 0.014 mm,铺衬方法为垂直水流方向,搭接 5 cm,阶梯状坡面铺设,保护层厚 40 cm。1965 年 4 月工程竣工后,在四干八支上采用静水渗漏法测试,测试结果见表 4-16。可以看出,土工膜防渗效果较好,渗漏强度为灰土的 23.8%。

表 4-16　防渗材料的渗漏现场测试表

防渗材料	厚　度(cm)	断面尺寸(m)			试验段长度(m)	渗漏量(m^3/(d·m))	渗漏强度(kg/(h·m^2))
		底　宽	水　深	边　坡			
灰　土	30	1.4	1.4	1:2	30	0.130 1	0.727
土工膜	0.014	1.2	1.4	1:2	40	0.031	0.173

(二)测试分析

工程运行 6 年、15 年和 25 年后的检测成果汇列于表 4-17。可以看出,随着使用年份的增加,聚氯乙烯膜延伸率减小,强度增加,纵横向抗拉强度较接近,阳坡的强度大于阴坡的强度,但阳坡伸长率小于阴坡。

在检测过程中,发现渠底土工膜原样完好率较高,因为渠底保护层破坏程度小,受环境中光化合氧化破坏影响较小。有保护层的土工膜,运用 25 年之后,延伸率损失率为 44.5%～64.1%,无保护层时,则为 82.7%～92.8%,从而说明保护层对延长膜的使用年限影响很大。

(三)有效使用年限

根据表 4-17 所测得的土工膜延伸率变化数据,利用数理统计理论进行回归分析,得出土工膜的有效使用年限与伸长率的变化成反比例线性相关。假设以伸长率 Y 为零时

[1] 马移军.土工膜在渠道防渗工程中的应用.见:土工合成材料应用百例.水利部科教司,国家防汛办公室编,1992

视为失去防渗作用,则由此得出各种情况下塑膜使用年限如表4-18。土工膜的最长有效使用年限为59.8年,在外界因素比较差如保护层被冲刷、管理不善等情况下,其土工膜最少有效使用年限为29.0年。从表4-18中可以看出,渠道阴坡的土工膜无论纵向或横向的老化和衰变程度要小于阳坡。打渔张四干渠为东西走向,渠道明显地分为阴、阳坡面,而据我们最近在山东韩墩引黄灌区的研究成果,渠坡在不同坡向、坡度下所接受的太阳辐射是有较大差别的,如在1:2的阳坡上冬季太阳辐射影响系数为0.82,而阴坡上太阳辐射影响系数仅为0.03,由此可见阳坡与阴坡所接受太阳辐射量的差别很大,地温变化率相差也较大。阳坡由于地温值变化率大和接受紫外线照射的机会多,所铺衬土工膜的老化和衰变速率较阴坡快。

表4-17　　土工膜技术指标测定汇总表

测试日期	部　位	抗拉强度(MPa)		伸长率(%)		折新率
		纵向	横向	纵向	横向	
原出厂(1964年)		24.0	20.1	254.0	276.0	
1970年(6年)	阴坡、阳坡平均			208.3	256.7	82%～93%
1980年(15年)	阴坡	37.6	34.0	182.9	213.2	70%～72%
	阳坡	37.5	33.6	183.8	192.0	
	保护层冲刷	36.6	35.0	181.6	174.0	
1990年(25年)	阴坡	38.5	35.3	145.5	153.3	30.7%～44.9%
	阳坡	38.8	39.6	121.0	99.0	
	保护层冲刷	40.1	43.8	44.0	20.0	

表4-18　　回归分析及检验汇总表

编号、坡名、条件	回归方程	相关系数 r	当 $Y=0$ 时 X 值(年)
A.阴坡纵向	$Y=244.77-4.096X$	−0.9808	59.8
B.阴坡横向	$Y=281.81-4.96X$	−0.9938	56.8
C.阳坡纵向	$Y=249.42-7.22X$	−0.9866	49.8
D.阳坡横向	$Y=288.94-7.22X$	−0.9866	40.0
E.保护层冲刷纵向	$Y=263.4-7.95X$	−0.9589	33.1
F.保护层冲刷横向	$Y=301.1-10.38X$	−0.9722	29.0

加大塑膜铺衬的保护层可以减少土工膜免受阳光、大气作用的氧化破坏,也是延缓老化、减少人为破坏的重要措施。聚氯乙烯薄膜的脆化温度在−20～−25℃之间,埋藏在季节性冻土层下的土工膜,一般不会被土的冻胀拉断,所以土工膜在未达到最长有效使用年限时,具有一定的适应冻胀变形能力。若土工膜在达到有效使用年限后(伸长率为零),当外力小于其本身强度时,仍有防渗作用,外力大于其本身强度时,则迅速断裂,这样土工膜就失去了防渗作用。可见上述推算的土工膜最长有效使用年限,在实际工程应用中有

一定的安全性，是可信的。

另外，在观测土工膜防渗效果的过程中，从现场观察到，阳坡铺设的土工膜有较明显地抑制植物生长的性能，没有植物根系穿透现象，只有大量根系沿土工膜上下蔓生，对土工膜防渗效果影响不大，当取出土工膜后，附着在土工膜上、下的呈黑色的根系基本上为腐殖物，抖动后全部脱落。阴坡虽与阳坡的土工膜具有同样的特性，但有植物根系穿透和芽尖顶穿现象，以芦苇穿透力最强。总之，土工膜对植物有一定的抑制生长作用，在渠道防渗中注意加厚保护层，并使边坡稳定，处理好坡面植物残留根系，防止根系穿透。

[实例 4] 引黄济青输水河土工膜防渗❶

1989 年竣工输水的引黄济青工程是我国继引滦入津之后，又一个跨流域、远距离、大型的调水工程，自西向东横跨山东 10 个市、县，全长 290 km，年引水 5.5 亿 m^3，渠道引水流量 41 m^3/s，输水河末端送入棘洪滩调蓄水库 23 m^3/s。为了防止冬季间歇输水混凝土衬砌的冻胀破坏，研究首创以蓄水保温为主，辅以水位变动区设置聚乙烯泡沫板保温的新型组合防冻保温结构；为了防止汛期高地下水位产生的扬压力破坏，采用土工织物反滤排水减压系统。多年运用表明，以上各项技术都是成功的，输水河流量利用系数高达 0.85 左右，排水减压系统效果良好。输水河衬砌总长 182.6 km，占新开输水河道总长的 86.5%，铺塑 448.17 万 m^2。输水河铺塑保温衬砌剖面见图 4-28。逆止式集水箱排水系统见图4-29，当暗管排水通过箱体两端汇入集水室后，如地下水位高于渠道水位时，逆止式阀门开启，集水排出箱外，进入渠道；反之，当渠道水位高于地下水位时，外水压力大于内水压力，逆止阀自动关闭。纵向排水暗管采用多孔混凝土管，内径 15 cm，壁厚 3 cm，管节长 1 m，每节管直径为 2 cm 的透水孔 92 个，呈梅花形排列，外裹土工织物作为滤层。逆止式保水箱采用 ABS 工程塑料制成，箱顶采用 200 号混凝土板作箱盖，盖下垫 2 cm 厚的苯乙烯泡沫板作止水垫。硬质聚乙烯出水管内外径为 6 cm 和 8 cm，比降为 1/50，向渠内倾斜。

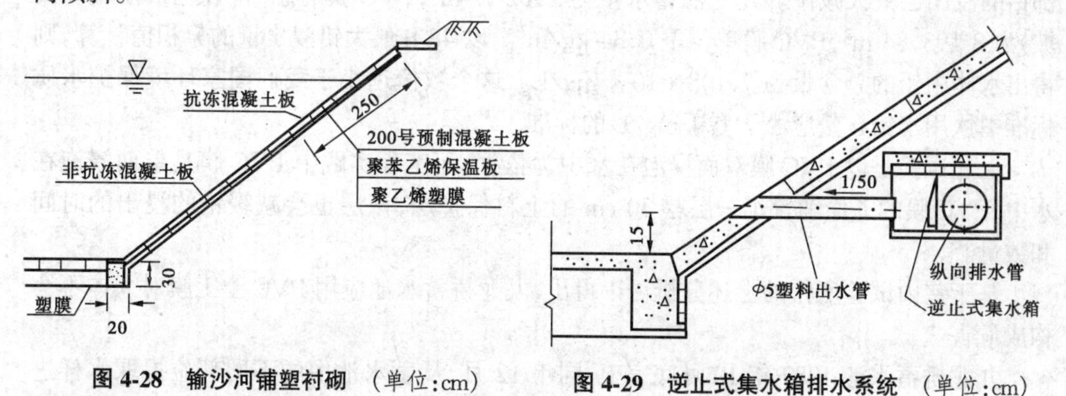

图 4-28 输沙河铺塑衬砌 (单位:cm)　　**图 4-29** 逆止式集水箱排水系统 (单位:cm)

[实例 5] 晋池九龙桥蓄水池土工膜防渗❷

九龙桥蓄水池位于太原市郊的晋祠游览区内，是美化环境、供游人观赏并兼顾养鱼的

---

❶ 山东省引黄济青工程指挥部，等.山东省引黄济青工程输水河混凝土预制板衬砌技术要求，1988

❷ 王升.九龙桥蓄水池.全国第二届土工合成材料学术会议论文选集，1990

蓄水池。池水深 2 m，蓄水量 1.02 万 m^3，土工膜铺设面积 8 194 m^2。工程于 1987 年 9 月开工，同年 10 月底完工即蓄满水，开始发挥效益。

（一）工程地质条件

九龙桥蓄水池的地基是由粘性土夹大量砂砾石组成，表层堆积有大量废渣和垃圾，属强透水地基。

几年前曾用传统的办法对九龙池进行过防渗处理，即池底用 20～30 cm 厚的三合土、粘土处理，四周池壁用浆砌块石，但蓄水 2～3 天后满池水全部漏光。因此，决定采用土工膜防渗，以期达到投资少、防渗效果高的目的。

（二）PVC 膜试验分析

设计中对聚丙烯复合膜和聚氯乙烯压延膜（PVC 膜），从性能、有毒物质含量、粘接工艺、价格等多方面进行了对比，最后选用了 PVC 压延膜。该膜为黑色，厚 0.3 mm，幅宽 0.90 m，在 588.6 kN/cm^2 水压下不透水。

PVC 膜是否有毒？对本工程至关重要，为此，做了室内试验。蓄水池建成一个半月后，又从池中取样进行了试验。

(1)PVC 膜中铅的含量：PVC 膜的主要原料是聚氯乙烯树脂、二丁酯类增塑剂、铅盐类稳定剂以及纤维类填充剂。铅对人体是有害的。目前，聚氯乙烯产品多采用三盐基性硫酸铅稳定剂，其加入量只占产品总重量的 3%，而稳定剂中铅的含量仅占 28%，即铅在 PVC 膜中只占产品总重量的 0.84%。

(2)理化试验与分析：取一定重量的 PVC 膜试样，浸泡在室温下的自来水中，根据不同的浸泡时间，用原子吸收分光光度法，测定铅浸出液中铅的浸出量占 PVC 膜重量的百分比。PVC 膜在室温下浸泡，铅的浸出量以浸泡初期（8 h 以内）最快，至 48 h 以后铅的浸出量明显减慢，并趋于零。这是由于膜表面的铅易被浸出，一旦膜表面的铅浸出后其内部铅的浸出会大大减慢。九龙池蓄水量为 1.02 万 m^3，PVC 膜的总面积（包括池底和周坡）为 8 193.84 m^2，PVC 膜单位重 0.34 kg/m^2。以 48 h 最大铅浸出量的累积值计算，则得出水体中铅的总含量为 7.108×10^{-4} mg/L。这个数值远小于我们国家环境保护水质标准中饮用水铅含量应小于 0.1 mg/L 的标准。

上述试验是以 PVC 膜双面浸泡在水中为依据，而工程实践中 PVC 膜是单面浸泡在水中，PVC 膜的上面铺置了一层厚 30 cm 的土料保护层，该层也会减缓铅的浸出的时间和数量。

基于室内试验所作的上述分析可以得出，九龙桥蓄水池应用 PVC 土工膜对人体不会构成危害。

九龙桥蓄水池 1987 年 10 月底完工，同年 12 月，从蓄水池中的不同部位提取水样进行铅含量检验。检验是由山西省环境卫生监测站完成，蓄水 45 天以后水体中铅的含量仍远小于国家规定的饮用水中含铅量标准。

正是基于 PVC 膜室内浸泡试验和蓄水后取样检验的结果，才于 1988 年春往池中投放了鱼苗。鱼类长势良好，无任何异常。

（三）蓄水池的设计与施工

(1)平面布置：九龙桥蓄水池的周围、岸坡，除 63 m 长的桥体段为陡壁外，其余均为

1∶2.0边坡。

(2)PVC膜的铺设与粘接:池底土工膜直接置于平整好的地基上,膜上铺设30 cm厚的土料保护层。为了增加边坡保护层的稳定性,在PVC膜上铺编织物,编织物采用搭接。

(四)两种防渗方案的经济比较

九龙桥蓄水池设计时曾考虑了两种防渗方案:土工膜防渗方案(采用方案)和传统办法防渗方案(粘土和浆砌石)。用PVC膜防渗比用传统办法节省投资34.9%,节省用工58.9%,而防渗效果前者远高于后者。

[实例6] 宁夏柳条沟截流蓄水池土工膜防渗❶

该蓄水池为宁夏柳条沟截流工程的配套工程,蓄水量25万 m^3,最大蓄水深9 m,防渗材料采用日本进口厚0.1 mm的聚乙烯薄膜。1979年开始兴建,1980年完成并蓄水,运行效果较好。

蓄水池呈长方形,下底尺寸130 m×60 m,上口尺寸为216 m×185 m,深10 m。进水口坡降1/100。混合砂石料筑堤(用池底开挖出的黄沙土、砂卵石、片岩等)。堤顶宽3~9 m,外坡1∶1.5,临水坡1∶2.0、1∶2.5、1∶3.1、1∶3.0四种。结构型式见图4-30。

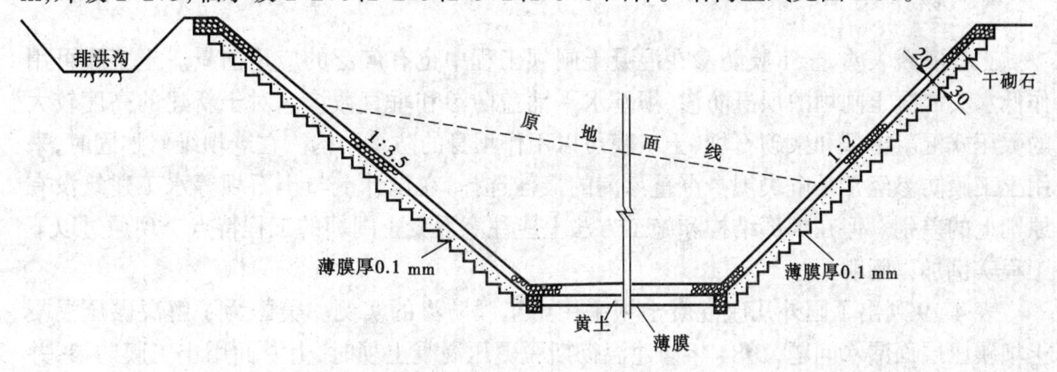

图4-30 蓄水池结构图 (单位:cm)

防渗薄膜的施工,首先将池内坡做成要求的坡度,然后修成阶梯形,清除杂草、碎石和有棱角的硬物。然后由池顶向下铺膜。铺膜前先将膜料按铺设尺寸裁好并粘合好,卷在滚筒上。每次铺膜宽3.8 m,薄膜与池坡的台阶底面基本吻合,且放松一些(约1~2 cm),以免回填土时局部被撕裂。池底与斜坡的薄膜搭接长度不少于1 m,用电熨斗热合宽度为20 cm。为了便于铺膜和回填土,防止薄膜受干砌石位移影响而产生皱裂,沿池底四周设联接槽(尺寸40 cm×60 cm),见图4-31。

回填土分细土回填和一般土回填两道工序。薄膜铺好后,紧挨膜上铺一层厚10 cm的细土垫层,用木耙耙平后再在其上铺厚20 cm的一般土,经整平洒水拍实后再铺干砌石(厚20 cm)护面。

工程运行中进行了观测,当蓄水深为3.2~4.0 m时,5天池水位下降了32.2~34.1 mm;当蓄水深为5.32 m时,5天池水位下降了57 mm,水位变化很小。在池附近曾挖深80~100 cm的深槽与深3 m的坑,均未见任何浸水现象,防渗效果很好。

❶ 南亚武,等.塑料薄膜在蓄水池上的应用.见:中国土工织物学术讨论会论文集,1987

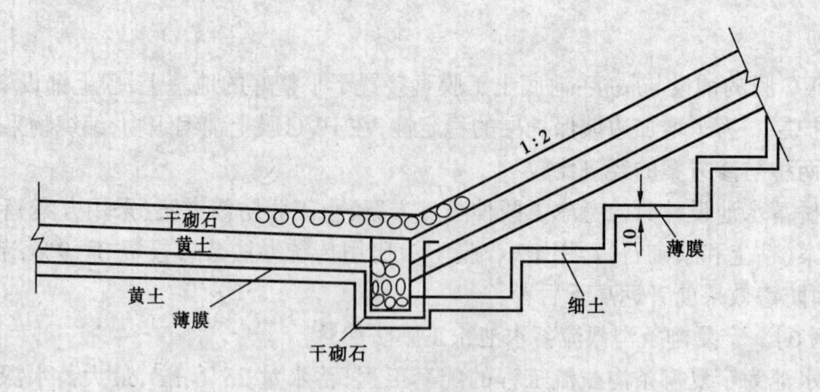

图 4-31　薄膜与池底联接示意图　（单位:cm）

第六节　土工膜防渗在混凝土闸坝工程中的应用

一、概　述

工程实践表明,土工膜防渗在混凝土闸坝工程中也有广泛的应用前景。土工膜可用作低水头混凝土闸坝的坝身防渗、坝基水平铺盖防渗和垂直截渗。对于新建的高度较大的碾压式混凝土坝和浆砌石坝,土工膜可以用作坝身的防渗结构。在老坝维修加固时,采用土工膜防渗经常是解决坝身严重渗漏的最佳选择,在设计上与土石坝等水工建筑没有原则上的差别。但在细部结构和施工方法上应注意混凝土闸坝的工程特点。现通过以下工程实例加以阐明。

表 4-19 列出了国外几座混凝土坝采用土工膜防渗的实例。美国为了解决碾压混凝土坝碾压层面漏水问题,1984 年修建温彻斯脱碾压混凝土坝时,上游面用土工膜防渗,并用预制混凝土模板加以保护。这是第一座不漏水的碾压混凝土坝,对碾压混凝土坝的发展起了重要作用。

表 4-19　　国外用土工膜防渗的混凝土坝

坝　名	国　名	建成年	坝高(m)	坝　　型	上游坝坡坡率	土工薄膜特　征	保护层
拉各·尼罗 Lago Nero	意大利	1929 建成 1975 补漏	46	重力坝,严重漏水,多次修补无效。用薄膜修补后渗流极小	直立	聚合物薄膜与土工织物组合式用锚栓钢肋板固定于坝面	
温彻斯脱 Winchester	美国	1984	21	碾压混凝土重力坝	直立	厚 0.65 mm 聚乙烯薄膜	混凝土预制模板
盖尔维尔 Galesville	美国	1985	51	碾压混凝土重力坝	直立	上游坝面喷涂 2 mm 合成橡胶	
特列郭密尔 Trigomil	墨西哥	1986	100.4	碾压混凝土重力坝	直立	聚氯乙烯薄膜	混凝土预制模板

二、工程实例

［实例1］ 桓仁单支墩大头坝土工膜防渗❶

辽宁省桓仁单支墩大头坝(溢流坝剖面见图4-32),坝高78.5 m,1959年开工,1959年混凝土浇筑到288.5 m高程。由于混凝土强度太低,温控不严,晚秋初冬浇筑的混凝土没有采取保温措施,受寒潮袭击,产生很多裂缝。水库蓄水位262 m时,坝体漏水射流6处,渗水147处,湿润44处。蓄水至正常高水位300 m时,漏水还会增加。高压水渗入裂缝,恶化坝的应力状态及溶蚀破坏混凝土。因此用土工膜作坝面防渗层。所用土工膜为沥青—聚合物薄膜(无胎油毡),膜厚1.0 mm。

防渗层的构造见图4-33。施工方法是:在混凝土坝面埋设ϕ16 mm锚筋,间距3 m×3 m,使与后浇的厚60 cm的混凝土保护层牢固结合。在坝面涂刷冷底子油,然后用沥青玛琋酯作胶结料涂贴二层土工薄膜,外面再涂一层沥青玛琋酯,最后浇筑混凝土保护层。土工薄膜防渗层做到288.5 m高程,考虑到继续向上浇筑的混凝土质量较高,不致再发生裂缝,故土工薄膜防渗层没有向上部铺设。防渗层于1965年完成,1967年水库蓄水,运行17年,情况良好。当库水位为294 m时,渗漏只有20处,已无射流现象。而288.5 m以上未做土工膜防渗层,混凝土仍有裂缝,库水位300 m时,渗漏有87处。在288.5 m高程以下原有裂缝处做了钻孔检查,大多钻孔干燥无水。有的钻孔虽有滴水,但无水压力,说明这是由288.5 m以上混凝土裂缝漏水渗入下部裂缝造成的。因此,拟再向上部涂贴土工膜到300 m高程,以解决渗漏问题。

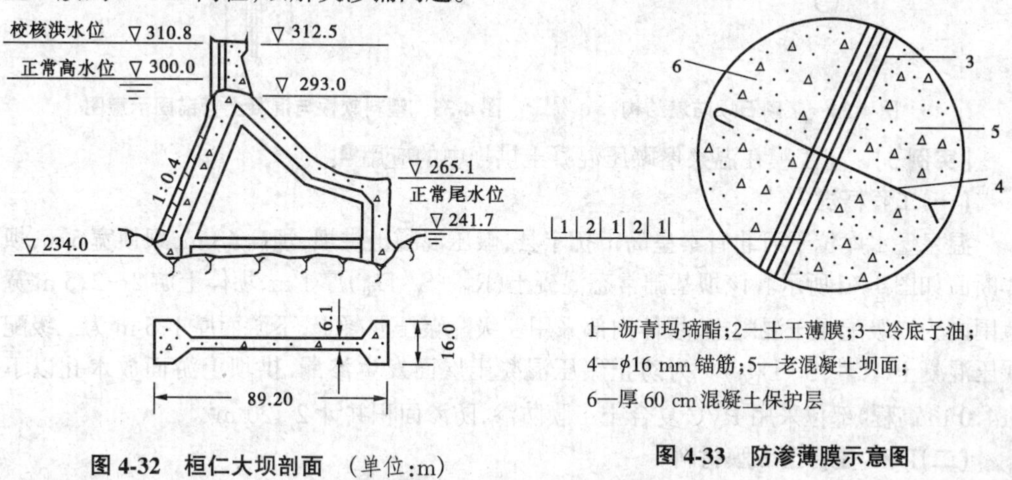

图4-32 桓仁大坝剖面 (单位:m)

图4-33 防渗薄膜示意图

［实例2］ 土工膜防渗在石门浆砌石坝上的应用❷

石门水库位于山东省邹县,重力式浆砌石溢流坝,最大坝高12.4 m,坝长120 m,总库容15万m^3。坝内采用聚乙烯塑料软板防渗,板厚2.5 mm。混凝土保护层厚15 cm,防渗结构见图4-34。

---

❶ 刘俊辉.混凝土大坝应用土工膜防渗.全国第二届土工合成材料学术会议论文选集,1990

❷ 胡兆友.石门水库浆砌石坝应用塑料板防渗总结.济宁水利,1988,(4)

塑料软板的接缝采用电烙铁焊接。为减少焊接失误，采用三遍焊接法。先将基础清至基岩，将塑料软板置于基础齿槽中，齿槽深度可按基础处理要求而定，然后将软板置于齿槽中，用混凝土浇筑并振捣密实。

石门水库放水洞为内径 400 mm 预应力钢筋混凝土管，管后接闸控制室。塑料软板与钢筋混凝土管接触面小，不易施工，因而采用了紧固铁边锚固法，如图 4-35。用铁边紧固件将塑料软板夹紧，然后浇筑混凝土。铁边紧固件与混凝土粘接牢固，夹紧后的铁边紧固件与塑料软板之间的间隙很小，加之充填了水泥浆，所以防渗效果良好。

石门水库浆砌石塑料软板土工膜防渗，经过多年运用，没有发现渗漏情况，节省工程投资 30%左右。

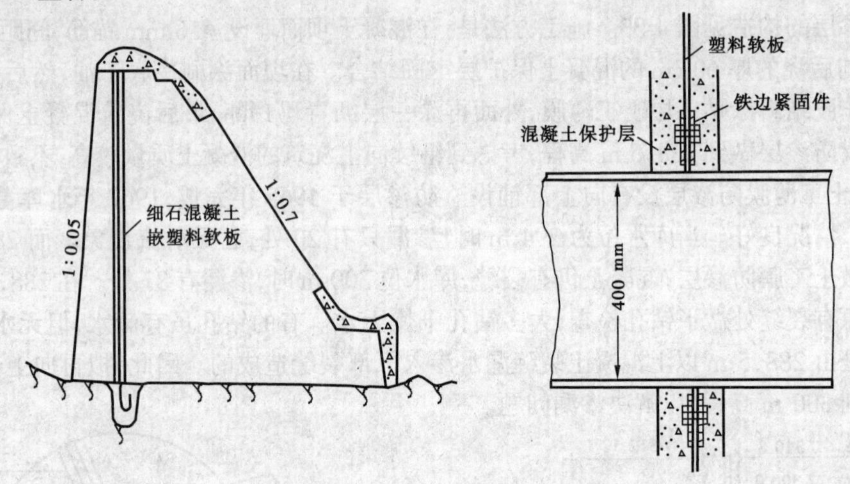

图 4-34　浆砌石坝防渗结构　　图 4-35　塑料软板与混凝土管锚固示意图

[实例 3]　土工膜在温泉堡碾压混凝土拱坝中的应用❶

(一)工程概况

温泉堡水库位于河北省秦皇岛市抚宁县，碾压混凝土拱坝，坝高 48 m，坝顶宽 5 m，坝体断面如图 4-36 所示。该坝基础常态混凝土(R_{90}^{200}、S_6、D_{50})厚 1 m，坝体上游 2～2.5 m 宽范围内为二级配碾压混凝土，坝体内部采用三级配碾压混凝土，下游面厚 1.5 m 为三级配碾压混凝土(R_{90}^{150}、S_4、D_{150})。为防止碾压混凝土层面发生渗漏，拱坝上游面放水孔以下(14.0 m 高程)部位采用 PVC 复合土工膜防渗，防渗面积共计 2 120 m^2。

(二)PVC 复合土工膜材料

所用 PVC 复合土工膜为济南塑料一厂生产的一布一膜，PVC 膜厚 1.5 mm，聚酯无纺布为 100 g/m^2，幅宽 2.05 m。其主要性能指标如下：

邵氏硬度	75～80	最高使用温度	90 ℃
拉伸强度	>12 MPa	断裂伸长率	>200%
低温弯折性	−40 ℃对折无裂纹	尺寸稳定性	<±2%

❶ 黄国兴，高建中，等. 土工膜防渗在碾压混凝土拱坝中的应用. 中国水利水电科学研究院，1996

(三)土工膜的固定方法

温泉堡水库碾压混凝土拱坝是一座新建坝。在其上游坝面固定土工膜所用的方法有两种,第一种是采用膨胀螺栓和硬塑料板条锚固法,用于安装固定位于河床以下坝体上游面的土工膜防渗层。另一种方法是利用混凝土中的水泥浆与无纺布的粘合将复合土工膜牢固地粘贴在坝面上,用于河床以上部位。位于河床以下部位土工膜防渗层的安装本来亦可采用水泥浆粘贴法,但由于种种原因,坝体混凝土浇筑超前进行,因而只能采用锚固法于后期完成。铺膜前首先清除残留在坝面上的钢筋头和局部突起,以防其刺破或顶破土工膜。然后将土工膜横铺在坝面上,锚固其顶边和底边,并与位于其上方已铺设安装好的土工膜防渗层(粘贴法固定)焊接成一体。最后浇筑二期混凝土,把土工膜防渗层的底边封闭起来(见图 4-37 和图 4-38)。采用水泥浆粘贴法能够实现土工膜的铺设与坝体碾压混凝土浇筑同步进行,且互不干扰。具体的施工操作如下:支好上游面钢模板(2 m 高)后,用硬塑板条和钢卡子将幅宽 2.05 m 的复合土工膜悬挂在模板内侧,且使其光膜面和模板面接触,有无纺布的一面外露,同时尚需完成处于同一仓面内的土工膜片材之间缝的焊接。然后开始浇筑坝体碾压混凝土,每个浇筑层厚 30 cm。碾压混凝土水泥用量低,贫浆,对无纺布的粘结力低。为提高粘结力,对靠近上游模板约 50 cm 宽区域内的混凝土做

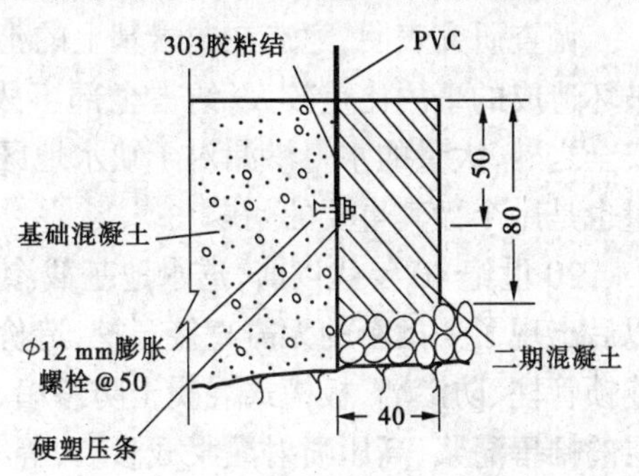

图 4-37　河槽部位土工膜防渗处理
(单位:mm)

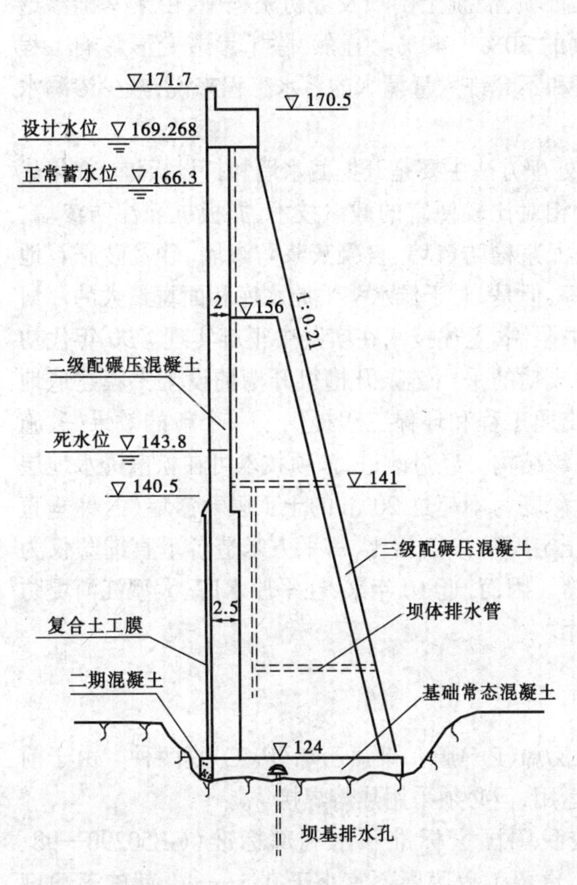

图 4-36　温泉堡水库碾压混凝土坝断面　(单位:m)

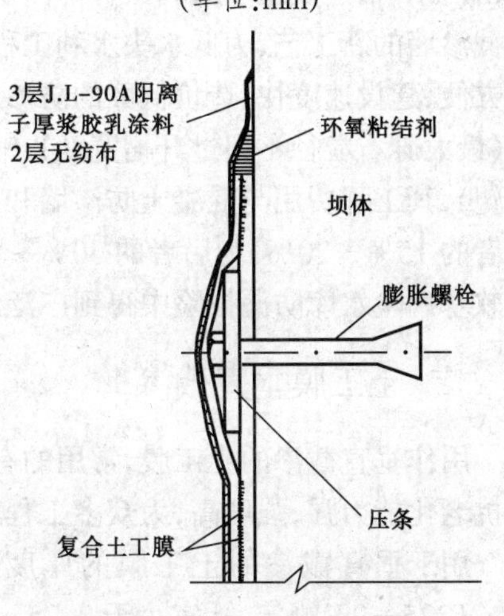

图 4-38　土工膜顶部防渗处理

了灌浆处理,并用插入式振捣棒振实。灌浆所用水泥净浆的水灰比和坝体混凝土相同。通过振捣作用使混凝土内的水泥灰浆渗入到复合土工膜的无纺布层内。待水泥浆凝结硬化后,便把复合土工膜牢固地粘结在混凝土面上。经测试,复合土工膜与混凝土体的粘结剥离强度达 1 .7 N/mm,且剥离破坏表现为无纺布层。这说明两者之间的粘结良好,足以满足设计要求。从工程实践看,这种固定方法不干扰碾压混凝土的浇筑,施工难度小,简易方便 ,而且粘结强度较高,质量易于保证。另外还可省去给钢膜板涂刷脱膜剂以及脱模后对混凝土的养护等工艺。

(四)拼接工艺

土工膜防渗层能否起到防渗作用的关键在于土工膜的拼接质量。现场拼接土工膜常用的方法有胶粘剂粘接法和热熔焊接法二种。在本工程中采用了热熔焊接法。

第七节　土工膜垂直截渗

一、概　述

调查研究表明,建造在非岩基上的土石坝、混凝土闸坝及堤防工程中,由于基础渗透破坏造成的事故比重较大,约占全部事故的 30%～40%。显然,除了渗透变形影响工程安全之外,大量的水量渗漏对于缺水地区和不允许大量漏水的蓄水工程来说,减少渗漏水量也是一个极其重要的问题。

20 世纪 40 年代以前,透水地基截渗处理方法主要是开挖截水墙和打设板桩,60 年代以后出现了一批新的无需直接开挖,造价相对比较便宜的截渗技术,如板桩灌注防渗墙、连锁管柱、防渗墙、板槽式混凝土防渗墙、泥浆槽防渗墙、自凝灰浆防渗墙、砂及砂砾石地层的帷幕灌浆、高压喷射灌浆截渗墙,等等,但是,对于低水头平原水库和面宽量大的江河堤防及灌溉渠道等工程,由于费用、材料的限制,上述技术在实践中很难实现。90 年代初期由山东、福建及辽宁水利工程部门研制成功的采用链条开槽机开槽铺设土工膜建造地下截渗墙的新工艺,为低水头水利工程、交通工程和环保工程提供了一个新的效果好、施工方便、建设速度快、造价低廉的防渗、截渗结构。经过改进,该项技术可在松散透水地层中(最大砾石粒径不超过开槽宽度),铺设深度为不超过 20 m 的土工膜截渗墙(简称垂直铺塑),其工程费用与混凝土防渗墙和高压定喷防渗墙相比,每平方米造价垂直铺塑仅为前者的 15%～20%,为后者的 30%～50%。因而,近 10 年来,在平原水库、大型江河堤防和软基病险水库防漏抢险中得到广泛应用。

二、土工膜垂直截渗

用作垂直截渗的土工膜,常用的有聚乙烯(PE)膜和聚氯乙烯(PVC)膜两种。由于前者抗老化能力强,强度高,为众多工程所运用,但必须采用热熔焊接。

用于垂直截渗的土工膜的厚度,按我国国家标准和水利部标准(GB50290—98、SL/T225—98)规定,不宜小于 0.25 mm,重要工程膜厚不宜小于 0.5 mm。就施工角度考虑,由于厚膜柔性较差,铺塑时不易与槽壁贴合,相邻两幅薄膜之间可能形成较大的缝隙,对防渗不利。

垂直铺塑的施工方法,主要有连续铺设和单幅铺设两种。两种方法均采用链条开槽机开槽、泥浆固壁,铺塑后回填粘土,所不同的是前者是连续下膜,接缝较少,后者则是采用人工或简单机械将单幅塑膜置入槽中、回填粘土,然后继续第二个开槽、固壁、置膜、回填循环,显然前者接缝少节省材料,但下膜质量和完整性不易控制,而单幅置膜接缝较多(接宽度 1 m),塑膜幅宽愈大,缝愈少。其优点是铺设深度较大,下膜的质量和完整性易于保证。缺点是接缝较多,土工膜耗费较多,如果接缝施工质量不好,将可能产生集中渗漏的和接触管涌,因此,垂直铺塑技术还有待向更完善的方向发展。

三、工程实例

关于土工膜垂直截渗的工程实例在本书土石坝有关内容中已有提及,可见有关实例。

[**实例**1] 孤河水库垂直铺塑截渗❶

(一)基本情况

孤河水库位于山东省东营市胜利油田,是一座为石油工业及当地城镇居民供水的中型引黄平原调蓄水库,设计总库容 3 000 万 m^3,蓄水面积约 8 km^2,围坝为亚粘土水力冲填坝,设计干容重 1.47 kN/m^3。其标准剖面如图 4-39。

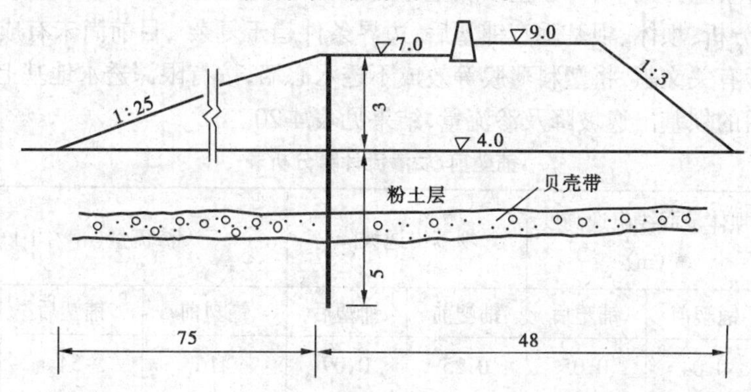

图 4-39 山东省东营市孤河水库坝基防渗 (单位:m)

水库于 1987 年建成蓄水,至 1988 年春,北坝 5+700 至 6+1000 长约 300 m 的坝段坝基发现渗水,形成明流,库水位愈高,渗水愈烈,多处出现砂沸和泉涌等渗透变形现象,泉眼直径最大达 5 cm,严重危及工程安全。为了控制局势,当年就在围坝下游做了堆土盖重处理,堆土厚度 2 m,宽 15 m,但是效果不大。

孤河水库坝基为第四纪黄河冲积土,属于高压缩性土。埋深 0～43 m 范围内,为灰黄色轻亚粘土,含粘土透镜体,呈软塑—流塑状态,干密度 1.35～1.50 g/cm^3,孔隙比 0.8～1.015,渗透系数 6.0×10^{-4}～4.0×10^{-3} cm/s,该土层干密度小,孔隙比大,渗透性强。土粒组成以粉粒为主,土中含有腐烂的杂草根等物,是渗水的主要土层;埋深 4.3 m 以下为黑色轻亚粘土,呈可塑状态,渗透性较强,由于坝身、坝基和坝后均未设置防渗、排水设施,该层和坝底与地基的接触面就成为产生集中渗透的通道,因而出现上述险情。

❶ 王洪恩,李慎宽,于素华.垂直铺塑防渗工程与施工.全国第三届土工合成材料学术会议论文选集,1992

为了再次进行处理，曾对混凝土防渗墙、高压喷射灌浆截渗和垂直铺塑截渗三个方案进行过比较，经过论证，最后鉴于工程水头不高，垂直铺塑能够满足要求，造价最低(比混凝土防渗墙方案省 90%，比高压喷射灌浆截渗省 80%)，因而予以采用。

(二)垂直铺塑设计

(1)铺塑位置：根据地质勘探资料，坝基 -0.3 m 高程以上是主要渗水土层，以下可视为相对不透水层。当时开沟造槽最大深度为 8 m，如在坝顶铺塑，透水层无法截断(将呈悬挂帷幕)。防渗效果较差，在围坝上游戗台垂直铺塑，能截断透水层，加上戗台和大缓坡起到的铺盖作用，防渗较为理想。因此，铺塑位置设计在挡土墙前 1.5 m 处，高程 7.0 m，防渗帷幕底高程 -1.0 m 左右，这样可将透水土层完全截断，挡土墙与防渗帷幕之间水平段用薄膜联接，但在土工膜铺设施工期间，挡土墙基础加固正在施工，无法按原设计位置铺塑，经与有关方面协商，将铺塑位置首移到挡土墙前 15 m，挡土墙与铺塑帷幕之间水平段是否用薄膜联接，因涉及经费问题，暂不实施。

(2)土工膜选择：土工膜有聚乙烯和聚氯乙烯两种，由于聚乙烯在抗老化、强度等方面优于聚氯乙烯，故选用了聚乙烯薄膜。土工膜的厚度分别按苏联全苏水利科学研究院的公式和国内推荐的经验公式，计算所需膜的厚均为 0.03 mm 左右，考虑到施工过程中可能造成塑料薄膜应力集中、厂家生产质量等因素，采用厚度为 0.15 mm 单层塑膜。

(3)渗流分析：坝体、坝基垂直铺塑后，边界条件趋于复杂，目前尚未有成熟的渗流计算方法。参考有关文献，将塑料薄膜等效成不透水心墙，按有限深透水地基上的土坝分别计算铺塑前后的坝基出逸坡降及渗流量，结果见表 4-20。

表 4-20　铺塑前、后渗流计算分析表

库水深(m)	坝体浸润线出逸高度(m)		坝基出逸坡降		渗流量(m^3/(d·km))		
	铺塑前	铺塑后	铺塑前	铺塑后	铺塑前	铺塑后	减小量(%)
2.2	0.04	0.05	0.25	0.09	416	54	86.9
2.6	0.05	0.006	0.28	0.10	491	64	87
3.0	0.055	0.007	0.30	0.11	567	74	87
3.5	0.11	0.008	0.42	0.11	561	87	86.8

由表 4-20 可看出，铺塑前水库水深 2.2～3.5 m 时，坝基出逸坡降为 0.25～0.42，均大于允许渗透坡降(0.2)，说明坝基存在渗透变形问题；采用垂直铺塑后，坝体浸润线出逸点降至地面，坝基出逸坡降降到 0.09～0.11，消除了坝基渗透变形，渗流量减小 87%。

(4)垂直铺塑施工：垂直铺塑截渗施工分开沟造槽、泥浆固壁、塑膜展铺、机械牵引、人工回填等工序，其中开沟造槽是关键的技术环节。

开沟造槽设备由底架、刀架、刀杆、刮刀、喷嘴等组成。刀杆为矩形空腔，与高压水泵相联。刀杆上侧可沿刀架滑槽运动，下侧设有刮刀与水嘴。工作时，刀杆在动力带动下做往复运动，同时水嘴喷射出高速水流，利用刮刀冲切、搅拌，破坏原状土层，使之成浆流向后方；流向后方的泥浆可起固壁作用。根据地质条件和需要，更换不同宽度的刮刀，可造出不同宽度沟槽。喷嘴喷出的水流速度还可以根据不同地质条件进行调整。

(5)防渗效果评述:孤河水库围坝施工时没有安设测压管。此次为观测塑膜截渗效果,在桩号 5+850 处安设了三根坝体测压管。

铺塑后在库水位低于铺塑高程(顶部)7.0 m时,曾进行了几次测压管水位观测,结果三根测压管均无水。当库水位高于铺塑顶部高程时,除1号测压管有水外,2、3号测压管仍无水,说明浸润线降到地面以下。

铺塑后,1990年冬季以来,几次蓄水达设计水位,坝后原渗水区积水消失,地面干燥,原盖重处多处向外流水的蘑菇状泉眼干涸。说明垂直铺塑后,消除了坝基可能产生渗透破坏的隐患,截渗效果良好,确保了工程安全。

(三)一点说明

孤河水库土工膜垂直截渗,是我国最早采用土工膜对老坝进行地基截渗处理的成功实例之一。基于时代背景,当时选择的土工膜厚度为0.15 mm,从今天来看是小于规范要求的最小值(0.25 mm)。但是,从当时角度考虑,采用0.15 mm的论证是比较充分的。另外,该工程至今运用正常,对于中小型低水头平原水库而言,这个经验也有借鉴意义。

参考文献

1 土工合成材料工程应用手册编写委员会.土工合成材料工程应用手册.北京:中国建筑工业出版社,1994
2 水利部教育司,等.水利工程土工织物设计指南.北京:水利电力出版社,1993
3 全国渠道防渗情报网.渠道及水库防渗技术译文集.北京:水利电力出版社,1988
4 顾淦臣.土工薄膜在坝工建设中的应用.水力发电,1985,(10)
5 仉新铮.防渗薄膜在北京土石坝工程中的应用.北京水利水电科技,1987,(1)
6 王景祜.塑料薄膜在西骆峪水库铺盖防渗工程中的应用.水利水电技术,1987,(2)
7 戴宝琴.塑料薄膜在尹回水库防渗工程中的应用.山西水利科技,1989,(2)
8 隋咸志,等.平原水库护坡防冰冻技术.水利水电技术,1992,(10)
9 GB50290-98 土工合成材料应用技术规范.北京:中国计划出版社,1998
10 水利部.SL/T225-98 水利水电工程土工合成材料应用技术规范.北京:中国水利水电出版社,1998

第五章 土工合成材料加筋工程

第一节 概 述

土体具有一定的抗压和抗剪强度，但抗拉强度很低，在荷载作用下容易发生剪切变形破坏。在土内掺入或铺设适当的天然纤维、金属条带、土工合成材料等具有高强度、高拉伸模量的加筋材料，可以不同程度地改善土体的强度与变形性态。这种掺入或铺设有加筋材料的土体称为加筋土或加筋结构，将土工合成材料作为筋材修筑的加筋土工程称为土工合成材料加筋工程。

人类使用加筋土的历史悠久，如利用麦秸和芦苇加筋粘土建造住房或墙体；治河工程上所用的“埽工”，利用柳料、秸料等薪柴筑坝、堵口、加固堤防等。近代加筋技术的迅速发展始于20世纪60年代，法国工程师H·维达尔(vidal)，分析了加筋的机理，将加筋概念上升为理论，并为“加筋”提供了分析计算方法，从而为加筋技术开辟了更广阔的应用前景。近代早期的加筋材料，则多为金属条带如不锈钢带、镀锌钢条等。70年代开始，土工合成材料作为加筋材料进入加筋土结构领域。由于土工合成材料在水下不易腐烂，即具有较好的耐腐蚀性；透水的加筋材料有一定的排水功能，有助于消减土内的空隙水压力，提高材料与周围土之间的相互作用，增加界面阻力；施放加筋材料后，可以直接提高土的抗剪强度，加之筋材具有造价低、重量轻、运输、施工方便等诸多优点，因而发展很快，目前已应用到挡土结构、堤坝、建筑物基础处理及铁路公路路基等永久性的大中型工程中，部分替代了金属加筋材料。

目前，用于加筋的土工合成材料主要有：编织型土工织物、非织型土工织物、土工格栅、土工网、土工条带、绳索、连杆、板条和土工合成材料纤维等。

一、加筋原理

加筋土的作用机理比较复杂，一般认为在土体中埋入加筋材料后，以筋材作为抗拉构件，与土产生相互摩擦作用，限制土体的侧向变形，增强土体的整体性，从而提高了土体的抗剪强度。对于半无限非粘性土体(沙土)，在深度Z，处于静止状态的单元体，如图5-1所示，它的垂直应力为

$$\sigma_1 = \gamma Z \tag{5-1}$$

而侧向应力为

$$\sigma_3 = K_0 \gamma Z \tag{5-2}$$

式中 γ——土的容重；

K_0——静止侧向土压力系数，$K_0 = 1 - \sin\varphi'$，φ'为土体的有效内摩擦角。

用应力圆表示其应力状态见图5-2所示。图中圆Ⅰ为沙土处于静止状态的应力图，设K_{fs}线为沙土的强度包线，由于圆Ⅰ处于静止状态，不会出现剪切破坏，所以它应在K_{fs}

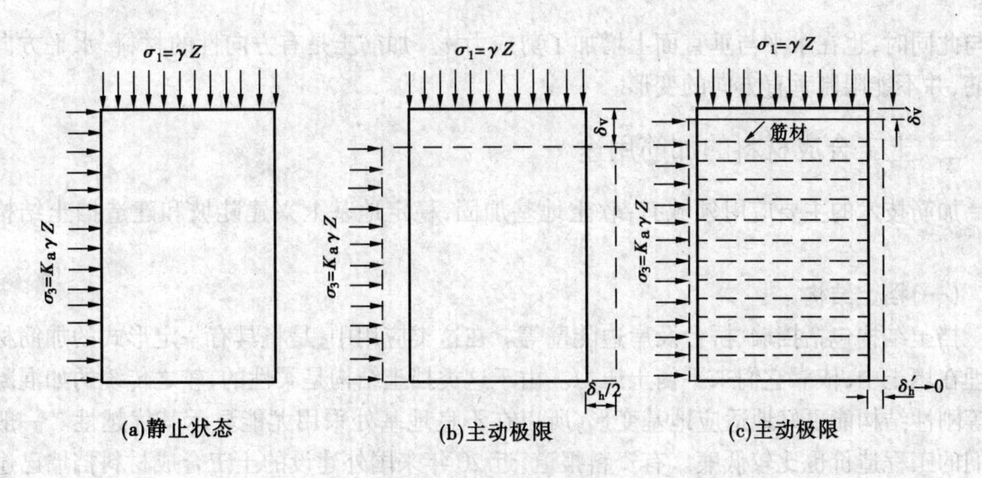

图 5-1　应力状态示意图

线之下。如果由于某种原因(例如在附近开挖基坑),卸去侧向平衡荷载,使土体侧向膨胀,该点的水平应力将减小至破坏极限值。虽然垂直应力未变,水平应力却变为 $K_a\gamma Z$,

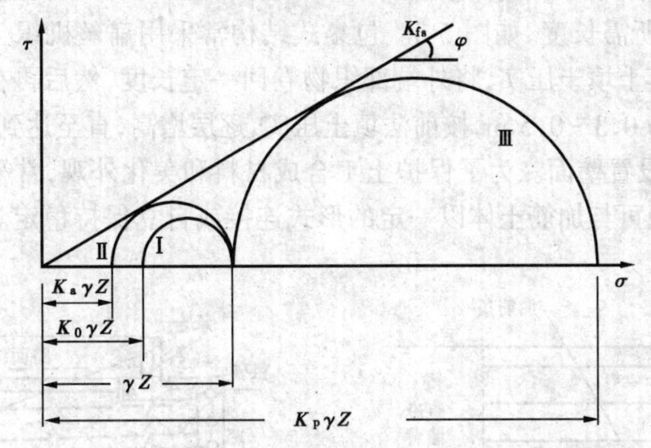

图 5-2　侧压力对稳定性影响

其中 K_a为主动土压力系数

$$K_a = (1 - \sin\varphi)/(1 + \sin\varphi) = \tan^2(45° - \varphi/2) \tag{5-3}$$

式中　φ——沙土的内摩擦角。

相反,如果土体受压缩,则水平应力将大至极限值 $K_p\gamma Z$,K_p称被动土压力系数

$$K_p = (1 + \sin\varphi)/(1 - \sin\varphi) = \tan^2(45° + \varphi/2) \tag{5-4}$$

上述主动与被动破坏时的应力圆分别如图 5-2 中的圆Ⅱ与圆Ⅲ,它们均应与强度包线相切。

为了使土体不致因侧向变形(膨胀或压缩)过大而导致破坏,可以在土体中水平埋入具有较大拉伸模量的筋条,如果筋条在垂直方向的布置足够密,则由于它们与土之间的摩阻力,土的侧向变形将大大减小,甚至达到水平应变 $\varepsilon_h = 0$,因而接近于初始的静止状态(即应力圆接近于圆Ⅰ),从而保证了土体的稳定。

上述加筋作用分析,只说明了筋条的存在相当于提供了一个水平应力增量 $\Delta\sigma_h$,实际

上与此同时,也在水平与垂直面上增加了剪应力 τ。加筋土是有方向性的材料,水平方向布筋,并不能限制垂直方向的变形。

二、土工合成材料的加筋用途

加筋技术的主要应用领域有:软土地基加固,稳定地基上兴建陡坡和建造挡土结构物。

(一)挡土结构

挡土结构包括挡墙、桥台及岸边陡壁等。在这类应用中,是将具有一定形式的加筋材料埋在填土中,依靠它们来平衡土压力。由于这类挡土结构是柔性的,较之传统的如混凝土等刚性结构能更好地适应地基变形,所以在不良地基处采用尤能显示其优越性。一般它们的工程造价也比较低廉。有资料报道,近 20 年来国外建设的土工合成材料挡墙已逾 12 000 座。

土工合成材料建造的挡土结构常见的有条带式和包裹式两种。条带式结构一般是将高强度、高模量的加筋条带在填土中按一定间距排列,其一端与结构边沿的面板联结,另一端则往土内延伸所需长度,如图 5-3。包裹式结构常采用扁丝机织土工织物在土内满铺,每铺一层再在其上填土压实,将外端部织物卷回一定长度,然后再在其上铺放一层织物,每层填土厚常为 0.3~0.5 m,按前法填土压实,逐层增高,直至达到要求的高度,如图 5-4。填筑后,外侧设置壁面。为了保护土工合成材料和美化外观,常采用各种不同材料和外形的结构,面板可与加筋土体以一定的形式连接或自立保持稳定。有时也以土工格栅代替筋带。

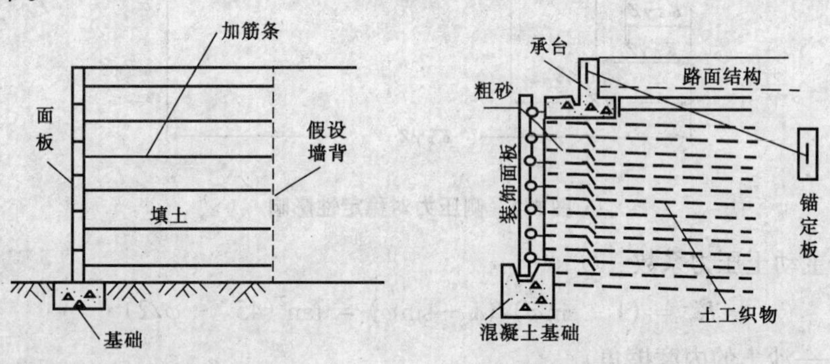

图 5-3　加筋土挡土墙组成　　图 5-4　土工合成材料包裹式加筋土桥台

(二)陡坡工程

无论是天然土坡,或是人工填筑的铁路、公路路基及挡水土坝、土堤,其边坡常需要做成较陡的边坡。对于天然坡,陡坡可以让出更多空间供工程建设;对于人工坡,陡坡一方面减少填土方量,同时可以节约占地。土工合成材料在这一方面的应用大致可归纳为以下几种情况:

(1)地基较好,要求土坡坡度尽量陡。

(2)地基一般,要求土坡坡度比不加筋时要陡;或者原有土坡产生了滑动,希望利用原来的土坡而不运新土来填筑修复,以节约工程造价。

(3)在填土坡端部铺设筋材，使近边坡处填土可更好地压实，防止以后产生表面坍滑或冲刷。为此目的进行加筋的设计十分简单，只要在每层填土边缘 1～2 m 范围内平铺土工格栅或其他适当筋材，即可起到防止土料侧向位移、改善压实质量的作用。

图 5-5 是一处加筋陡坡；图 5-6、5-7 分别是公路路堤和堤坡的加筋；图 5-8 是我国大秦铁路路堤的加筋。

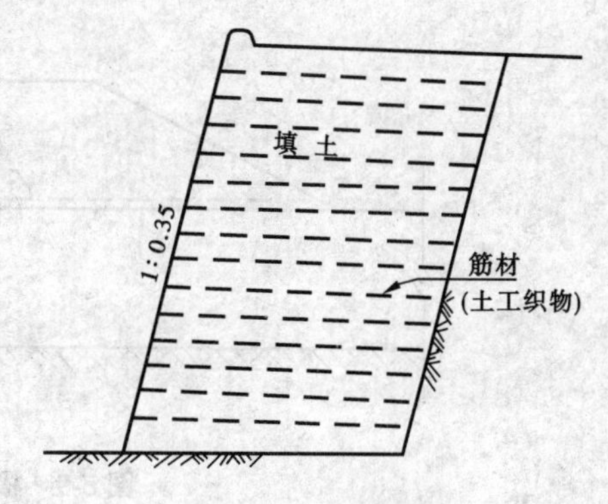

图 5-5　加筋陡坡

(三)软土地基上筑堤

在工程建设中，常会遇到在软基上筑造路基或堤坝的情况。由于填土中的侧向土压力，使地基面承受水平剪应力，导致堤身向两侧位移，很容易造成堤身失稳。利用土工合成材料加筋地基一般是在堤身底部铺放单层或多层高模量的土工织物或土工格栅，来限制基土的侧位移。这样的加筋常常是为了以下目的：①提高堤坝的抗滑稳定性；②增加堤坝的填筑高度；③减小施工期填土的大量下沉，节约土方量；④使堤坝下沉趋于均匀，防止堤面开裂。

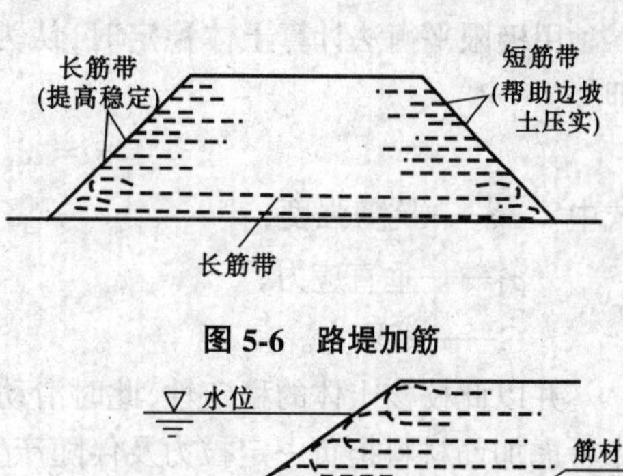

图 5-6　路堤加筋

但应注意加筋难以减小长期的固结和次固结沉降。

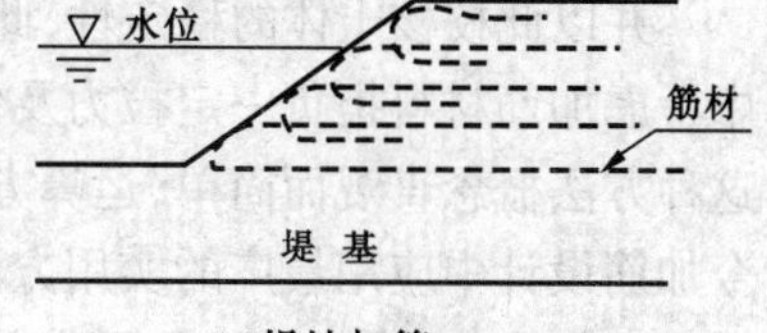

(a)堤坡加筋

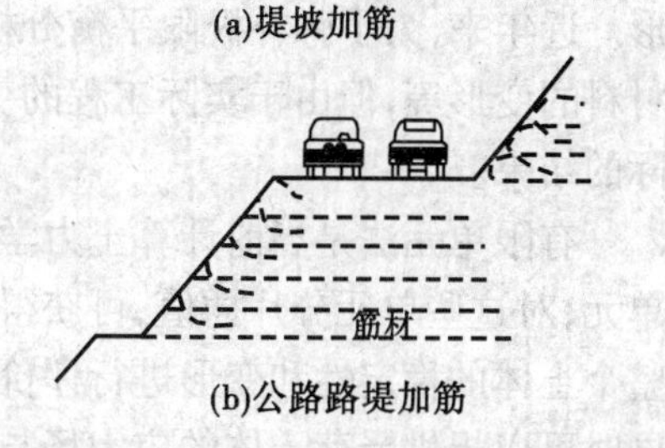

(b)公路路堤加筋

图 5-7　加筋堤

在实际工程中，软土地基的典型情况可能有：①整个地基是极软的饱和粘土、粉土，甚至泥炭土，这时除堤坝两端，地基变形基本上呈现平面应变，故加筋材料强度高的方向应与堤坝轴线垂直，见图 5-9；②地基中有局部软弱区，例如为掩埋的古河道、池沼或地层中的软土透镜体，这时使加筋材料跨越软弱区，让应力扩散，有可能要求材料强度较高的方向分布在几个方向上，需要按实际情况处理。当然还有一种情况，是主要要求加筋材料发挥隔离作用，即保证填土的整体性，避免局部下陷，损失填土，满足这一要求的材料往往希望是延伸率较大的土工织物，而不追求其具有高强度与高模量。

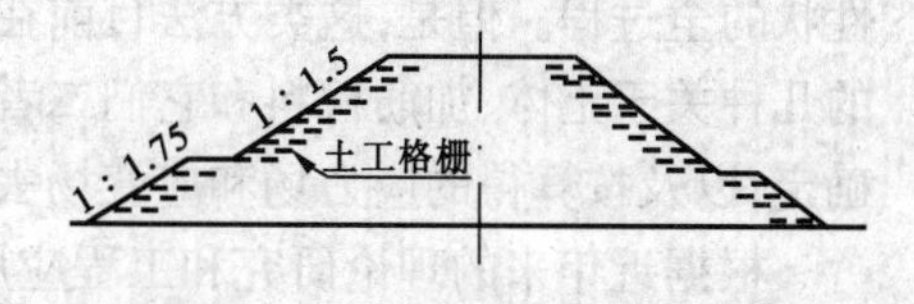

图 5-8　铁路格栅加筋(大秦铁路)

三、设计方法

土工合成材料加筋技术涉及的对象和要解决的问题基本上属于岩土力学的范畴。很

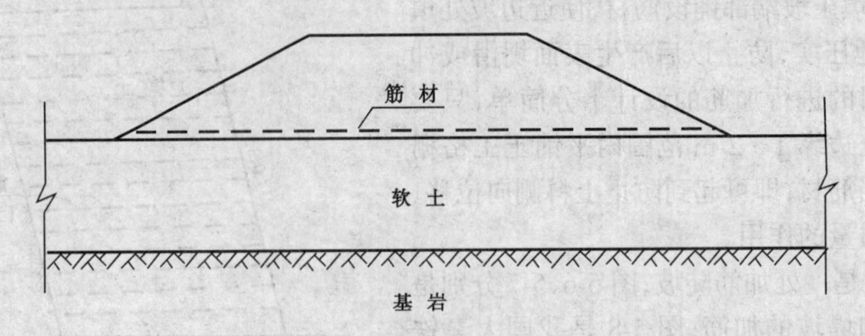

图 5-9 极软饱和粘土上筑堤

自然,土工合成材料加筋工程的设计原理和方法也大多以岩土力学为基础。其计算方法分为两类:一类是极限平衡法;一类是有限单元法。

用极限平衡法计算土体稳定时,认为滑动面上的剪应力 τ 已达到材料的抗剪强度,即

$$\tau = \tau_t = \sigma_1 \tan\varphi + C \tag{5-5}$$

式中 τ_t——抗剪强度;

σ_1——垂直应力;

C——凝聚力。

并以此校核土体的稳定性,此时滑动面(破裂角)由理论和经验事先给定。在加筋土中考虑加筋材料担负一定拉力及伴随产生的抗剪力,就可按常规的极限平衡法进行计算。这种方法概念直观而简单,运算方便,人们对之已积累了大量长期的可靠经验,故也是现今加筋设计中应用最广的实用方法。但是该法的缺点是在计算过程中没有考虑织物的变形。近年来,为了弥补极限平衡分析不足,发展了位移法,即在极限平衡分析中计算加筋材料的变形等,但由于实际工程的变形比较复杂,简单地考虑变形位移,难以获得接近实际的结果。

有限单元法是当前计算土力学中普遍采用的手段,它通过将连续体离散化为有限个单元,对这些单元分片插值,可获得连续体内各点的应力、位移和应变的分布图形,从而对整个土体的稳定性和变形进行评价。与极限平衡法比较,有限单元法的明显优点不只是同时可以提供受荷土体的应力场与位移场,而且能在计算中考虑土体的非均质和非线性、土性随时间的变化、施工程序和荷载变化,因而计算成果可反映从施工开始到运行期土体性状的全过程。但是,这类方法目前在常规设计中应用还较少,其主要原因是计算中需要的几种关于土体、加筋材料和它们二者之间相互作用的本构关系和相应参数等不易准确确定,以及按算得的应力场和应变场去判断土体的整体稳定性还缺少公认的可行方法。

根据近年来的理论研究和工程应用表明,在加筋土工程设计中,基本上还是采用岩土力学原理为基础,结合加筋的具体条件建立起来的实用分析方法和以工程实践为基础的半经验或经验方法,主要是考虑加筋引起的部分拉应力的影响,同时配合工程实践的经验参数和计算方法进行设计;对于比较复杂或特殊的工程,则应用岩土力学有限元分析原理,考虑加筋材料的性质和界面反应或复合材料性质进行分析,同时应用原型观测和试验配合分析检验。可以看出原型观测和试验研究的重要性,在本章中将详细介绍作者在原

型观测研究中取得的成果。

四、加筋材料的选择

加筋的主要效果是使加筋土获得侧压力增量,限制它的侧向位移。为此,在选用加筋材料时,应注意筋材的应力—应变关系和它们的抗拉强度;筋材在长期荷载作用下的变形性状;筋材与周围土的相互作用特征,即二者界面摩擦特性和抗拔特性;筋材在一定环境影响下的抗老化和耐久性等问题;以及满足设计要求的其他主要资料。

(一)蠕变强度

蠕变是指筋材在一定力的作用下,变形随时间增长而逐渐增大的现象。蠕变特性是土工合成材料的重要特性之一,是材料能否长期运用的关键。蠕变强度是指考虑筋材长期受荷载作用下将产生蠕变这一因素所确定的抗拉强度。筋材的蠕变会引起应力松弛,使加筋达不到设计效果,甚至失效。尤其是采用强度和模量不高的材料建造的较高挡土墙,蠕变会产生不利影响。筋材的蠕变和伸长发生在土体内,要测定必须埋置专门的土工合成材料应变仪,且要经过一个较长的使用期,所以设计上是按经验取材料的无侧限拉伸时应力—应变关系曲线上,相应于应变 $\varepsilon = 5\%$ 的拉伸力作为设计取值。

(二)抗拉强度

一般而言,用于加筋目的的材料宜有较高的抗拉强度和抗拉模量,但是也应根据实际情况,权衡安全与经济合理确定该指标。例如,对于不很陡和高度不大的土坡,只要求少量加筋,提供不大的附加抗滑力矩,采用一般的编织物即可。当有较高填土时才要求材料具有高强度、高模量。另外,对临时性活荷载,可以适当地提高材料的设计强度。

总之,对于筋材,为了能切实发挥加筋作用,根据工程设计的具体要求,首先保证足够的抗拉强度,防止出现断裂或滑动;其次,还应认真考虑所用的产品在实际工程条件下,引起产品强度的衰减等情况。

(三)摩擦特性

筋材与土之间的摩擦系数大小,与筋材的类型、变形特性、形状、长度和土的性质及上覆压力等密切相关。在工程应用中,取得筋材与土之间摩擦系数的方法通常是室内摩擦试验、拉拔试验和现场模拟试验。当试验条件不具备时,可依据当地相类似的已建工程靠经验确定,缺乏当地经验时,可参考我国《公路加筋土工程设计规范》的有关规定,见表5-1。一般认为筋材与土的界面摩擦角 φ_{sg} 可取周围土的内摩擦角 φ_s 的 2/3,这一般是偏于安全的。

表 5-1 填料的内摩擦特性参数

填料类型	容重 (kN/m^3)	计算内摩擦角 φ(°)	似(表现)摩擦系数
中低液限粘性土	18～21	25～40	0.25～0.40
砂性土	18～21	25	0.35～0.45
砾碎石类土	19～22	35～40	0.40～0.50

第二节　加筋土工程的设计与施工

一、软土地基加筋设计与施工

在软基上筑堤，由于软土强度低，压缩性较大，容易产生地基破坏和过大的沉降和不均匀沉降。为了保证堤的稳定，常常要对软土地基进行处理和加固。以往处理软土地基的方法有垫层法，主要是用砂、粘性土或碎石等材料，代替基础的软粘土、淤泥或粉沙夹淤等；预压加固法，在地基上预先施加荷载，使地基产生相应的固结，然后将这些预压荷载卸掉，再进行建筑施工；镇压层法，即在堤坝两侧堆土石以防基土被挤出，从而稳定堤坝；其他方法，如石灰桩法、深层拌和法、旋喷法和电硅化法等。这些方法用工时间长，花费投资多。利用土工合成材料加筋处理堤坝软基是一种行之有效的方法。其方法是通过在堤底铺设土工合成材料，与砂石等组成加筋垫层，保持基底完整连续，约束浅层地基软土的侧向变形，改善软基浅部的位移场和应力场，均化应力分布，从而提高地基承载力和稳定性，调整不均匀沉降。

一般堤坝基底的荷载较大，欲发挥加筋的作用，宜采用高抗拉强度，低延伸率、大模量土工合成材料（土工织物、土工网、土工格栅、土工席垫、土工格室等）。加筋层根据需要铺设一层或多层。

（一）设计的基本资料

（1）堤坝或填土的几何尺寸：堤坝高度、顶宽和坡角等。

（2）填土和地基土性质及地质条件：地层剖面、地下水位与变幅、各层土容重及含水率、填土的颗粒分析曲线、排水和不排水抗剪强度、固结和压缩性指标及击实性等。

（3）加筋材料的强度指标：经向抗拉强度、纬向抗拉强度、刺破强度、容许抗拉强度、延伸率等。

（4）荷载及超荷载等，包括临时荷载、随时间减小的荷载、固定和永久荷载、未来可能增加的荷载等。

（二）设计方法和步骤

可采用传统的极限平衡法。分深层抗滑稳定性和浅层抗滑稳定性校核两类。

1. 厚层软基土加筋

深厚软土层上建筑堤坝，破坏常为圆弧滑动，填土、加筋层和地基都可能产生破坏，且滑动受加筋最大拉力点控制。

1）分析原理

按照水利部 SL/T225—98《水利水电工程土工合成材料应用技术规范》规定，深层抗滑稳定性校核，采用圆弧滑动法。由于瑞典条分法忽略了土条侧面的作用力，算出的稳定安全系数可能偏低 10％～20％，且这种误差随着滑弧圆心角和空隙水压力的增大而增大。国内外相当普遍使用的是简化毕肖普法。土工合成材料加筋相当于增加了一个抗拉力。如果筋材不被拉断，这个拉力就是加筋材料克服摩擦阻力所发挥的部分强度。采用简化毕肖普条分法公式计算稳定安全系数 F_s

$$F_s = \frac{\sum[C'b_i + (W_i - u_i b_i)\tan\varphi']/m_{ai} + \sum T_i\cos\alpha_i/F_i}{\sum W_i\sin\alpha_i} \tag{5-6}$$

$$m_{ai} = \cos\alpha_i + \frac{\sin\alpha_i \cdot \tan\varphi'}{F_s} \tag{5-7}$$

式中 b_i——第 i 分条的宽度;

W_i——第 i 分条土重;

α_i——第 i 分条弧段中心至圆心半径与垂线的夹角;

C'、φ'——土的有效粘聚力和内摩擦角;

T_i——第 i 分条筋材的容许抗拉强度;

F_i——第 i 分条加筋摩擦阻力发挥程度系数;

u_i——第 i 分条土的孔隙水压力。

因为 m_{ai} 中也有 F_s 这个因子,所以运用式(5-6)时要进行试算。在计算时,可先假定 $F_s=1$,再按式(5-6)求 F_s,如果算出的 F_s 不等于1,则用此 F_s 求出新的 m_{ai} 及 F_s,如此反复迭代,直至前后两次 F_s 非常接近为止。通常只要迭代4次左右,就可满足工程精度要求,而且迭代通常总是收敛的。

实践可知,加筋垫层抗深层滑动计算采用圆弧法偏于保守,得到的稳定安全系数往往提高较少,表明加筋效果很不显著,实际效果却很明显。这说明现有的稳定分析方法未能反映筋材所起的全部作用。分析认为加筋后潜在滑动面可能往深处发展,地基土的侧向位移受到部分限制以及地基中应力场和应变场发生了变化等,而这些有利因素在计算中未能计入,可见现有分析方法有待改进。

2)筋材确定

按设计要求加筋后的安全系数,求解所需筋材的容许抗拉强度,加筋长度和宽度。

(1)按式(5-6),先假定为无加筋情况,即不考虑 $\sum T_i\cos\alpha_i/F_i$ 一项,用试算法求得最小安全系数 F_{s0}。

(2)根据设计要求达到的安全系数 F_s,计算增加安全度 ΔF_s 所需的加筋强度、加筋锚固长度和宽度。计算时,假定不考虑加筋后引起滑弧的改变,仍沿用计算 F_{s0} 的滑弧

$$\Delta F_s = F_s - F_{s0} = \frac{\sum T_i\cos\alpha_i/F_i}{\sum W_i\sin\alpha_i} = \frac{T\cos\alpha_i/F_i}{\sum W_i\sin\alpha_i} \tag{5-8}$$

式(5-8)中 $\sum T_i\cos\alpha_i/F_i$ 一项与筋材的位置、锚固长度、宽度、层数和容许抗拉强度有关。即

$$F_i = \frac{2\sigma_i \cdot f \cdot L_i \cdot B_i}{T_i} \tag{5-9}$$

式中 σ_i——第 i 分条圆弧中点上的竖向正应力;

f——加筋材料与土的拉拔摩擦系数,约为 $0.8\tan\varphi$;

L_i、B_i——第 i 分条筋材的长度和宽度;

T_i——筋材的容许抗拉强度;

F_i——筋材能发挥的强度系数,要求大于1.5。

采用试算法,首先假设一加筋位置、锚固长度和宽度,按式(5-9)计算所需的容许抗拉强度 T_i 值(设 $F_i=1.5$)。按式(5-8)验算是否满足 ΔF_s 的要求。如不满足,则增大锚固的长度、宽度,或者选用满足长度要求的筋材即增大 T_i 值,然后继续计算直至满足 ΔF_s 要求为止。如果筋材的抗拉强度不足,可铺设一层以上,任两层之间应铺砂层。

(3)筋材强度校核。式(5-8)中的 T 应满足强度要求,即

$$T \leqslant T_a \tag{5-10}$$

式中 T_a——加筋材料的容许抗拉强度,kN/m。

如果式(5-10)不成立,应改用更高强度的筋材或采用 N 层筋材,N 应按式(5-11)计算

$$N = T/T_a \tag{5-11}$$

(4)筋材抗拔校核。筋材尚需有足够的抗拔能力,并有要求的安全系数。抗拔所需筋材有效埋入长度 L_e(超出滑弧的长度)按式(5-12)计算

$$L_e = \frac{F_p T}{2\sigma f_{sg}} \tag{5-12}$$

式中 F_p——抗拔安全系数,可取1.5;

σ——作用在某层筋材上的法向应力,kPa;

f_{sg}——筋材与周围土的摩擦系数,如无实测资料,可取 $f_{sg} \approx 0.8 f_s$(f_s 为土的摩擦系数,$f_s=\tan\varphi$,φ 为土的内摩擦角)。

2.浅薄软基土加筋

地基软土层不厚时,产生圆弧滑动的可能性很小。土坡将可能以下列三种形式之一失稳:一是沿底筋顶面滑动;二是沿下卧硬层顶面滑动;三是底筋下和硬层顶面以上的软土被挤出。按照《水利水电工程土工合成材料应用技术规范》的规定,分别进行以下校核,安全系数均应符合规定值。

1)沿筋材顶面的滑动

沿筋材顶面的抗滑稳定系数 F_s 可按式(5-13)~(5-15)计算

$$F_s = \frac{F_{sg}}{P_a} \tag{5-13}$$

土坡为无粘性土

$$F_{sg} = \left(\frac{1}{2}L_s + L_c\right)\gamma H \tan\varphi_{sg} \tag{5-14}$$

土坡为粘性土

$$F_{sg} = (L_s + L_c)C_d \tag{5-15}$$

式中 F_{sg}——坡底与筋材间的抗滑力,kN;

P_a——主动土压力,按土压力理论计算;

L_s、L_c——长度,m,见图5-10;

γ——填土容重,kN/m³;

H——填土高度，m；

φ_{sg}——堤坝填土与筋材的摩擦系数；

C_d——堤坝填土与筋材间的粘着力，kN/m^2。

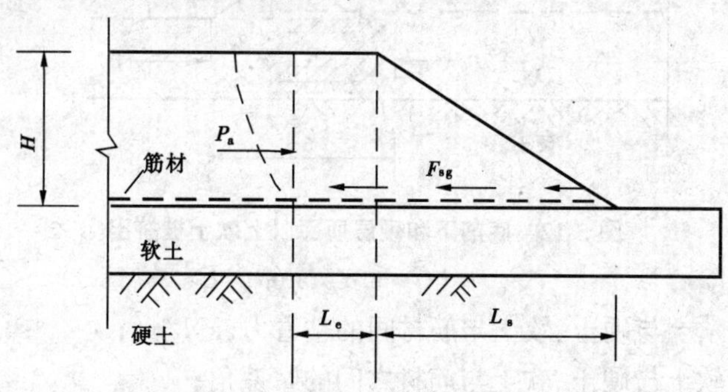

图 5-10　沿筋材顶面滑动

F_{sg}应不超过筋材在以下应变时的抗拉力：

压实粘土，$\varepsilon=5\%\sim10\%$；

无粘性土和少粘性土，$\varepsilon\leqslant2\%$。

2)沿下卧硬层顶面的滑动

沿下卧硬层顶面的抗滑稳定系数 F_s 可按式(5-16)计算，见图 5-11。

$$F_s=\frac{\alpha P_p+T_g+S_b}{P_a} \tag{5-16}$$

式中　α——计及被动土压力 P_P发挥程度的系数，可采用 $\alpha=30\%$；

T_g——筋材的抗拉强度，kN/m；

S_b——硬层顶面的抗滑力，kN/m。

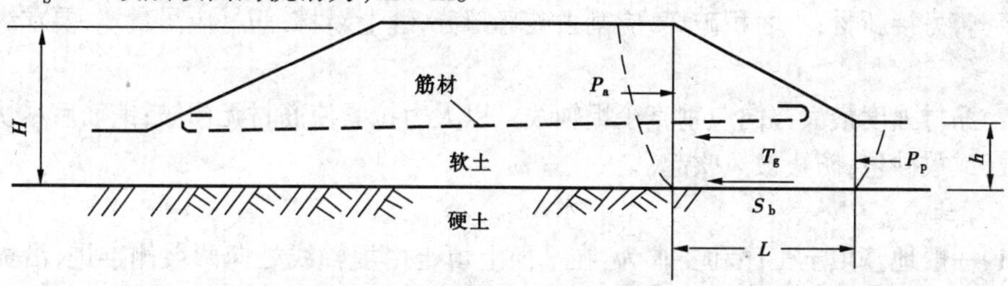

图 5-11　沿下卧硬层顶面滑动

3)底筋下和硬层顶面以上的软土被挤出

抗挤出稳定安全系数 F_s 按式(5-17)计算，见图 5-12。

$$F_s=\frac{\alpha P_p+S_t+S_b}{P_a} \tag{5-17}$$

式中　S_t——挤出土块顶面与筋材的抗滑力，kN；

其他符号含义同前。

S_t与 S_b可按下式计算

$$S_b=(C+\sigma_{v1}\tan\varphi)L \tag{5-18}$$

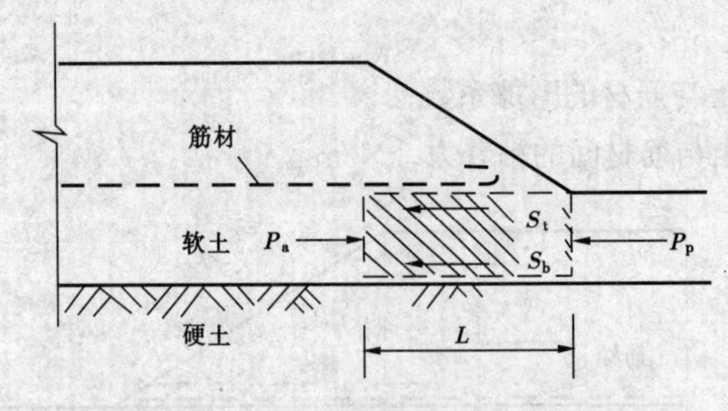

图 5-12　底筋下和硬层顶面以上软土被挤出

$$S_t = (C_g + \sigma_{v2}\tan\varphi_{sg})L \tag{5-19}$$

式中　C、C_g——软土与硬土、软土与筋材间的粘着力，kN/m^2；

φ、φ_{sg}——软土与硬土、软土与筋材之间的摩擦角；

σ_{v1}、σ_{v2}——作用于硬层顶面和筋材上的法向压力，kPa。

L——受挤破坏区长度，m。

（三）施工要点

对于软基上的加筋堤，加筋部分正确的施工方法及施工工序是大堤填筑质量的保证。不管是铺放底筋，还是填土，如果步骤不当，常会造成筋材的机械破损或是堤坝不均匀沉降，甚至导致堤坝破坏。SL/T225—98 规范对施工工序作了规定。

1. 准备场地

应砍除地面树干、树根突起物等，如地面不平，应平整场地或先铺一层厚 15 cm 左右的垫层。

2. 铺放底筋

(1)填土前应检查筋材有无孔洞、撕裂或绽缝，如有损坏，应立即修补。大面积破坏应割去接缝，另接新材；小面积破坏，应割去破坏部分，缝上新材；筋材应尽量宽，要求纵向无接缝。

(2)筋材强度最大方向应垂直于堤轴线。以人力拉紧使筋材无褶皱；铺筋后尽快在其上压载，或放砂包，防止被风吹起。

3. 填土

(1)一般地基填土工序和要求为：在平面上填土由堤轴线处向两坡侧推进，沿堤轴线方向，填土进程呈凸形，利用填土使织物保持受拉；选择施工机械的大小与重量不得使车辙深于 7～8 cm。第一层填土应选用平碾或汽胎碾压。施工过程中，随时监测和观测基土动态，一旦发现异常现象，及时调整填土速率或暂停施工，并采取对策。

(2)极软地基填土的工序和要求为：在平面上先沿筋材边缘平行堤轴线填土，后向堤轴线方向推进；沿堤轴线方向，平面上始终保持填土进程呈凹形。选择轻型机械后卸式卡车施工，机械在第一层填土只允许沿堤轴线方向运行，不得折回；车辙深度不得超过 7～8 cm；第一层土仅靠轻型工具压实，填土厚达 0.6～0.7 m 后才容许采用平碾或汽胎碾压。

二、加筋陡坡设计与施工

加筋陡坡的设计方法，是在传统的土坡稳定分析方法中考虑筋材作用。土坡加筋通常是在土坡内水平铺设。有粘性土组成的土坡发生滑坡时，是整块土体向下滑动的，土力学的分析方法是，将滑动面以上土体看做刚体，并以它为脱离体，按平面应变问题考虑，分析在极限平衡条件下各种作用力，而以整个滑动面上的平均抗剪强度与平均剪应力之比来定义土坡的安全系数，即 $F_s = F_f / \tau$。对于均质的简单粘性土土坡，其滑动面常可假定为一圆柱面，其安全系数也可用滑动面上的最大抗滑力矩 M_R 与滑动力矩 M_d 之比来定义，即 $F_s = M_R / M_d$，当安全系数大于某一规定的安全系数时，则认为土坡是稳定的。

对于加筋土坡，各层筋材中的拉力对滑动圆心产生的力矩均起抗滑作用，它们的总和即为抗滑力矩增量 ΔM_R。只要以 $(M_R + \Delta M_R)$ 代替上述的 M_R，按同法即可求得加筋陡坡的安全系数。

土坡内埋设的筋材应足够长，并超出滑动圆弧外一定长度，使其与土之间的握裹力不小于抗拔力，且有一定的安全系数。为此，要对每层加筋材料作内部稳定性校核，保证其不会被拔出。

(一)设计基本资料

(1)堤坝几何尺寸，包括坡高、坡角等。

(2)地基土和填土的性质指标，包括土层剖面(其所达深度最少为坡高的2倍)、强度指标、密度和固结指标、当地地下水位等；填土颗粒粒径分布、塑性指标、击实指标、强度指标、土内所含化学成分等。

(3)筋材强度指标，包括筋材经、纬向设计抗拉强度：T_d(应变 $\varepsilon = 5\%$) $< T_a$；容许抗拉强度 $T_a = T_L / F_s$，其中，T_L 为蠕变极限强度，F_s 为计及施工与耐久性要求的安全系数；延伸率、应力应变曲线等。

(4)荷载，包括坡顶超载、临时活荷载和永久荷载等。

(二)设计方法与步骤

土坡的稳定分析采用传统的方法进行，找出其最危险滑动圆弧与圆心和相应的稳定安全系数。同时按土楔体折面滑动法验算。

加筋土坡稳定分析方法，目前使用较多的一般为两种。一种是传统分析法，为了使陡坡的稳定安全系数达到要求的数值，按经验在土坡滑裂区内铺设几层筋材，然后按瑞典条分法加筋材的作用核算其安全系数，看是否能满足设计稳定要求，如不满足要求，则调整筋材的数量和布置间距。另一种是规范 SL/T225—98 推荐的方法，即根据土坡实际安全系数和要求安全系数的差值，计算出需要的总加筋力，然后进行加筋力分配和布置筋材间距。下面分别对这两种方法加以介绍。

1.规范法

1)加筋临界区的确定

对未加筋土坡，针对每一个假设的滑弧，求出其安全系数 F_s 和相应的滑动力矩 M_0，将上述所有滑弧绘在同一土坡剖面上。勾绘出其中安全系数恰好等于要求安全系数 F_{sr}，即 $F_{su} = F_{sr}$ 的许多滑弧的外包线，如图5-13，该范围即为有待加筋的临界区。如果滑弧深入坡趾以下，表明地基要考虑加固。

2)加筋设计

每一滑弧的加筋力应按式(5-20)计算，见图5-14。

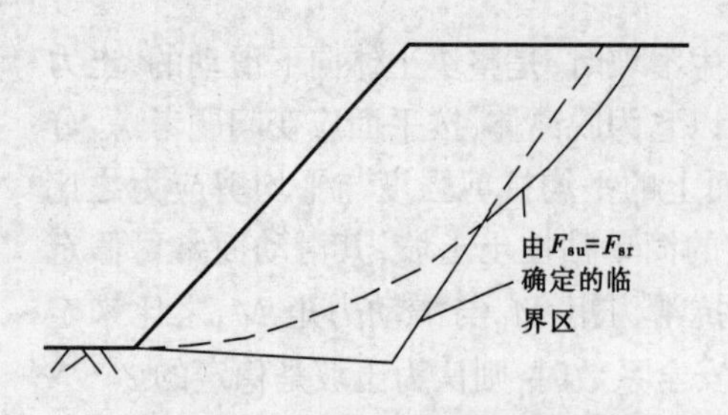

图 5-13　确定有待加筋的范围

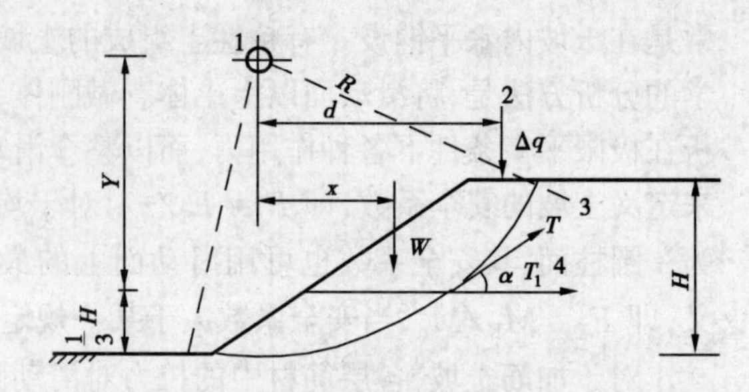

1—圆心;2—超载;3—延伸性筋材;4—非延伸性筋材

图 5-14　确定加筋力滑弧计算示意图

(1)针对以上每一个滑弧,为将其安全系数 F_{su} 提高到所需的 F_{sr},需要的总加筋力 T_s 为

$$T_s = (F_{sr} - F_{su}) \frac{M_0}{D} \tag{5-20}$$

式中　T_s——作用于单位坡长(位于 $H/3$ 处,H 为坡高)的总加筋力,kN;

M_0——针对某一滑动圆心的滑动力矩之和,kN·m;

D——加筋力 T_s的力臂,m

对于土工织物加筋料,$D=R$(圆半径)(认为筋材转折),对于延伸率低的加筋料 $D=Y$(认为筋材不转折)。

(2)取以上诸 T_s中的最大值,即 T_{smax} 作为加筋的依据。需要最大加筋力的滑弧一般并非安全系数最小的圆弧。为了快速复核上述所需的最大加筋力,可以利用计算图 5-15(a)查取 K 值,按式(5-21)计算出 T_s

$$T_s = \frac{1}{2} K \gamma H'^2 \tag{5-21}$$

式中　γ——坡土容重,kN/m³;

H'——坡高加化引土层厚$(H+q/\gamma)$,m;

H——坡高,m;

q/γ——均布超载化引土层厚,m。

查表时应依据下式的 φ_f'

$$\varphi_f' = \tan^{-1}\left(\frac{\tan\varphi}{F_{sr}}\right) \tag{5-22}$$

式中　φ——坡土内摩擦角;

F_{sr}——陡坡要求的安全系数。

该计算图系由计算机计算和绘制的。由图得到的 T_s应与以上计算的接近,否则应查明其差别的原因。

(3)加筋力分配。业已确定的最大加筋力 T_{smax} 需沿坡高分配:对于低坡($H \leqslant 6$ m),均匀分配;对于高坡($H > 6$ m),可按二区或三区分配。

按二区分:底区 $T_s=(3/4)T_{smax}$

顶区 $T_s=(1/4)T_{smax}$

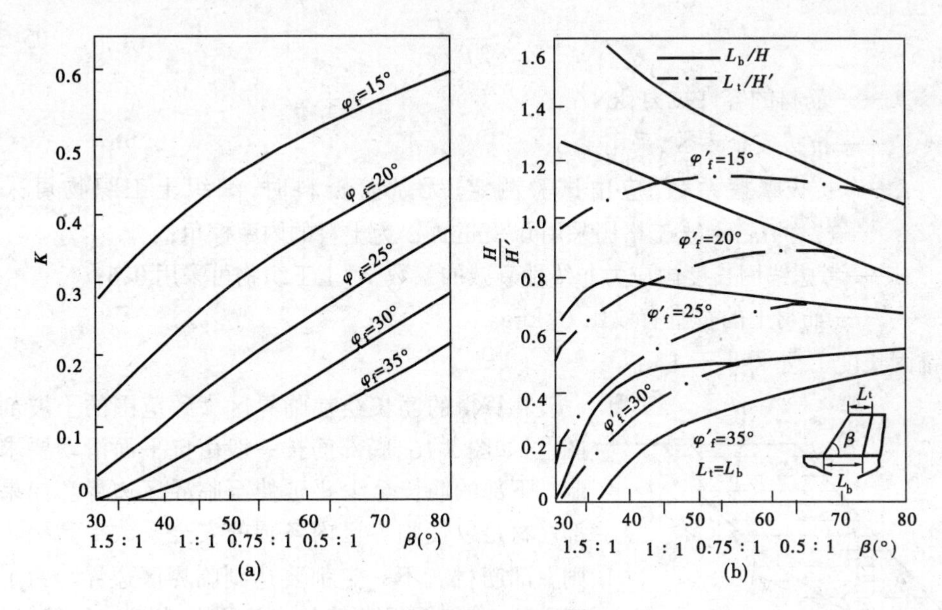

图 5-15 确定筋材强度的计算

按三区分:底区 $T_s=(1/2)T_{smax}$

中区 $T_s=(1/3)T_{smax}$

顶区 $T_s=(1/6)T_{smax}$

在每一区内拉力均匀分配。

(4)筋材间距和设计拉力。在每一个区,根据假设的垂直间距 S_v 计算筋材要求承受的拉力 T_r;或根据筋材的容许拉力 T_s,确定该区的间距与需要的加筋层数 N:

$$T_r = T_a R_c = \left|\frac{T_z S_v}{H_z}\right| = \left|\frac{T_z}{N}\right| \tag{5-23}$$

$$R_c = \frac{1}{S_h} \tag{5-24}$$

式中 T_a——筋材的容许拉力,kN;

S_v、S_h——筋材在垂直与水平方向的布置间距,m;

R_c——筋材布满率;

T_z——分配于该区的总拉力,kN;

H_z——该区高度,m。

筋材间距最大不得超过 $S_v=60$ cm。为使筋材较密和提高坡缘压实质量,可在两层主筋间辅设长 1.2~2 m 的中间铺筋材,辅筋抗拉强度可较主筋的略低。

以上土工织物陡坡如果陡于 1:1,而坡土级配又较均匀,则坡面处应折回包裹。对于坡度缓于 1:1 的良好级配土坡,筋材密布($S_v \leqslant 40$ cm)时,其端部可不包裹。

(5)加筋料需要的长度。每层筋材为满足抗拔要求需要伸出滑动面(给出 T_{smax} 的滑动面)的长度 L_e 应按式(5-25)计算

$$L_e = \frac{T_a F_s}{2 f_p \alpha \sigma_v'}\tag{5-25}$$

式中 T_a——筋材的容许拉力,kN/m;

F_s——抗拔安全系数,采用 1.5;

f_p——抗拔摩擦系数,应由试验测定;无试验资料时,编织土工织物可采用 (2/3)$\tan\varphi$,土工格栅采用 0.8$\tan\varphi$,φ 为土料的内摩擦角;

α——考虑锚固长度内应力非线性衰减的系数,对土工织物可采用 0.6;

σ_v'——筋材上的垂直有效压力,kPa。

锚固长度 L_e 不得小于 1 m。

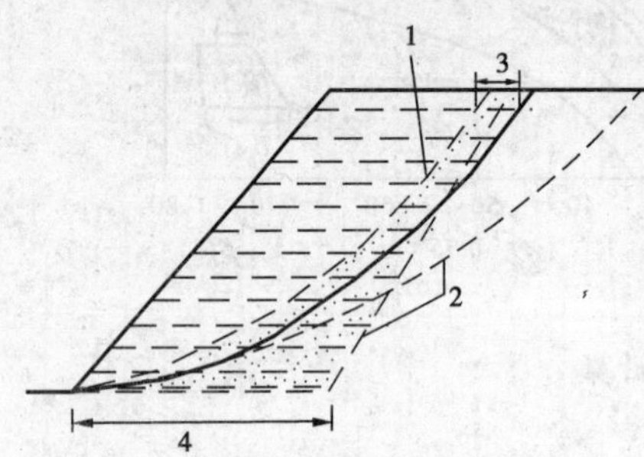

1—由 T_{smax} 确定的临界面;
2—由 $F_{su}=F_{sr}$ 确定的临界区;
3—按抗拔要求锚固长度应大于 1m;
4—底部筋长由抗滑稳定要求决定

图 5-16　加筋料长度

将算得的筋长绘在临界区大致范围的土坡剖面图上,如图 5-16。底部筋长一般由抗平面滑动要求控制。下部的筋长至少要延伸至临界区边界。如果下部筋材足以使临界区内各圆的安全系数提高到 F_{sr},则上部筋材就不一定都要达到临界区边界。为了施工方便,应将算得的筋材长度简化为二三种等长度。除去下部分的筋材,其他的不一定都要达到临界区边界。

(6)筋材长度校核。可以采用图 5-15(b)所示的快速校核法。注意在该图中,锚固长度 L_e 已经包含在 L_t 和 L_b 中。

3)陡坡外部稳定性核算

(1)抗平面滑动稳定性。按传统方法计算,但应针对不同长度加筋区的底面进行;计算抗滑力采用土与土工织物及土本身摩擦系数中的较小者。

(2)抗深层滑动稳定性,按传统圆弧滑动法核算。

(3)坡趾局部承载力核算(侧向挤出)。当坡底以下有厚度为 D_s 的薄软土层时,有可能产生挤出破坏(如图 5-17),其安全系数应按式(5-26)计算

$$F_s = \frac{2C_u}{\gamma D_s \tan\theta}\tag{5-26}$$

式中 γ——坡土容重,kN/m^3;

θ——坡角;

C_u——软土的不排水抗剪强度,kN/m^2。

当软土层厚度 D_s 大于坡底宽,则需验算地基承载力。

2. 传统圆弧滑动法

按经验在土坡内水平铺设几层筋材后,按瑞典条分法核算其安全系数 $(F_s)_r$,如图 5-18。

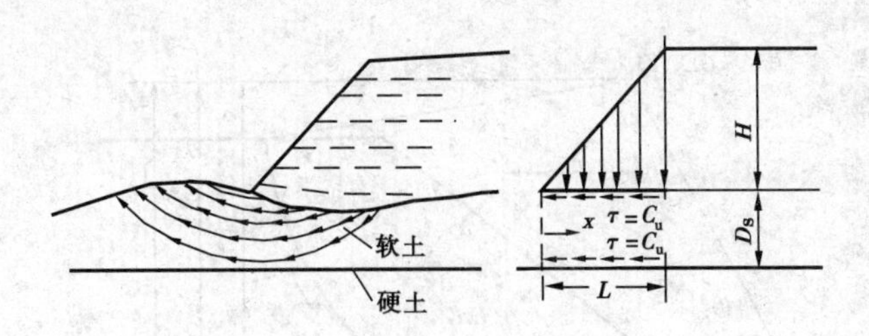

图 5-17 坡趾承载力校核

$$(F_s)_r = \frac{\sum_{i=1}^{n}(W_i\cos\theta_i\tan\varphi + C\Delta l_i)R + \sum_{i=1}^{m}T_{ai}Y_i}{\sum_{i=1}^{n}(W_i\sin\theta_i)R} \tag{5-27}$$

式中 W_i——第 i 土条重量；

θ_i——第 i 条底弧的仰角；

φ——土料内摩擦角；

Δl_i——第 i 土条底弧长；

R——最危险滑动圆弧的半径；

T_{ai}——第 i 层筋材的抗拉强度。

n——土条数；

m——加筋条带数；

Y_i——加筋条带距滑动圆心的垂距。

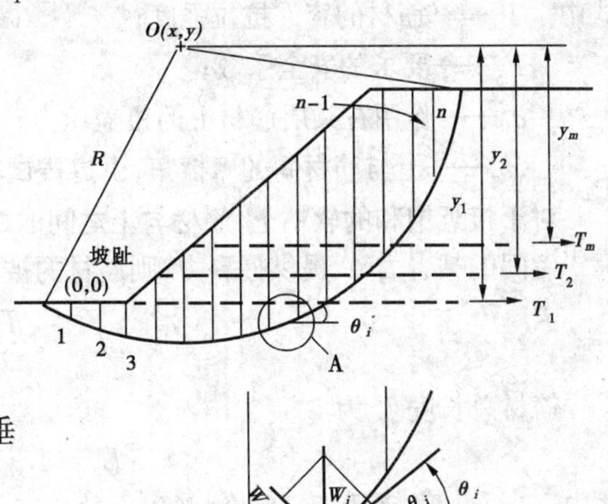

图 5-18 加筋堤陡坡稳定性核算

要求按上式算得的安全系数$(F_s)_r \geqslant 1.3$，如不满足，应调整筋材和布置间距。如果填土是细粒粘性土，当其含水率接近饱和时，分析中常采用不排水抗剪强度 C_u，它不随作用于剪切面上的法向应力而变化，此时分析不再需要分条，而直接采用总强度指标(如图5-19)。安全系数表达式变为

$$(F_s)_r = \frac{C_uRL + \sum_{i=1}^{m}T_{ai}Y_i}{Wx} \tag{5-28}$$

式中 L——滑动圆弧全长；

W——土坡滑动部分的总重量；

x——W 距滑动圆心 O 的水平距离；

其余符号含义同前。

为了保证每层筋材延伸出滑动弧以外的长度 L_p，以提供充分的握裹力，防止筋材被拔出。计算公式为

$$L_p = \frac{T_aF_s}{2\sigma_0\tan\varphi_{sg}} \tag{5-29}$$

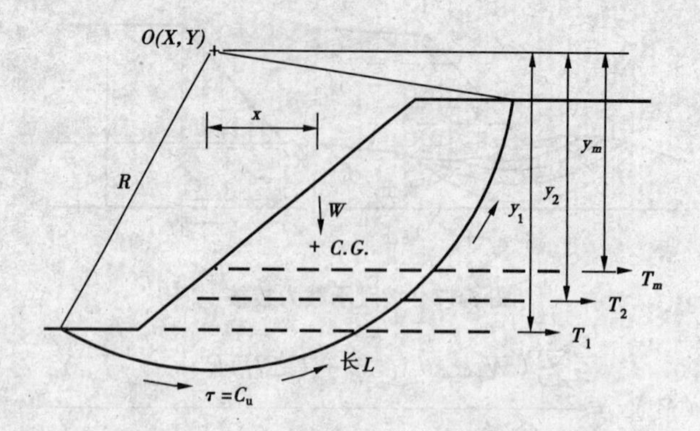

图 5-19 加筋陡坡按不排水剪强度核算稳定性

式中 T_a——筋材的容许抗拉强度；

F_s——要求的安全系数；

σ_0——作用在某层筋材上的覆盖压力；

φ_{sg}——土与筋材间的摩擦角，由拉拔试验测得。

对于接近饱和的软粘土，筋材与土之间的摩阻力不随界面处的法向应力而变化，而是靠二者间的粘着力 C_a 提供握裹力，则筋材的被动段长度为

$$L_p = \frac{T_a F_s}{2C_a} \tag{5-30}$$

筋材总长度 L 为

$$L = L_a + L_p \tag{5-31}$$

式中 L_a——主动段长，即在滑弧以内的长度。

(三)施工要点

SL/T225—98 规范给出的施工方法与常规填土类似，加筋配合填土层层交替进行。首先应清除施工场面或地面的一切杂物，平整施工场地。按照设计的加筋高度铺设筋材和填土。

1. 铺放筋材

筋材主强度方向应垂直于坡面；筋材应插防滑钉；采用土工织物筋材时，如坡面处要包裹，相邻织物搭接至少 15 cm；如不需包裹，则平接即可。如筋材为土工格栅，则两相邻片边缘应卡紧或扎紧。

2. 填土

借机械填土时，车轮与筋材间的距离至少应保持 15 cm。粒状土用振动碾或夯板、粘性土用气胎碾或平碾压密，近坡肩处用轻碾，碾压时注意防止筋材移动，应压实至要求密度。

3. 表面处理

坡面缓于 1:1 时，如果筋材垂直间距不大于 40 cm，坡面处可不将筋材回折包裹，而直接延至坡面。为防止雨水与径流冲蚀坡面，坡面应植草，或采取其他防护措施。

坡面需要包裹时，可将土工织物在坡面处折回，使其压在上一层织物下，长度应不短于 1 m，如图 5-20。如坡面很陡，可能需利用堆土袋、模架等支持坡面。层厚大于 45～60 cm 时即需支持。

如筋材是土工格栅，在坡面处包裹需要加设细孔土工网或土工织物，防止填土漏失。

4．设置坡面与坡内排水

(1)坡面排水。坡顶应设排水系统，将地表水汇集，通过排水沟管导往坡底排走。图5-21为在坡缘设置纵向排水沟示意图。坡面应植草防冲，草种需根据当地土质气候条件优选，使能长期成活。有时尚需在两主筋间增加中间次筋，减小间距，以防坡面塌落。有条件时可在坡面铺合成材料防冲垫。

(2)坡内排水。主要排除地下水，如图5-21。可以采用以土工织物包裹碎卵石的排水暗沟，或土工复合材料的排水体。土工复合材料应通过试验，确保其芯材有足够抗压曲强度，滤膜在压力下凹入芯材，芯材仍应有足够的排水能力。设排水处，土工织物或土工复合排水材料与土接触面强度较低，应充分注意其对边坡稳定性的影响。

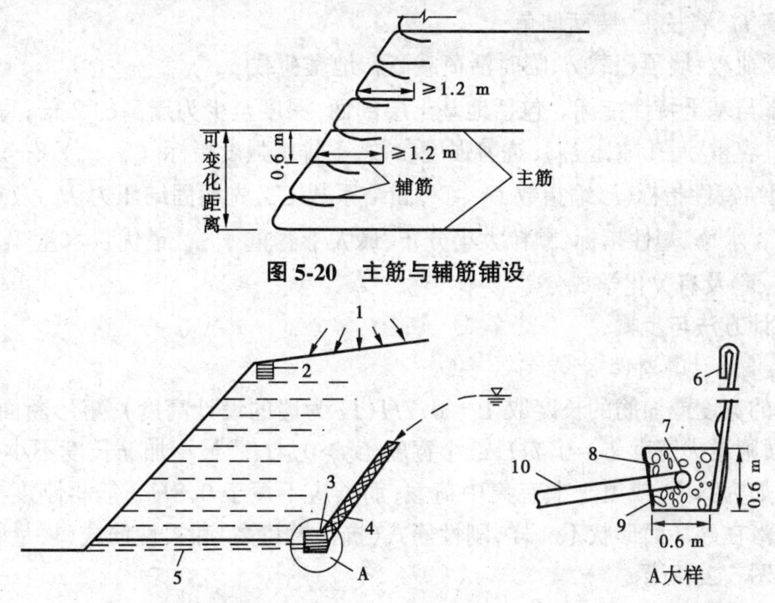

图 5-20　主筋与辅筋铺设

1—降水；2—集水沟；3—土工织物反滤；4—粗料或土工复合材料；5—排水管；
6—回折；7—带孔 PVC 管；8—碎石；9—土工织物；10—排水管

图 5-21　坡面及坡内排水

三、加筋土挡土墙设计与施工

挡土墙是在水利、道路、桥梁及房屋建筑工程中常见到的工程结构物，其作用是用来挡住墙后的填土并承受来自填土的压力。一般情况下，填土越高，土压力越大，需要挡土墙的刚度越大，相对基础越深、体积也越大。为了减少填土对挡土墙的压力，利用土工合成材料在填土内加筋，即组成了加筋土挡土墙。其基本结构型式有两种：一种是包裹式，即柔性筋式，筋材大多用机织土工织物，其端部回折将填土分层包裹，直至墙顶，或用土工格栅或土工网，在填土中水平分层满铺。另一种是条带式，即刚性筋式，筋材用高强度、高模量、表面加糙的特制条带或扁条带等，见图5-22。加筋挡土墙设计现有多种方法，但应用最广的是朗肯土压力理论结合墙背填土中的拉筋验算，即首先按经验初定一个断面，然后验算外部和内部两个方面的稳定性。

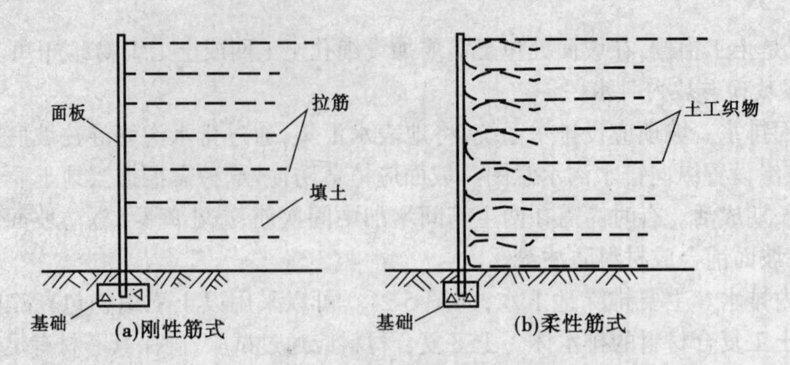

图 5-22　加筋土挡土墙的基本型式

(一)设计的基本资料

(1)墙高 H、墙长 L、墙面仰角 β。

(2)墙顶荷载:墙顶超载 q、临时活荷载 Δq、地震荷载 a_g。

(3)填土与基土特性指标。包括地基土层剖面,深度至少为墙高的 2 倍;每层土的物理性质指标(容重 γ、孔隙比 e_0),抗剪强度参数,不排水强度指标(C_u、φ_u),有效强度指标(C'、φ'),固结特性指标(压缩指数 C_u、C_r,固结系数 C_v,先期固结压力 P_c)及地下水位;墙后填土的含水率、塑性指标、颗粒大小分布、最大干容重 γ_{dmax}、最优含水量 $W_{\sigma p}$、抗剪强度指标(C'、φ')及有关化学成分等。

(二)设计方法与步骤

1.初选设计计算断面

加筋体的宽度或加筋的长度取 $L=0.7H$(H 为墙的设计高度),矩形断面则上下一致,梯形断面则最大宽度 $L=0.7H$,最小宽度 $L'>0.4H$。最小加筋长度不小于 2.5 m。墙顶填土面如为斜面,或填土上有集中荷载,筋长应不短于 $0.8H$。筋材刚度模量不同,墙后填土的潜在破坏面形状不一样,刚性筋式(抗拉模量高)和柔性筋式(模量较低)的设计破坏面如图 5-23 所示。

2.土压力计算

墙背垂直的加筋墙,墙顶土面水平或倾斜,其土压力按库仑土压力理论计算,如图 5-24。

$$p_i = \gamma \cdot Z_i \cdot K_a \tag{5-32}$$

式中　p_i——墙顶下 Z_i 深处墙背土压力,kPa;

γ——墙后填土容重,kN/m^3;

K_a——填土主动土压力系数;

Z_i——墙顶下土深,m。

作用于墙背(高 h)的主动土压力按式(5-33)计算

$$E_a = \frac{1}{2}\gamma h^2 K_a \tag{5-33}$$

3.墙体外部稳定性验算

包括墙体抗水平滑动稳定、抗深层滑动稳定和地基承载力校核。验算方法与传统方法一致。

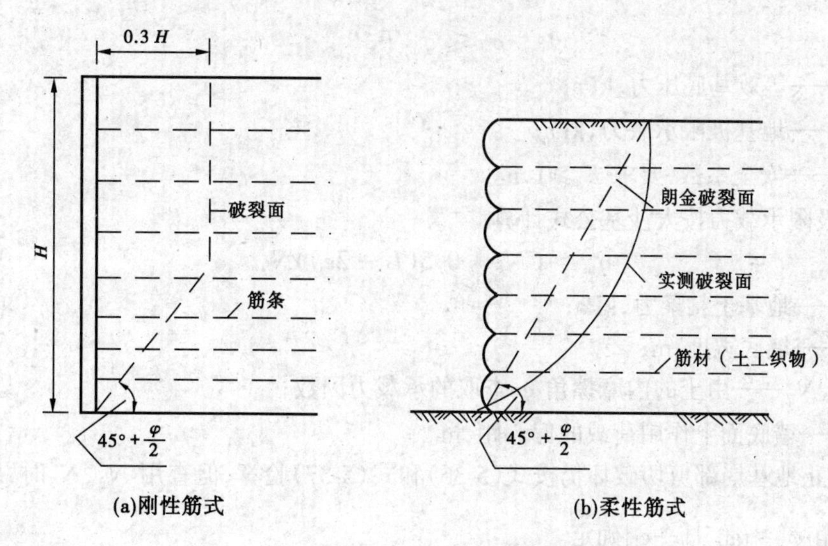

图 5-23　两种挡土墙型式的破裂面

1)抗水平滑动稳定性

水平抗滑移力总和$\sum p_r$与水平滑移力总和$\sum p_d$的比值即为抗水平滑动安全系数F_s，可按下式计算

$$F_s = \frac{\sum p_r}{\sum p_d} = (W_1 + W_2 + E_a \sin\beta) f = E_a \cos\beta \qquad (5\text{-}34)$$

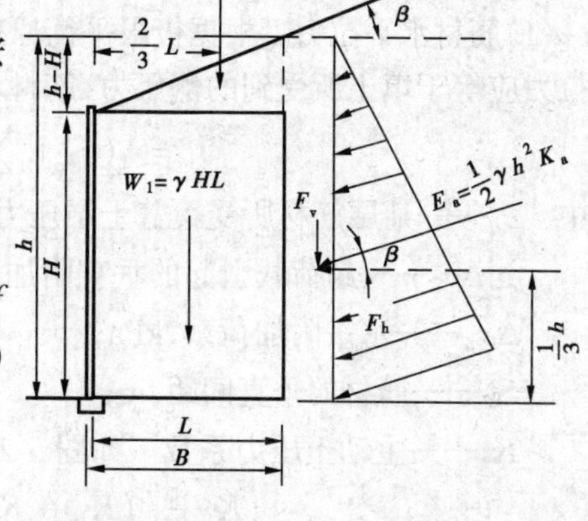

图 5-24　墙背垂直、填土倾斜时土压力计算

式中　W_1、W_2、β——各符号含义见图 5-24；

E_a——主动土压力，kN；

f——墙底面摩擦系数。f按下式计算

$$f = \min(\tan\varphi_b, \tan\varphi_f, \tan\varphi_{sg}) \qquad (5\text{-}35)$$

式中　φ_b、φ_f、φ_{sg}——分别为地基土、填土和土工织物与地基土或土工织物与填土之间摩擦角，取其中的较小者，应由试验测定。

F_s安全系数，应大于或等于1.3。

计算$\sum p_r$时不计墙前被动土压力和活荷载引起的抗力。式(5-34)如不满足$F_s \geqslant 1.3$，应加长筋材重新验算，直至满足。

2)抗深层圆弧滑动稳定性验算

当加筋土挡墙可能产生整个墙体连同部分地基土的整体滑动时，可将筋材范围内的复合土体视为一刚体按传统条分方法计算，安全系数应符合$F_s \geqslant 1.3$。如不满足，应加长筋材或进行地基处理。

3)地基承载力校核

(1)防止地基整体剪切破坏应符合以下条件

$$\sigma_v \leqslant q_u / F_s \tag{5-36}$$

式中 σ_v——等效基底压力,kPa;

q_u——地基极限承载力,kPa;

F_s——安全系数,要求 $F_s \geqslant 1.3$。

地基极限承载力按太沙基公式计算

$$q_u = CN_c + 0.5(L - 2e)\gamma N_\gamma \tag{5-37}$$

式中 C——地基土粘聚力,kPa;

L——墙底宽度,m;

N_c、N_γ——由土的内摩擦角 φ 查取的承载力因数;

e——墙底面上作用荷载的偏心距,m。

(2)防止地基局部剪切破坏仍按式(5-36)和式(5-37)验算,但查用 N_c、N_γ时,应根据修正摩擦角 $\varphi' = \tan^{-1}[\frac{2}{3}\varphi]$确定。

4. 筋材内部稳定性验算

1)筋材的强度验算

(1)筋材水平拉力。根据极限平衡原理,在挡墙加筋体内某一节点加条带筋材所受到的拉力应等于填土所受到的侧压力,筋材水平拉力 T 可按下式计算

$$T = [(\sigma_v + \sum \Delta\sigma_v)K_i + \Delta\sigma_h]S_v \tag{5-38}$$

式中 σ_v——某层筋材所受覆盖土层压力,kPa;

$\sum\Delta\sigma_v$——超荷载引起的垂直附加压力,kPa;

$\Delta\sigma_h$——水平附加荷载,kPa;

S_v——筋材的垂直间距,m;

K_i——主动土压力系数。如图 5-25 所示,可按下式确定

$$K_i = \begin{cases} K_0 - [(K_0 - K_a)Z_i]/\sigma & (0 < Z_i \leqslant 6\ \text{m}) \\ K_a(Z_i > 6\ \text{m}) \end{cases} \tag{5-39}$$

(2)强度条件。筋材强度安全应符合下式

$$T \leqslant T_a \tag{5-40}$$

式中 T_a——筋材的容许抗拉强度,kN/m。

2)筋材的抗拔验算

抗拔安全应符合下式

$$T \leqslant 2(\sigma_v + \sum \Delta\sigma_v)L_e f \frac{1}{F_s} \tag{5-41}$$

式中 L_e——筋材的有效长度,即超出填土破坏面的筋材锚固长度,m;

f——筋材与周围土的摩擦系数;

F_s——要求的安全系数,$F_s \geqslant 1.3$。

5. 筋材长度

(1)筋材总长度 L 可按下式计算

$$L = L_e + L_a + L_w \quad (5\text{-}42)$$

式中 L_e——筋材有效长度,m;

L_a——筋材在填土滑动面以内的长度,m;

L_w——筋材端部包裹长度,应为包裹层厚度与不小于1.2 m的转折长度之和,m。

(2)L_e与L_a可分别按下式计算

$$\left.\begin{aligned} L_e &= 0.5F_s \frac{T}{(\sigma_v + \sum \Delta\sigma_v)f} \\ L_a &= (H - Z_i)\tan(45° - \frac{\varphi}{2}) \end{aligned}\right\} \quad (5\text{-}43)$$

式中 Z_i——墙顶下深度,m;

φ——填土的内摩擦角,(°)。

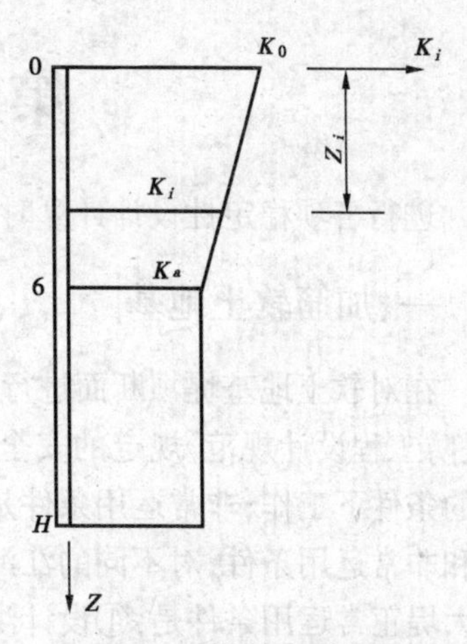

图 5-25 刚性筋式挡墙墙面板背土压力系数 (单位:m)

为施工方便,不同层的筋材应按要求的最大长度等长度铺设。如从内部稳定要求出发,亦可分段采用不等长度,底部较短,顶部较长。

(三)施工要点

施工工序包括:设置基础、平整墙基、铺设筋材、墙体填土和墙面施工。

1.设置基础

按设计的墙面系统进行施工,当选用预制钢筋混凝土墙面板时,墙面板下要设置一定尺寸和一定埋深的基础,一般为混凝土结构,其宽度不小于0.3 m,厚度不小于0.2 m,埋深不小于0.6 m。在季节性冻土区,埋深应至冻结线以下,如达不到该深度,则不足部分应换填非冻胀或弱冻胀土。

2.平整墙基

墙基应按设计要求开挖、平整,开挖范围宜超出墙范围0.3~0.5 m。软土需压实或换填,压实到要求密度,如有软弱土需换填合适土料。

3.铺设筋材

筋材主强度方向应垂直于墙面,以销钉固定,以保证平整且不因填土而发生位移。对柔性筋式挡墙,相邻织物搭接至少0.15 m。如果地基沉降量较大,土工织物的搭接部分可能会被拉开,相邻织物应予缝接;对格栅筋材应扎紧。

4.墙体填土

回填土要层层压实,每层虚土压实后一般为0.15~0.2 m,压实度不低于设计要求。铺土与压实时,要注意不使筋材卷褶或发生位移。使用机械填土,车轮与筋材的距离至少保持0.15 m。

5.墙面施工

墙面施工应利用堆土袋或模架法铺放土工织物,其程序为铺土工织物、堆土袋或回填土至一层厚、回包土工织物、将填土夯实;铺次层土工织物、继续填土。如采用格栅作筋材,则在墙面处应包裹土工织物,以防填土漏水。在靠墙0.5~0.6 m范围内压实,应用轻型机械或小型机械。

第三节　安全系数

进行各项稳定性设计计算时，必须要求满足规定的安全系数标准和有关规定。

一、加筋软土地基

在对软土地基堤坝断面进行圆弧滑动稳定性分析时，堤坝加筋应达到GB50286—98《堤防工程设计规范》规定的安全系数，见表5-2。表中正常运用条件是指堤在正常和持久的条件下工作；非常运用条件是指堤在非常或短暂的条件下工作。什么是正常运用条件和非常运用条件，对不同的江河堤防，应根据具体情况进行分析。例如，珠江上游的北江大堤正常运用条件是：①设计洪水位稳定渗流；②设计洪水位骤降5 m。非常运用条件是警戒水位+7度地震。而黄河大堤正常运用条件是：①无水时；②设计洪水位稳定渗流。非常运用条件是：①设计洪水位骤降至堤坡脚处；②设计洪水位+(7~9)度地震。

表5-2　土堤抗滑稳定安全系数

堤防工程的级别		1	2	3	4	5
安全系数	正常运用条件	1.30	1.25	1.20	1.15	1.10
	非常运用条件	1.20	1.15	1.10	1.05	1.05

二、加筋陡坡

陡坡加筋前和加筋后的稳定分析，抗滑稳定安全系数应达到表5-2的要求。

三、加筋挡土墙

加筋挡土墙的外部稳定性验算和内部稳定性验算，对一般工程仅考虑永久性荷载，不考虑可变荷载的情况下，按照SL/T225—98《水利水电工程土工合成材料应用技术规范》的规定，抗水平滑动稳定、抗深层滑动稳定、地基承载力校核、抗拔等安全系数均为大于或等于1.3。我国《公路加筋土工程设计规范》根据不同的荷载组合，对各项安全度要求如下：抗基底滑移为1.1~1.3；抗倾覆稳定为1.2~1.5；抗深层整体滑动为1.1~1.5。

第四节　黄河泺口加筋土砌石坝岸试验研究

土工合成材料在水利工程中得到了广泛的应用，同样，土工织物加筋土也被应用到了黄河险工加高改建、引黄闸进水段裹头等多项工程中。在土工织物加筋土用到险工砌石坝岸的拆改中，为了得到砌石坝岸在运用中一些指标的反馈，反过来验证设计指标的取值及进一步分析土工织物加筋土用于黄河险工坝岸的有效性和经济合理性，在坝岸中埋设了土工织物应变计、孔隙水压力和土压力计等观测设备，水利工程中，进行这样较全面的原型观测研究，还不多见，因此作较详细的介绍。

一、山东黄河险工工程简介

黄河下游干流是一条举世闻名的地上河，主要靠两岸堤防来约束洪水。由于河道主流摆动，常使部分堤段受到水流冲击，危及堤防安全。防护的措施是在受水流直接冲击的堤段修建坝、垛、护岸工程，称之为险工。山东黄河最早修建的是高村险工，始建于清光绪七年(公元1881年)。新中国成立前，历代治河修建险工无统一规划，单纯为了保护局部堤防的安全，工程强度低。由于河势变化，多数险工是在紧急情况下抢修而成的，工程布局不合理，常因溜势突变，造成老工脱河，猝生新险，防护不及，大堤被冲决。人民治黄以来，在修堤的同时，大力整修、强化险工，实现了险工石化，提高了工程抗洪能力，并将险工修防纳入统一的河道整治规划，险工布局与护滩控导工程相互配合，发挥了稳定河势、控导主溜的作用，取得防守主动，成为黄河下游防洪工程体系的组成部分。

山东黄河现有险工98处，各类坝岸3 778段，工程长度194 km，护砌长度167 km。其中有砌石坝岸768段，扣石坝岸885段，各约占坝岸总数的1/5。另有乱石坝岸2 110段，其他型式坝岸(砖坝等)15段。砌石坝岸为重力式挡土墙结构，坝外坡1∶0.35左右，内坡1∶0.2或是直立。扣石坝岸为护坡式结构，坝外坡1∶1，内坡1∶0.75。大多数砌石坝岸系解放前修建，20世纪50年代改建时，坝身高5～6 m，第二、三次黄河大堤加培，险工坝岸随着进行了加高改建，一般加高4～6 m。现坝身高为8～12 m，其中高度大于10 m的占60%，最高的达13 m。坝岸根石现状高度一般超出设计枯水位2～2.5 m，顶宽1～1.5 m。据1994年汛前险工根石探摸情况，共探摸2 592段坝岸，3 677个断面，将实测成果与山东黄河近期整险工程标准进行比较，坝岸根石坡度不足的有683段，高度不足的有891段，顶宽不足的有426段。目前，坝岸高度为15～20 m，其中坝身与根石的高度各占1/2左右。

二、险工坝岸存在的主要问题

1.稳定性差

险工坝岸的稳定性在抗御一定的水流冲刷条件下，主要取决于坝体断面结构和处于变动状态的根石与其所承受的土压力是否相适应；根石以上坝体断面结构一定时，稳定性主要取决于根石断面的厚度、深度和坡度，其中坡度对稳定性的影响最大。黄河由于洪枯水位变动和冲淤变化大等特点，加之受经费紧缺、施工方法限制，根石坡度是在水流淘刷的工作条件下，石块自然滚动下落而形成的，因此坡度一般较陡，约为1∶1～1∶1.3，有的更陡。根据验算，多数坝岸是处于或接近极限平衡状态下工作，没有安全储备。遇有不利条件，如地基不良，河势突变冲刷加重，根石严重走失或大河水位骤降，雨水浸灌土坝基引起孔隙水压力增大等情况，再加施工质量和工程管理方面的某些因素，即可能出现问题。1981年以来，已有6处险工的13段砌石坝岸先后出现裂缝、蛰陷、滑塌等严重险情，有些险情发生在非汛期。

2.根石探测手段落后

黄河下游河道主流摆动频繁，冲淤变化剧烈，坝垛根石走失严重，常导致坝体坍塌险情。由于坝高、水深流急、含沙量大,根石观测主要靠测杆探测,至今观测仪器一直未能很好地得到解决,对及时了解水下根石断面、平面分布及走失情况带来很大困难,影响及时加固维修,险情常呈突发性。

3.险情多、风险大

一般水工建筑物都是先修基础,然后再修上部建筑物,比较安全可靠。险工坝岸是先修上部土坝基与坦石,而基础根石部分,一次则做不够设计深度和坡度,只能做设计根石深度的1/10～1/5,其余部分则主要靠水流淘刷抢险逐步修做,每次修做深度取决于水流的淘刷深度,修做坡度取决于块石自然滚动的坍落坡度。这种施工方法的缺点是坝垛施工不能按设计一次修成,只能是半成品,强度不足,防守十分被动,险情多、风险大。

三、现有坝岸的稳定性分析

黄河下游险工由于多次加高,现中水河床至坝顶高达二三十米,特别是下游有许多重要险工是采用坝坡较陡的重力式砌石坝结构型式。因此,坝垛的稳定问题越来越突出,在第三期险工改建后出现了一些垮坝事故。比较典型的有:1981年12月25日王家梨行险工8～11号4段坝岸,1985年11月17日泺口险工10～12号3段坝岸等,这些垮坝事故引起了各级领导与有关部门的重视。我们以盖家沟险工21号砌石坝为例,进行抗滑稳定验算如下:

盖家沟险工21号坝系浆砌石护岸工程,长83 m,1952年拆修时砌体坝身高6.3 m,1963年和1981年两次挖槽戴帽加高共4.16 m,现砌体坝身高10.46 m。1982年1月5日砌石护岸背后的土坝基发生严重顺坝裂缝,缝距沿子石外边缘7～9 m,长77 m,宽1～10 cm,深2 m左右。裂缝发生后,当即采取加根、减载等措施进行处理。为进一步研究分析裂缝发生的原因,对土坝基作了地质钻探取样试验,按圆弧法作了抗滑稳定计算,计算结果见表5-3。

表5-3　　裂缝时根石断面抗滑稳定安全系数验算表

滑动面编号	滑动半径R(m)			
	29	32	36	39
Ⅰ	1.136	1.065	0.928	0.950
Ⅱ	0.101	0.984	0.881	0.882
Ⅲ	0.888	1.073	1.024	1.022

由图5-26知,盖家沟21号护岸基底以下地基为两层约厚5 m的软粘性土,抗剪强度指标C、φ值较小。稳定分析计算结果表明,第Ⅱ滑动面当$R=36$ m时,安全系数k值最小,出现裂缝时的根石断面k_{min}仅0.881。由此可知21号护岸土坝基裂缝系根石不足,沿上述软土层滑动引起的。

在发生裂缝时根石断面基础上,按增加根石台宽度,放缓不同的根石坡度进行抗滑稳定计算见表5-4。

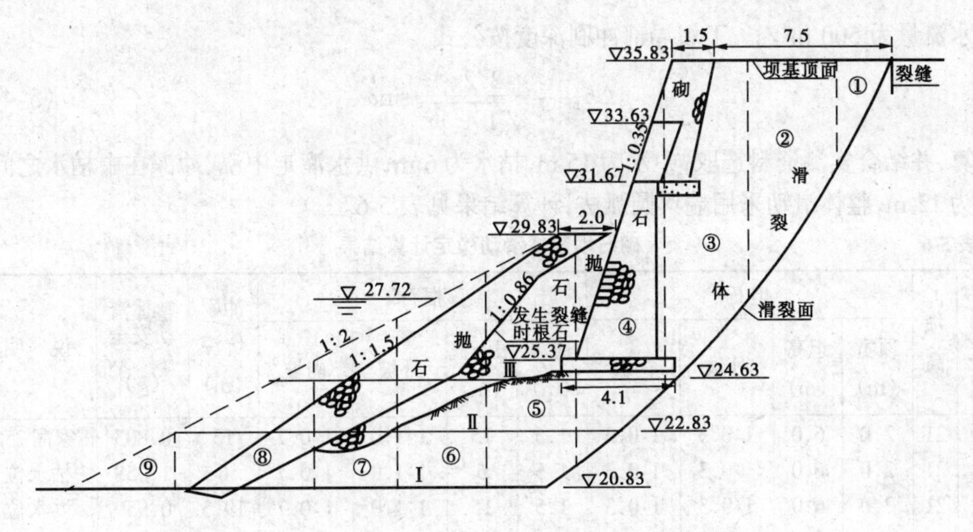

图 5-26　盖家沟险工 21 号坝坝身结构及滑裂验算图　(单位:m)

表 5-4　　增加根石后抗滑稳定安全系数计算表

滑动面编号	根石坡度		附　注
	1:1.5	1:2	
Ⅰ	1.010	1.068	滑动半径 $R=36$ m
Ⅱ	0.931	1.021	根石台宽 2 m
Ⅲ	1.115	1.160	当根石坡度增至 1:1.5 时每米工程加抛乱石 28.83 m^3

黄委会河务局、黄河水利科学研究院、山东河务局、河南河务局都曾对砌石坝岸的稳定状况进行过调查研究和理论分析,综合其计算结果如下:土石力学指标是根据下游部分险工取样试验结果,参考引黄涵闸的设计资料,并考虑抛石经过压茬排整等因素选定,概化后的土石力学指标如表 5-5。

表 5-5　　土石力学指标概化表

材　料	水上 γ (kN/m^3)	水下 γ (kN/m^3)	水上 φ (°)	水下 φ (°)	水上 C (kN/m^2)	水下 C (kN/m^2)
浆砌石	22.6	12.7				
扣　石	18.6	11.3				
乱　石	16.7	10.3	45	45		
土	18.1	9.3	28	23	9.8	4.9

摩擦系数:坝体与地基 $f=0.4$,堆石之间 $f=1.0$,地震裂度 7 度,按坝顶堆放备防石高 1 m,均布荷载按 16.7 kN/m^2 考虑,计算水位按 1995 年花园口站流量相应下游各站水位。洪水流量为 22 000 m^3/s,中水流量艾山以上为 5 000 m^3/s,艾山以下为 3 000 m^3/s,

枯水流量为 500 m^3/s。丁坝局部冲刷深度按公式

$$\Delta h_m = \frac{2.2v^2}{\sqrt{1+m^2}}\sin\alpha \tag{5-44}$$

计算,并结合实测资料选取,中水为15 m,枯水为6 m,洪水溜走中泓,冲深在中枯水之间,取为12 m,整体滑动采用瑞典圆弧法,计算结果见表5-6。

表5-6　砌石坝整体滑动稳定计算结果

编号	坝高	坦石				根石				冲刷坑深(m)	整体滑动安全系数(k)	说明
		顶宽(m)	坦高(m)	外坡	内坡	顶宽(m)	根石高(m)	外坡	内坡			
1	21	2.0	6.0	1:0.3	1:0.3	1.5	15	1:1.0	1:0.7	15	0.803	霍家溜25坝
2	21	2.0	6.0	1:0.3	1:0.3	1.5	6	1:1.0	1:0.7	6	1.058	枯水位
3	21	2.0	6.0	1:0.3	1:0.3	1.5	15	1:1.0	1:0.7	19.5	0.959	洪水位
4	21	2.0	6.0	1:0.3	1:0.3	1.5	15	1:1.3	1:0.7	15	0.962	
5	21	1.8	6.0	1:0.35	1:0.35	1.5	15	1:1.2	1:0.7	15	0.920	艾山以下
6	21	1.8	6.0	1:0.35	1:0.35	2.0	15	1:1.2	1:0.7	15	0.950	砌石坝顺
7	21	1.8	6.0	1:0.35	1:0.35	1.5	15	1:1.3	1:0.7	15	0.980	坡加高
8	21	1.8	6.0	1:0.35	1:0.35	2.0	15	1:1.3	1:0.7	15	1.000	
9	21	1.0	6.0	1:0.35	1:0.35	1.5	15	1:1.3	1:0.7	15	1.000	砌石坝退坦
10	21	1.0	6.0	1:0.35	1:0.35	2.0	15	1:1.3	1:0.7	15	1.040	加高扣石坝
11	21	1.0	6.0	1:0.35	1:0.35	2.0	15	1:1.1	1:0.7	15	0.896	
12	21	1.0	6.0	1:0.35	1:0.35	2.0	15	1:1.3	1:0.7	15	0.908	
13	21	1.0	6.0	1:0.35	1:0.35	1.5	15	1:1.4	1:0.7	15	0.955	

根据计算结果分析比较,中水时整体安全系数最小(洪、枯水计算结果未列出),一般在1.0左右,这是由于中水时根石以上坝体未受水浸泡,干容重大,加之中水坝垛靠溜紧,河床冲刷深度大,使得坝的总高为最大,滑塌的可能性增加。在相同情况下,砌石坝岸增加根石台宽度、高度和放缓坡度,可以提高坝体抗滑稳定安全系数,但提高幅度不大。

四、提高坝岸稳定性的途径

目前,提高险工坝岸稳定性的途径有三种做法:其一,加抛根石,这是多年来采取的主要措施,但坝岸如全部达到现行的根石标准,投资过大,非短期所能实现。坝岸根石受水流冲刷,走失严重,每年又要补充大量根石,据统计,山东黄河1987～1993年,每年汛前,通过整修、抢险等补充6.57万～11.9万 m^3 块石。其二,今后不再新修砌石坝岸,并将原来的砌石坝岸逐步拆改为坡度较缓的扣石坝。但有些临堤下埽的坝岸,没有缓坡余地,退坦确有困难。其三,采用新材料,改进坝岸结构。据初步分析论证,采取加筋土新技术用于砌石坝岸,可有效地提高其抗滑稳定性。

五、坝址与土工试验

泺口险工63号、64号坝原为砌石坝,由于年久老化,坝表面石破碎严重,不同程度伴

随着裂缝，整体上存在着头重、脚轻、腰里软的状态等不安全因素，两坝计划拆改，在拆改设计中应用了土工织物加筋土，并埋设了观测仪器进行观测试验研究。

为了搞清试验坝地基土壤状况，根据试验研究需要，由黄河勘测设计研究院对泺口险工 63 号坝体进行地质钻探，取样试验，打钻孔一个，孔深 24.65 m，取原状土 9 组，散状土一个，标贯试验 4 次。

六、加筋织物的选择和拉伸试验

选择质量好、强度高、耐老化的加筋材料，是搞好加筋土试验坝的重要一环。为此通过综合调查，认为青岛麻纺织厂生产的产品具有抗拉强度高、价格低等优点，因此选用该厂的产品，并取回了 1800 旦和 2000 旦的土工编织布样品，进行了土工织物抗拉强度和编织布与土的摩擦试验。

1. 抗拉强度

此项试验由黄河水利科学研究院工程力学研究所完成。拉伸试验结果见表 5-7。土工编织布纵向应力应变曲线见图 5-27、图 5-28。

表 5-7　　编织布拉伸试验结果

编织布型号	抗拉强度(kN/m)		试样尺寸(cm×cm)
	纵　向	横　向	
2000 旦	44	36	5×10
1800 旦	38	32	5×10

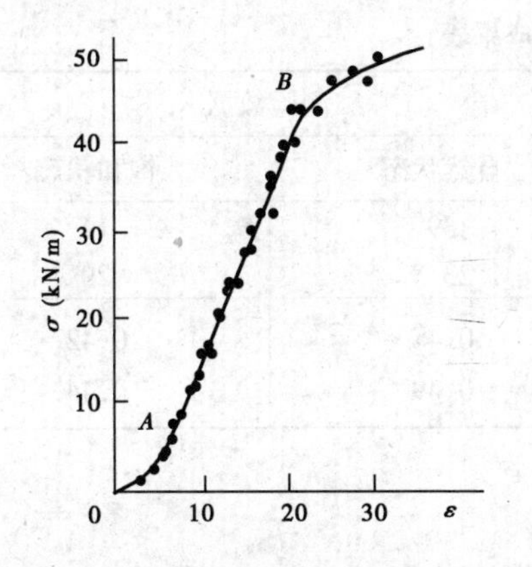

图 5-27　2000 旦布的纵向 σ～ε 曲线　　**图 5-28　1800 旦布的纵向 σ～ε 曲线**

说明：(1)该应力—应变曲线开始段(0*A* 段)坡度很小，成非线性，这是由于条样(试样)纤维初始状态影响。

(2)该应力—应变曲线中间部分(*AB* 段)接近线性，该线性段对横轴的斜率可求模量。

(3)该应力—应变曲线成果符合土工合成材料测试手册、条带拉伸试验规律，该成果是合理的。

2.编织布与土的摩擦系数试验

此项试验由山东省水利科学研究院土工室完成，主要测试两种型号的土工编织布与坝岸拆改后拟回填土类间的摩擦系数。

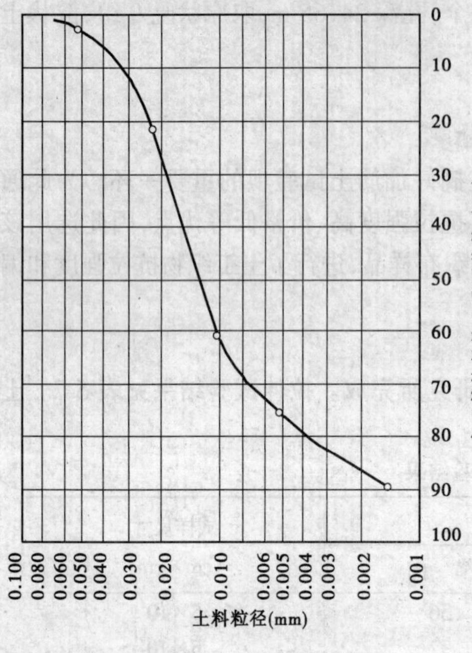

图 5-29　土料颗分曲线

(1)土料。选取土样为重粉质壤土，土中含少部分粘土团块，粒径多为 1～2 cm，土料颗分曲线见图 5-29。

(2)试验项目。在土料回填压实干密度 1.5 g/cm^3、适宜含水量 19%左右的情况下测求：①自然状态下土的凝聚力 C，内摩擦角 φ，以及饱和状态下的凝聚力和内摩擦角；② 测试两种编织布分别在水上(干)和水下(湿)时与土的摩擦系数。

(3)试验方法。编织布均按横向、纵向、左斜向上、右斜向上四种方式裁样，以保证采样的均布性。土与编织布的摩擦均按布的纵向进行。每个摩擦系数 f，由 4 个样品，分别施加 100、200、300、400 kPa 垂直荷重，测出其剪应力，用最小二乘法得出 f 值，在测试的两种情况下，试验均用 12 个试验数据进行数学处理。试验结果见表 5-8。

表 5-8　　土工试验测试成果表

项目	织物规格	测验数据	
		自然状态	饱和状态
凝聚力(kPa)		39	14
内摩擦角(°)		23.3	20
土与布间的摩擦系数	1800 旦	0.48	0.42
	2000 旦	0.49	0.44

七、加筋坝工程设计

拆改泺口险工 63、64 号坝，在坝基内加筋，范围约从坝顶至根石台，基础部分不动，拆改完成后，恢复原坝顶、坝基高程。坝的几何尺寸详见图 5-30。

1.确定某一深度的侧压力

墙背填土的主动土压力系数按自然状态下的情况，其内摩擦角为 23.3°，干容重为 $\gamma_d = 14.7\ kN/m^3$，根据土工试验的土质配料含水量为 19%，计算的土质容重为

$$\gamma = \gamma_d(1 + w) = 14.7 \times (1 + 19\%) = 17.54(kN/m^3)$$

主动土压力系数 K_a 采用武汉水利电力学院主编《土力学与岩石力学》一书介绍的公

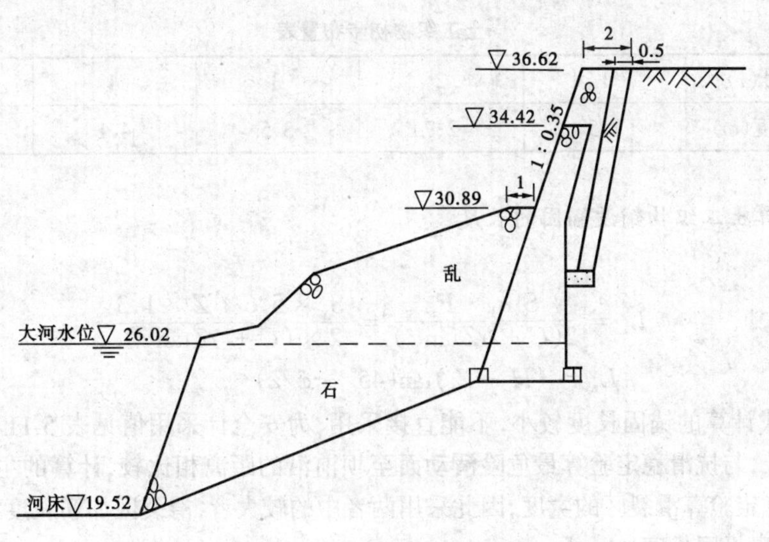

图 5-30　泺口险工 63 号坝拆改前断面图　（单位:m）

式计算

$$K_a = [\tan(45° - \frac{\varphi - \varepsilon}{2}) - \tan\varepsilon]^2 \cos\varepsilon \tag{5-45}$$

式中　ε——砌石坝仰斜角,本设计采用 $\varepsilon = \arctan0.35 = 19.29°$

则　$$K_a = [\tan(45° - \frac{23.3° - 19.29°}{2}) - \tan19.29°]^2 \cos19.29° = 0.32$$

不考虑均布荷载的作用,则侧压力为

$$\sigma_h = K_a \gamma Z = 0.32 \times 17.54 \times Z = 5.61 \times Z(\text{kN/m}^2)$$

2. 土工织物的容许抗拉强度

$$T_a = T_u(\frac{1}{F_d \times F_{CR} \times F_{cd} \times F_{bd}}) = 44 \times (\frac{1}{1.1 \times 2 \times 1 \times 1}) = 20(\text{kN/m})$$

考虑到本工程为试验研究性质,从选用筋材到保管使用,都比较认真细致。因此,机械破坏、化学剂破坏及生物破坏的影响都考虑降低到最低限度。在施工中,为最大限度地降低筋材的蠕变影响,充分发挥筋材的加筋效果,采用了预应力式铺放筋材的办法,所以蠕变影响系数也取最小值。

3. 计算加筋层间距

设　$Z = 5$ m 时,$D = \frac{T_a}{\sigma_h \cdot F_s} = \frac{20}{5.6 \times 5 \times 1.3} = 0.55$ (m)

采用 0.5 m。

当 $Z = 4.5$ m 时,$D = 0.61$ m,采用 0.6 m。

当 $Z = 3.9$ m 时,$D = 0.704$ m,采用 0.7 m。

当 $Z = 3.2$ m 时,$D = 0.86$ m,采用 0.8 m。

当 $Z = 2.4$ m 时,$D = 1.15$ m,采用 1.1 m。

共计需要 5 坯织物,为使各坯织物受力均匀,根据经验,将各坯织物的埋深作一些局部调整,初步布置见表 5-9。初估加筋长度,按 $0.8H$ 考虑,即 $L = 0.8 \times 11.5 = 9.2$(m)。

表 5-9　　　　土工织物初步布置表

织物坯号(i)	1	2	3	4	5
坝顶下高度(m)	1.5	2.7	3.5	4.1	4.7

4. 计算土工织物铺设锚固的长度

$$L_e = \frac{S_v \sigma_h \cdot F_s}{2(C + \gamma Z \tan\varphi)} = \frac{S_v \times 5.6 \times Z \times 1.3}{2 \times (C + \gamma Z \tan\varphi)}$$

$$L_a = (H - Z_i)\tan(45° - \varphi/2)$$

由上式计算的锚固长度较小,不能直接采用,为安全计采用值见表 5-11。对主动区计算的筋长,与抗滑稳定验算最危险滑动面至坝前沿的距离相比较,计算的主动区筋长,小于抗滑稳定验算滑裂区的宽度,因此采用两者中的较大者,滑裂区加筋长度都采用 5 m(不包括回裹折回长度)。

5. 筋材的强度验算

(1)校核抗拉强度,按下式计算

$$T = K_a \sigma_v S_v \tag{5-46}$$

式中　σ_v——第 i 坯织物处的垂直压力,$\sigma_v = \gamma_w H_i$;

S_v——织物间距。

按上述织物布置计算各坯织物拉力,详见表 5-10。

表 5-10　　　　各坯织物拉力计算表

织物坯号 i	坝顶下高度 (m)	σ_h (kN/m^2)	拉力 T_i(kN/m)
1	1.5		14.21
2	2.7	47.33	15.19
3	3.5	61.45	13.82
4	4.1	71.93	13.82
5	4.7	82.42	15.78

由表 5-10 看出,各坯织物的拉力均小于容许抗拉强度(20 kN/m),满足要求。

(2)抗拔验算,按下式计算

$$T \leqslant \frac{2\sigma_v \cdot L \cdot f}{F_s} = [V_i] \tag{5-47}$$

按规范规定 $F_s \geqslant 1.3$。

按照实验 $f = \tan\theta = 0.49$,计算结果见表 5-11。

由表 5-11 看出,每坯织物握裹力均大于所受拉力,因此长度满足要求。

6. 外部稳定验算

(1)基底水平滑移验算。

表 5-11　各坯织物拉力和握裹力计算表

织物坯号 i	坝顶下高度 (m)	L_e (m)	σ_h (kN/m^2)	拉力 (kN/m)	$[V_i]$ (kN/m)
1	1.50	2.5		14.21	27.24
2	2.70	2.0	47.33	15.19	30.97
3	3.50	1.5	61.45	13.82	30.09
4	4.10	1.5	71.93	13.82	35.28
5	4.70	1.5	82.42	15.78	40.38

$$F_s = \sum \frac{\text{抗滑力}}{\text{滑动力}} = \frac{(2.5 \times 22.54 + 25 \times 14.7) \times \tan 23.3°}{\frac{1}{2} \times 5 \times 14.7 \times 0.32 \times 5} = 3.1 > 1.3$$

基底抗滑移满足要求(其中:回填土摩擦角为 23.3°,浆砌石容重 $\gamma = 22.54\ kN/m^3$,回填土容重 14.7 kN/m^3,主动土压力系数 $K_a = 0.32$)。

(2)抗深层圆弧滑动稳定验算。当砌石坝不加筋时,采用山东黄河勘测设计研究院提供的 Rfe－stab for 程序计算,原坝的抗滑稳定系数为 1.049＜1.3。从安全系数上看,显然是不能满足要求,但是实际情况已安全运行了几十年,只能解释为在取值和程序设计上有偏于安全的因素存在。用同一程序验算,当土工织物设计承担拉力 13.82～15.78 kN/m时,坝岸安全系数已提高到了 1.097,仍然小于 1.3,从实践经验上讲,坝岸是安全的,能满足要求。

(3)地基承载力验算。因该加筋土砌石坝是老坝拆改工程,基础没有变化,原坝基础在几十年的运行过程没有发现问题,此次不再进行验算。

八、砌石护坡设计

从图 5-30 可以看出,原坝岸根石台顶处断面,设计砌石护坡厚度大都在 2.0 m 左右,加筋后,砌石厚度主要按抗风浪冲刷条件拟定,据下式计算

$$t = 1.2 \frac{\sqrt{1 + m^2}}{m(m + 2)} \cdot \frac{H}{(\gamma_b - 1)} \tag{5-48}$$

式中　t——砌石护坡厚度,m;

m——边坡系数;

γ_b——砌石密度;

H——风浪高度,按 B.A 里英公式计算,$H = 0.37\sqrt{D}$(D 为风浪吹程),实测泺口河道堤距为 1.5 km,为扩大实用范围,取 $D = 3$ m,则浪高 $H = 0.64$ m。

加筋坝砌石护坡的内外边坡均设计为 1∶0.35,将上述数据代入公式,求得 $t = 0.90$ m,则水平宽度为 0.95 m,为安全计,取 1.0 m。

九、观测项目及埋设仪器

为能使加筋后的效果得到验证,本项工程采用对比试验方法,即在 63 号坝坝基内采用加筋织物,相邻 64 号坝坝基只回填土,不埋筋。设计观测项目:土工织物应变、坝岸砌

石挡土墙后的土压力、孔隙水压力和地表沉降,共四项。土工织物应变分两个断面观测,每个断面应变测量分3层,每层布置3~4只土工织物应变仪,拟得到沿长度和深度方向土工织物的应变分布,再由土工织物的应力—应变关系曲线得到应力分布情况。

土压力计的设置,在加筋坝布置两个观测断面各安设5只,计10只土压力计,在不加筋坝段64号坝设置1个观测断面,布置4只土压力计,目的是获取加筋与不加筋砌石坝岸后土压力的大小和分布情况,进行对比分析,以评价加筋效果。

测量土中的孔隙水压力,目的是了解当洪水浸泡坝岸时,分别测试加筋与不加筋试验区的水压力情况,以探索加筋织物是否能造成水平向排水通道这一重要信息。

另设置两组板面沉降标,每组4只,观测两试验坝的沉降情况。

十、工程施工

(一)施工情况概述

泺口险工63号、64号坝的工程长度分别为52 m和36.6 m,拆改前坝顶高程为36.62 m(大沽,下同)。两坝设计拆改深度均为7.5 m。63号坝坝顶以下5.0 m采用加筋土,加筋部分砌石护坡为50号水泥砂浆砌块石,水平宽度为1.0 m;64号坝按黄委会颁布的工程标准拆改,浆砌石平均宽2.0 m左右。两坝共设置观测断面三个,其中63号坝两个,分别为A—A和A′—A′,64号坝观测断面为B—B,断面位置见图5-31。两坝共计完成主要工程量为:旧坝拆除石方1 173 m³,拆除灰土696 m³,使用土工布2 570 m²。安设观测仪器有:土工织物应变仪20支,土压力计14个,孔隙水压计18个,地面沉降标9个。其中63号坝加筋部分完成土方开挖2 430 m³,拆除石方642 m³,砌垒石方337 m³,回填土方2 444 m³。

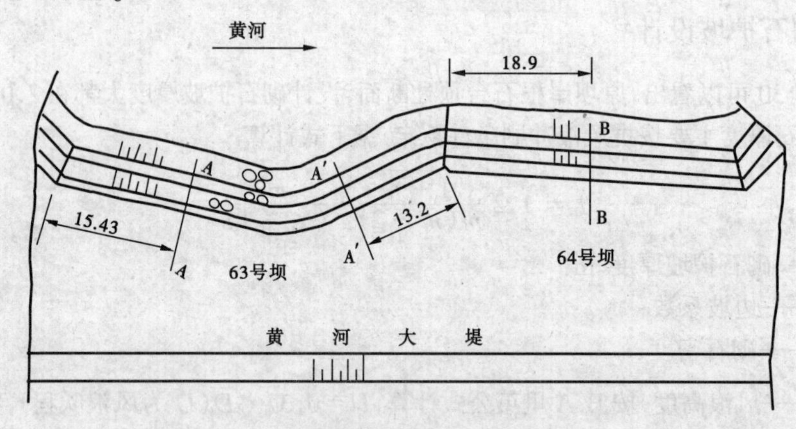

图5-31 土工布加筋坝试验观测断面布置 (单位:m)

63号、64号坝的土石方施工,严格按照《山东黄河碾压式土方工程施工及验收规程》和《山东黄河险工加高改建工程施工管理办法》进行。两坝的旧坝拆除深度均为坝顶以下7.51 m,63号坝加筋部分基槽平均底宽9.5 m,长度54.5 m,底高程为31.62 m。回填土采用拖拉机调土,蛙式打夯机夯实。63号坝石护坡从31.62 m高程改为水泥砂浆砌垒。两坝封顶高程分别为36.69 m和36.62 m。

(二)土工布铺设

土工布加筋共有 5 层,其铺设高程分别为 31.92 m、32.52 m、33.12 m、33.92 m、35.12 m。由于土工布加筋在黄河防洪工程中是首次应用,其施工操作程序和方法需视实际情况,根据加筋机理逐步探索实施,为此,项目组对石护坡、砂垫层、土工布铺设及坝基土回填等各部分工程的施工操作顺序、土工布的锚固方法、如何更好地发挥土工布的作用进行了认真的研究,并作了具体规定。

(1)施工操作顺序。先将砌石护坡砌至土工布铺设高程以上 20 cm,然后铺设土工布,土工布幅间搭接宽 10 cm;土工布铺设完毕,再在石护坡墙后与土工布之间填筑砂垫层;最后进行坝基土的回填,土工布表面第一坯先填压两端,逐渐向中间填压合龙,以利土工布的变形。

(2)土工布的锚固。采用 T 形钢钉将土工布锚固在土坝基上,其间距为 1.0 m,首末两端各一排。先将土工布在临河石护坡墙后一端固定,然后绷紧拉平,再锚固土工布另一端。

(3)为更好发挥土工布的作用,通过施工给土工布形成预应力,特将土工布铺设底面作成波浪型见图 5-32。波浪形状的设计,系根据土工布拉伸试验得出的应力—应变曲线,按土工布基本消除非线性变形影响和保证回填土与土工布之间密实吻合考虑,采用试算的方法,确定波浪的圆弧半径和弦高。经试算确定,采用圆弧半径 48 cm,弦长 0.5 m,圆心夹角 62.78°,圆弧长 52.59 cm,弦高 7.02 cm,其变形量为 4%左右。按此设计实施后,经现场多次开挖查探,回填土与土工布之间吻合良好,达到了预期的效果。

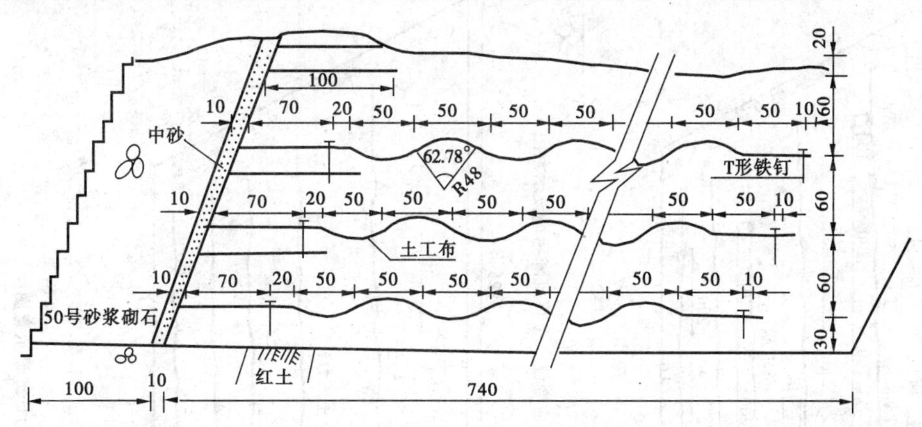

图 5-32　泺口险工 63 号坝土工布施工图　(单位:m)

(三)观测仪器埋设

试验观测的内容包括:土工布应变观测、土压力观测、孔隙水压力观测和沉降观测。观测仪器的埋设见图 5-33。

十一、施工期观测资料的收集与初步分析

1.土工布应变观测

土工布应变观测的最终目的是借以推求土工布内的拉力。土工织物应变观测记录见表 5-12。从现场观测资料分析来看,土工布自加土开始伸长,加土厚至 25 cm 后,应变达

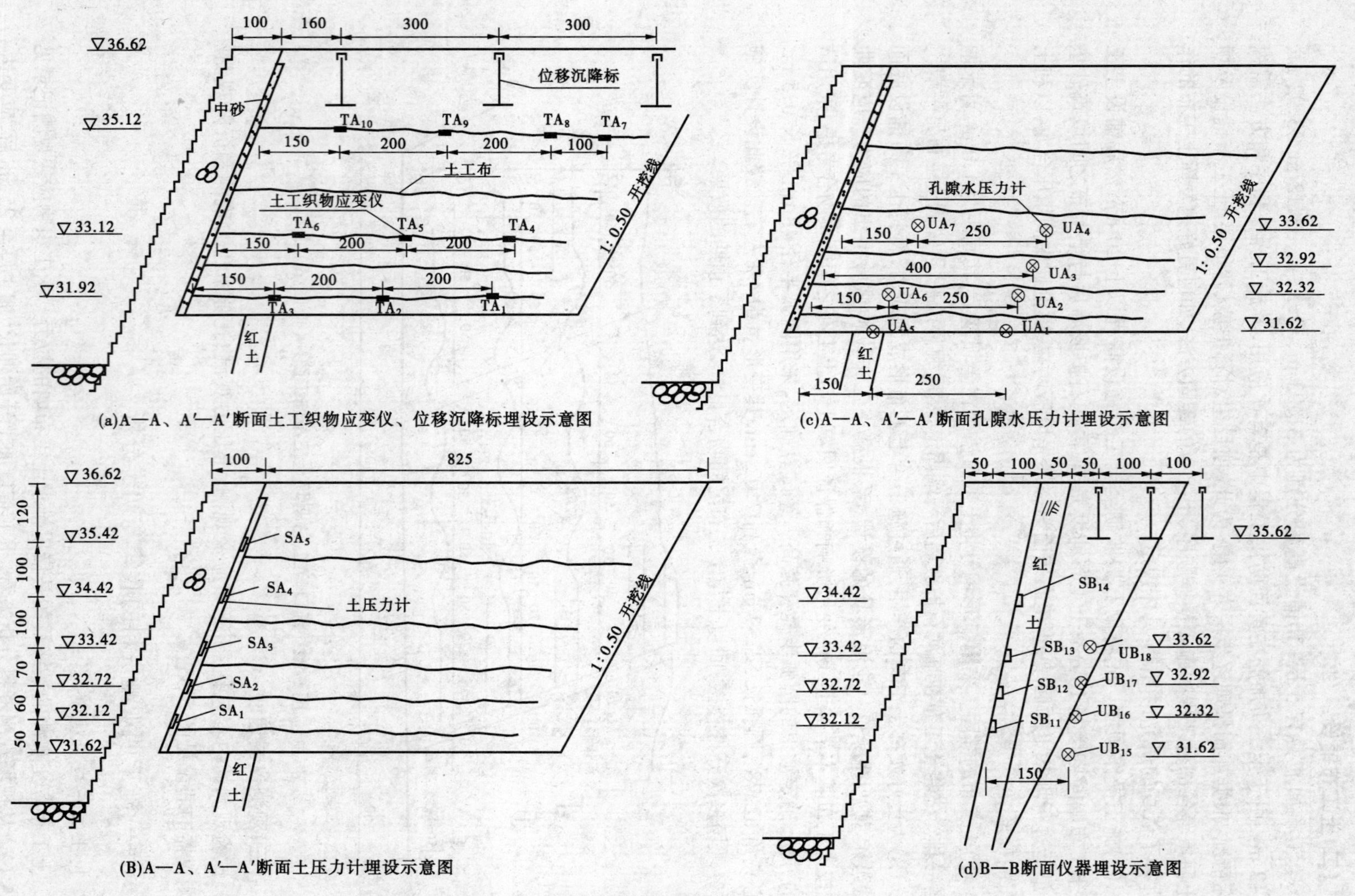

(a)A—A、A′—A′断面土工织物应变仪、位移沉降标埋设示意图

(c)A—A、A′—A′断面孔隙水压力计埋设示意图

(B)A—A、A′—A′断面土压力计埋设示意图

(d)B—B断面仪器埋设示意图

图 5-33 泺口险工加筋试验坝观测仪器布置图 （单位：高程 m，尺寸 cm）

表 5-12　　　　　　　　　　施工期土工织物应变观测记录

观测时间 (年-月-日)	TA_1	TA_2	TA_3	TA_4	TA_5	TA_6	TA_7	TA_8	TA_9	TA_{10}
	基长 19.7	基长 20.2	基长 19.8	基长 19.5	基长 19.9	基长 19.8	基长 19.7	基长 19.6	基长 19.7	基长 19.8
1993-04-10	302	391	427							
1993-04-14	351	511	487							
1993-04-17	352	510	519							
1993-04-22	352	510	518	291	656	403				
1993-04-23	351	510	519	350	752	463				
1993-04-27	351	510	518	349	753	463				
1993-05-05	351	511	518	350	753	462				
1993-05-10	352	511	518	350	754	463	352	529	391	359
1993-05-13	351	512	519	352	755	463	385	607	432	389
1993-05-23	351	512	519	355	753	463	387	613	471	419

观测时间 (年-月-日)	TA_{11}	TA_{12}	TA_{13}	TA_{14}	TA_{15}	TA_{16}	TA_{17}	TA_{18}	TA_{19}	TA_{20}
	基长 19.5	基长 19.6	基长 19.5	基长 19.6	基长 19.6	基长 19.4	基长 19.2	基长 19.5	基长 19.3	基长 19.6
1993-04-11	338	430	394							
1993-04-14	385	542	510							
1993-04-16	384	549	508							
1993-04-17	384	549	507							
1993-04-22	384	549	507							
1993-04-23	384	549	507	331	354	433				
1993-04-24				376	452	543				
1993-04-28	384	549	不稳	377	454	544				
1993-05-05	384	549	不稳	377	454	545				
1993-05-10							468	649	442	445
1993-05-11	384	549	不稳	378	453	546	497	731	542	
1993-05-13	385	549	不稳	378	454	546	498	731	542	
1993-05-23	385	549	不稳	378	454	547	502	733	544	507

到最大值。土工布中间应变量最大，究其原因，一是当土工布上加一定厚度的土后，布和底面土接触，由于摩阻作用土受到拉力不易传递，而中间又具有出现较大变形的条件，因此应变势必较大；二是施工时采用了先两头上土、后中间上土的方法，当两头上土时，会使中间的土工布产生变形，而在中间上土时，由于摩阻作用，不易使两端土工布产生变形。

2.土压力观测

随着填土上升，土压力计的读数增大，土压力相应增加。土压力观测记录见表 5-13。

3.孔隙水压力

施工期间，无大雨，且水位低，孔隙水压力无法取得资料。

表 5-13　　　　　　　　　　　　施工期土压力观测记录

观测时间(年-月-日)	SA_1	SA_2	SA_3	SA_4	SA_5	SA_6	SA_7	SA_8	SA_9
1993-04-14	891					906			
1993-04-17	904					936			
1993-04-23	911					947	868		
1993-04-24			828					940	
1993-04-27	916	871	853	990	831	963	922	947	822
1993-05-05	917	876	865	997		968	926	954	823
1993-05-11	925	879	864	1 015		975	928	952	845
1993-05-13	931	870	861	1 019		917	928	943	850
1993-05-17					826				
1993-05-23	943	875	858	1 039	833	929	938	952	838
观测时间(年-月-日)	SA_{10}	SB_{11}	SB_{12}	SB_{13}	SB_{14}				
1993-04-07	901	999							
1993-04-10	939	1 001							
1993-04-14	956	1 015	852						
1993-04-23	970	1 034	902	1 067	955				
1993-05-05	972	1 037	921	1 137	950				
1993-05-11	966	1 042	922	1 165	1 012				
1993-05-13	946	1 009	888	1 115	957				
1993-05-23	950	1 018	892	1 144	957				

十二、观测资料及加筋效果分析

(一)施工期观测资料分析

1. 土压力

通过对施工期的土压力观测资料进行分析计算,得到在施工期间,砌石体背部所受的土压力随填土的增加而加大。图 5-34 是 A—A 断面 SA_1 土压力计(地面以下 4.5 m,高程 32.12 m)测得砌石体背部所受土压力的变化情况,表明随填土上升,砌石体背部所受土压力增加。

施工结束 A—A 断面土压力分布状况见图 5-35。图中实测土压力分布比不加筋坝岸土压力要小得多,说明土工布已发挥了作用,约束了土体对砌石体的压力。

2. 土工布应变

施工期实测土工布应变资料经计算整理见表 5-14。施工期平均应变值为 4%,最大应变为 5.17%,根据 2000 旦土工布应力—应变关系曲线可查得平均应变值所对应的拉力为 3.0 kN/m,最大应变所对应的最大拉力为 4.5 kN/m。

(二)运行期观测资料分析

工程建成后,在正常运行期共进行了一年零三个月的观测,除孔隙水压力,由于没有发生较大洪水,河水位没有达到孔隙水压计的埋设高程,不能实现观测外,其他项目均得

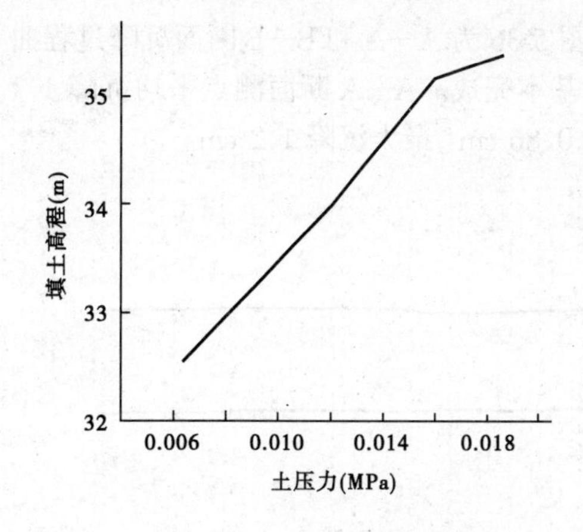

图 5-34　SA_1 土压力计随填土升高的压力变化曲线

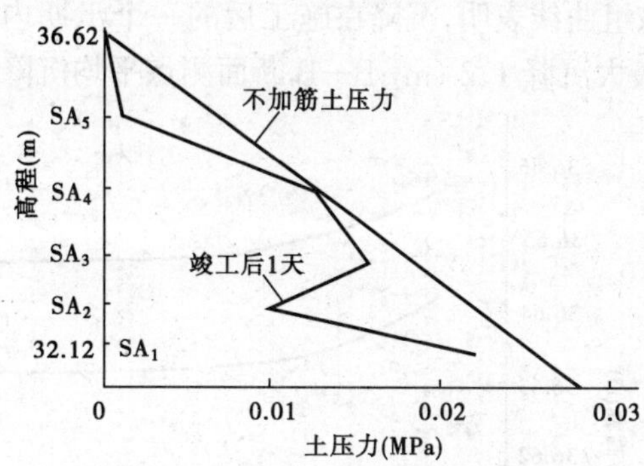

图 5-35　A—A 断面施工结束时土压力分布

表 5-14　施工期土工布应变观测值

断面	传感器编号	基长(cm)	起始读数	施工完后读数	读数增量	施工期伸长(mm)	应　变
A—A	TA_1	197	302	351	49	4.176	0.021 2
	TA_2	202	391	512	121	10.311	0.051 0
	TA_3	198	427	519	92	7.840	0.039 6
	TA_4	195	291	355	64	5.470	0.028 0
	TA_5	199	656	755	99	8.436	0.042 4
	TA_6	198	346	463	117	9.979	0.050 4
	TA_7	197	352	387	35	2.990	0.015 0
	TA_8	196	529	613	84	7.158	0.036 5
	TA_9	197	391	472	81	6.912	0.035 0
	TA_{10}	198	359	418	59	5.030	0.025 0
A′—A′	TA_{11}	195	338	385	47	4.005	0.020 5
	TA_{12}	196	430	549	119	10.141	0.051 7
	TA_{13}	195	394	507	113	9.629	0.049 4
	TA_{14}	196	331	378	47	4.017	0.020 5
	TA_{15}	196	354	454	100	8.546	0.043 6
	TA_{16}	194	433	546	113	9.657	0.049 8
	TA_{17}	192	468	502	34	3.975	0.020 7
	TA_{18}	195	649	731	82	6.988	0.035 8
	TA_{19}	193	442	544	102	8.717	0.045 2
	TA_{20}	196	445	556	111	9.486	0.048 4

到了较好的观测资料。

1. 位移资料分析

(1)填土沉降。填土在施工过程中已经过夯实，因此 A—A 断面和 B—B 断面虽均有沉降,但其量不大,在设计中可不考虑该因素。图 5-36 为 A—A 和 B—B 断面沉降过程曲线,该组曲线表明,沉降在施工后的一个汛期内基本完成。A—A 断面测点平均沉降 1.1 cm,最大沉降 1.2 cm;B—B 断面测点平均沉降 0.86 cm,最大沉降 1.2 cm。

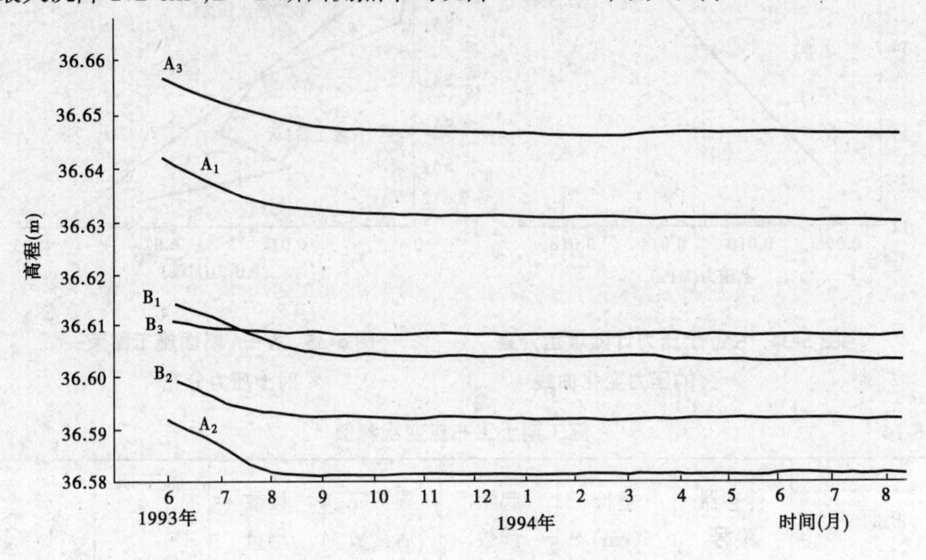

图 5-36 A—A、B—B 断面沉降过程曲线

(2)水平位移。观测的 A—A 断面和 B—B 断面水平位移都较小,基本可忽略。

2.土工布应变资料分析

土工布在施工期已产生了较大的应变,相对来说在运行期间应变就较小,观测数据较多,表 5-15 只给出了相应计算分析期的数据。表 5-16 给出了运行期土工织物应变的分析计算资料。表 5-16 中读数增量为施工完成后到观测结束时的读数增量;伸长量为施工完成后到结束观测时的伸长量,总伸长和总应变为土工布的总伸长和总应变。经统计分析,实测平均总应变为 4.904%,其相对应的平均拉应力为 4 kN/m;最大总应变为 8.19%,对应的拉应力为 11 kN/m。其中运行期平均应变为 0.904%,占总应变的 19.8%。图 5-37 表明了土工布随时间延长,应力增长和沿土工布长度方向应力分布情况,可以看出,土工布距砌石体后 1.5~3.5 m 一段长度内应变量最大,两端应变量较小,其原因已在施工期土工布应变分析中阐明。

3.土压力资料分析

运行期土压力实测资料见表 5-17,经计算整理的资料见表 5-18。从该表中可见,加土工布的填土断面 A—A 和 A′—A′,其砌石所受土压力较小,其中施工结束后为最大,进入运行期后随时间延长逐渐在减小见图 5-38,其原因在于:A—A 和 A′—A′断面由于土工布的存在,制约了填土的水平位移,而对于砌石,由于沉降和水位等因素的影响,略有向临河侧方向位移。可见加筋土挡墙的效果很明显,另外,整个挡墙外部未发现异常现象。对于 B—B 断面,其砌石所受土压力也不大,但运行期土压力在增大。其原因在于:由于 B—B断面为非加筋断面,填土较易出现水平位移,当填土的水平位移超过砌石向临河侧方向的水平位移时,砌石所受土压力就增加。

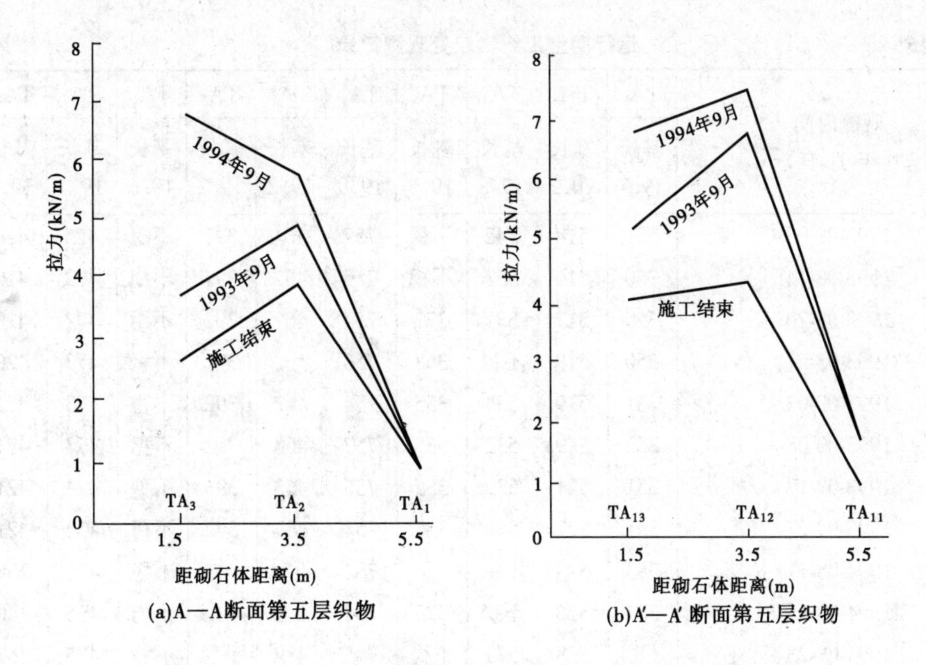

(a)A—A断面第五层织物　　(b)A′—A′断面第五层织物

图 5-37　土工织物随时间延长应力增长及沿长度方向应力分布

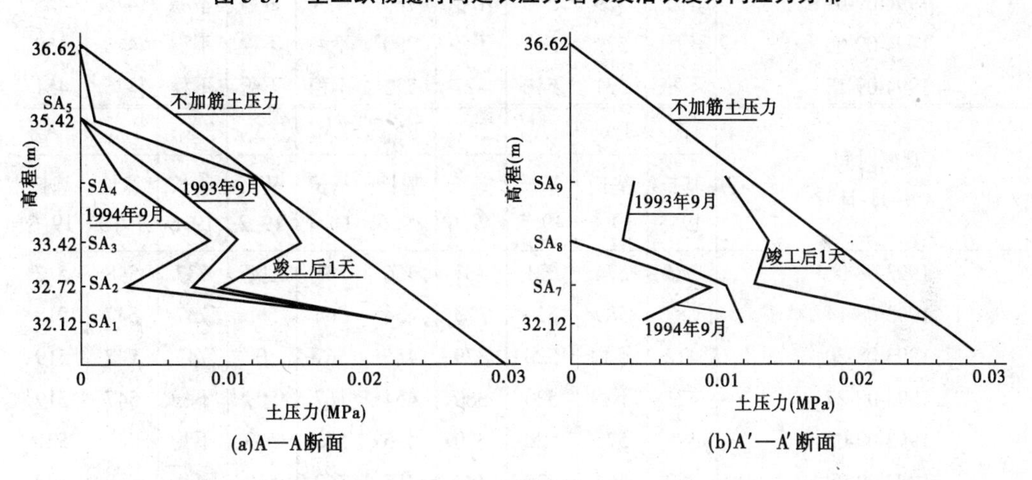

(a)A—A断面　　(b)A′—A′断面

图 5-38　加筋后砌石坝背部土压力分布图

综上所述,由于土工布的存在,在运行期能减少填土对砌石体的土压力。

4.加筋效果分析

从实测土工布受力情况,会使坝岸增加多少安全度呢?我们在假设土工布不同拉力作用下,计算出了加筋坝岸抗滑稳定的安全系数见表 5-19。根据上文分析,得到土工布的平均拉应力为 4 kN/m,则由表 5-19 可知,其安全系数为 1.062,而不考虑土工布的拉力作用时,其安全系数为 1.049,显然,加土工布后,按现土工布已承担的拉力计算,其安全系数增加了 0.013,提高 1.2%,如按设计承担拉力 15 kN/m 计算,其安全系数可提高 4.8%左右。

表 5-15　　　　　　　　　　运行期土工织物应变观测记录

观测时间（年-月-日）	TA$_1$	TA$_2$	TA$_3$	TA$_4$	TA$_5$	TA$_6$	TA$_7$	TA$_8$	TA$_9$	TA$_{10}$
	基长 19.7	基长 20.2	基长 19.8	基长 19.5	基长 19.9	基长 19.8	基长 19.7	基长 19.6	基长 19.7	基长 19.8
1993-08-06	351	517	542	不稳	757	464	391	不稳	475	420
1993-08-14	350	516	553	不稳	755	462	391	不稳	472	420
1993-08-20	350	517	531	372	754	462	392	不稳	472	420
1993-08-27	350	519	不稳	368	756	462	391	不稳	473	420
1993-09-03	351	519	534	355	754	462	392	不稳	473	421
1993-09-08	352	519	532	355	757	463	392	不稳	473	421
1993-09-17	351	521	539	355	756	463	393	不稳	473	421
1993-09-27	351	522	569	356	754	464	392	不稳	472	421
1994-08-11	383	528	不稳	366	782	不稳	412	不稳	476	438
1994-08-13	383	526	不稳	375	784	不稳	不稳	不稳	475	440
1994-08-23	不稳	528	573	不稳	782	489	不稳	不稳	475	451
1994-09-01	不稳	529	546	不稳	783	495	不稳	不稳	476	455
1994-09-06	不稳	529	543	不稳	780	不稳	不稳	不稳	476	450
1994-09-13	不稳	531	542	427	772	不稳	不稳	不稳	476	451

观测时间（年-月-日）	TA$_{11}$	TA$_{12}$	TA$_{13}$	TA$_{14}$	TA$_{15}$	TA$_{16}$	TA$_{17}$	TA$_{18}$	TA$_{19}$	TA$_{20}$
	基长 19.5	基长 19.6	基长 19.5	基长 19.6	基长 19.6	基长 19.4	基长 19.2	基长 19.5	基长 19.3	基长 19.6
1993-08-06	386	574	521	381	456	561	508	737	548	517
1993-08-14	387	589	519	379	454	564	508	737	547	518
1993-08-20	412	不稳	520	379	455	567	508	743	547	519
1993-08-27	471	不稳	520	380	454	567	509	不稳	547	519
1993-09-03	399	575	520	380	455	566	509	不稳	547	521
1993-09-08	389	564	527	380	455	562	510	不稳	548	520
1993-09-17	390	566	532	380	455	565	516	不稳	548	520
1993-09-27	393	561	531	379	455	564	524	不稳	547	517
1994-08-11	402	576	531	380	457	601	502	不稳	549	不稳
1994-08-13	402	579	531	380	457	606	521	不稳	549	不稳
1994-08-23	不稳	581	533	381	458	609	520	不稳	549	不稳
1994-09-01	不稳	582	530	381	457	608	522	不稳	549	不稳
1994-09-06	不稳	582	532	381	458	610	524	不稳	549	不稳
1994-09-13	不稳	582	538	381	458	619	522	748	549	不稳

表 5-16　　运行期土工布应变观测值

断面	传感器编号	基长(m)	最终读数	读数增量	伸长(mm)	应变($\times10^{-3}$)	总伸长(mm)	总应变($\times10^{-3}$)
A—A	TA_1	19.7	383	32	2.726 0	13.842	6.903	3.504
	TA_2	20.2	528	16	1.363 4	6.750	11.674	5.779
	TA_3	19.8	573	54	4.601 0	23.240	12.441	6.283
	TA_4	19.5	374	19	1.624 0	8.327	7.094	3.638
	TA_5	19.9	772	17	1.448 7	7.280	9.885	4.967
	TA_6	19.8	489	26	2.215 6	11.189	12.195	6.159
	TA_7	19.7	412	25	2.130 4	10.814	6.214	3.154
	TA_8	19.6						
	TA_9	19.7	475	3	0.426 1	2.163	9.724	4.936
	TA_{10}	19.8	438	20	1.704 3	8.607	11.096	5.604
A′—A′	TA_{11}	19.5	402	17	1.448 7	7.429	5.454	2.797
	TA_{12}	19.6	582	33	2.820 3	14.389	12.953	6.609
	TA_{13}	19.5	538	31	2.641 7	13.547	12.271	6.293
	TA_{14}	19.6	381	3	0.255 6	1.304	4.273	2.180
	TA_{15}	19.6	457	3	0.255 6	1.304	11.102	5.664
	TA_{16}	19.4	619	73	6.239 0	32.160	15.896	8.194
	TA_{17}	19.2	522	20	1.709 3	8.903	5.684	2.960
	TA_{18}	19.5	743	12	1.025 6	5.260	8.011	4.108
	TA_{19}	19.3	549	5	0.427 3	2.214	9.532	4.939
	TA_{20}	19.6	520	13	1.107 8	5.652	10.594	5.405

表 5-17　　运行期土压力观测记录

观测时间(年-月-日)	SA_1	SA_2	SA_3	SA_4	SA_5	SA_6	SA_7	SA_8	SA_9
1993-08-06	952	877	856	1 024	815	935	944	937	868
1993-08-14	950	875	854	1 021	811	934	945	933	865
1993-08-20	950	876	853	1 021	811	933	944	933	865
1993-08-27	951	875	853	1 022	812	934	944	931	862
1993-09-03	949	874	854	1 021	813	932	943	929	861
1993-09-08	950	875	853	1 022	813	932	943	929	861
1993-09-17	950	874	852	1 024	814	932	943	928	858
1993-09-27	948	871	852	1 025	814	930	940	928	855
1994-08-11	958	859	833	1 015	820	926	937	914	842
1994-08-13	958	860	844	1 016	821	925	937	914	842
1994-08-23	956	859	844	1 015	818	924	937	插头被剪	847
1994-09-01	955	858	849	1 014	817	925	937	插头被剪	847
1994-09-06	954	857	852	1 016	817	924	936	插头被剪	846
1994-09-13	950	855	852	1 014	815	916	935	插头被剪	844

续表 5-17

观测时间（年-月-日）	SA_{10}	SBA_{11}	SB_{12}	SB_{13}	SB_{14}				
1993-08-06	1 011	1 015	870	1 141	963				
1993-08-14	1 016	1 014	867	1 137	964				
1993-08-20	1 020	1 013	867	1 138	964				
1993-08-27	1 025	1 013	867	1 140	964				
1993-09-03	1 029	1 012	867	1 144	964				
1993-09-08	1 032	1 014	865	1 143	964				
1993-09-17	1 037	1 017	864	1 150	964				
1993-09-27	1 044	1 021	862	1 152	964				
1994-08-11	1 139	965	844	1 089	967				
1994-08-13	1 141	965	844	1 087	968				
1994-08-23	1 152	966	844	1 087	968				
1994-09-01	1 162	966	844	1 089	967				
1994-09-06	1 169	966	845	1 088	966				
1994-09-13	1 170	967	845	1 190	966				

表 5-18　　土压力观测资料

断面	序号	埋深(m)	施工后1天		观测期1993年9月			观测期1994年9月		
			读数	压力(MPa)	读数	压力(MPa)	变化	读数	压力(MPa)	变化
A—A	SA_5	1.5	832	0.001 0	824	0.000 4	减少	824	0.000 4	不变
	SA_4	2.2	1 019	0.012 5	1 001	0.006 0	减少	994	0.003 0	减少
	SA_3	3.2	865	0.015 5	856	0.012 0	减少	849	0.009 0	减少
	SA_2	3.9	879	0.009 6	874	0.007 5	减少	859	0.003 0	减少
	SA_1	4.5	950	0.021 0	950	0.021 0	不变	950	0.021 0	不变
A′—A′	SA_9	2.2	852	0.011 0	834	0.004 5	减少	817	0.002 0	减少
	SA_8	3.2	954	0.014 0	929	0.003 5	减少	914	0.002 5	减少
	SA_7	3.9	943	0.013 0	937	0.010 5	减少	935	0.010 0	减少
	SA_6	4.5	958	0.025 0	932	0.012 0	减少	916	0.005 0	减少
B—B	SB_{14}	2.2	960	0.001 0	961	0.002 0	增加	966	0.004 0	增加
	SB_{13}	3.2	1 144	0.030 0	1 152	0.034 0	增加	1 090	0.008 0	减少
	SB_{11}	4.5	1 009	0.004 0	1 021	0.010 0	增加	1 023	0.011 0	增加

表 5-19　　整体稳定性计算结果

土工布拉力(kN/m)	滑弧半径 R(m)	安全系数 F
0.0	25.8	1.049
5.0	25.8	1.065
10.0	25.8	1.080
20.0	25.7	1.111
50.0	25.7	1.143

十三、土工织物加筋砌石坝工程经济效益分析

砌石坝加筋后,不但提高了安全度,而且降低了工程成本,经济效益显著。

1.工程成本计算

为计算方便,取单位工程长度计算工程成本,见表 5-20。因加筋坝岸与不加筋坝岸的施工,不同之处在于加筋,所以工本费的计算也只考虑这部分工程,其他相同之处不再计算。由表 5-20 得知,加筋坝岸由于减小了砌石厚度,每米工程长可节省工程投资 40.51 元,本次改造节约工程投资为 40.51×52=2 106.52(元)。

表 5-20　　单位长度工程成本费计算表

	不加筋			加筋			节省投资(元/m)
	工程量(m^3)	单价(元/m^3)	小计(元)	工程量(m^3)	单价(元/m^3)	小计(元)	
拆除石方	10	2.88	28.8	10	2.88	28.80	
开挖土方	15.75	1.44	22.68	33.75	1.44	47.66	
砌垒石方	9.375	61.99	581.16	5	61.99	309.95	
回填红土	2.5	7.84	19.60				
回填沙壤土	13.25	2.51	33.26	38.125	2.51	95.7	
使用土工织物				42.6 m^2	3.8 元/m^2	161.88	
T形钉				2个	0.5元/个	1.00	
合　计			685.5			644.99	40.51

2.经济效益分析

由表 5-19 可以看出,在加筋坝岸中,当土工织物承担拉力为 5 kN/m 时,坝岸的安全系数可提高 1.5%。在试验坝中,设计土工织物承担拉力为 13.82～15.78 kN/m,仅占织物允许拉力强度的 34%,按每坯织物承担拉力 15 kN/m 计算,坝岸安全系数可提高 4.6%,由计算及表 5-3、表 5-4 知,采用抛护根石提高坝岸的稳定性,单位长度工程抛石 21.83 m^3,坝岸可提高 4.8%左右的安全系数,而抛石投资为 21.83m^3 × 50 元/m^3 = 1 091.5元,此项工程节约的投资为 1 091.5 × 52 = 56 758(元),工程节约的总投资为 2 106.52 + 56 758 = 58 864.52(元)。

参考文献

1 李祚谟,李希宁.土工织物加筋土用于砌石坝岸的探讨.人民黄河,1990,(3)
2 李祚谟,李希宁.险工坝岸应用土工织物新技术提高稳定性的分析.山东水利科技,1992,(1)
3 朱诗鳌.土工织物应用与计算.北京:中国地质大学出版社,1989
4 朱诗鳌.土工合成材料的应用.北京:北京科学技术出版社,1994
5 王正宏.加筋土挡土墙设计方法.河海科技,1989,(1)
6 武汉水利电力学院.土力学及岩石力学.北京:水利出版社,1979
7 钱家欢.土力学.南京:河海大学出版社,1990
8 土工合成材料工程应用手册编委会.土工合成材料工程应用手册.北京:中国建筑出版社,1994
9 水利部.SL/T225—98 水利水电工程土工合成材料应用技术规范.北京:中国水利水电出版社,1998
10 李希宁.土工织物加筋土用于砌石坝岸的观测研究.大坝观测与土工测试,1996,(2)
11 GB50286—98 堤防工程设计规范.北京:中国计划出版社,1998
12 水利部科技教育司,等.水利工程土工织物设计指南.北京:水利电力出版社,1993

第六章　江河堤岸与坝坡防护

第一节　概　述

防护的概念相当广泛。一般而言,凡涉及为了消除或减轻自然现象、环境作用或人类活动等因素造成的危害所采取的各种工程措施,都可以归入防护工程之列。例如防洪、防冻、防污染等。但是,针对水利和一般土建工程来说,防护工程主要是指江、河、湖、海的护岸及护底;水库工程中土石坝的护坡、库岸防护以及市政交通工程中的路基、路堑和天然土坡的防护等。当然,其中也包括大型人工运河及输水渠道的护面衬砌工程,其防护的对象主要是受水流和波浪冲蚀的堤岸和坝坡。渗漏、管涌和散浸则是水流冲蚀的另一种形式。

在水利工程中,堤岸、河床及坝坡防护的传统做法是采用埽枕、柴排、石笼、木桩、抛石以及干砌石、浆砌石、混凝土及钢筋混凝土板和混凝土异形块体等材料或构件组成的顺坝、丁坝、格坝、护底和护坡来实现的。但由于受到复杂的水力条件及河床形态变化的影响,以及设施中普遍缺乏有效的反滤机制,水流刷深河床,带走基土中的细小颗粒,致使堤岸、坝坡继续塌陷的趋势很难遏制。因此,不仅岁修加固任务很重,而且防守被动,出险频繁。

土工合成材料的开发利用,为工程防护开辟了一条新的途径。土工合成材料质轻、高强、耐腐蚀、柔性大、价格低、施工简便、技术性能卓越,与土体相互作用时具有保土、反滤和防漏堵水功能,柔性的土工合成材料能紧贴河床表面,使土与水流之间形成隔离,避免了水流直接冲蚀,吸收水流冲击能量,从而有效地发挥其抗冲刷和防渗漏等多种功能。

1974 年,我国首次在江苏省江都县长江嘶马段用编织型土工织物软体排对坍岸进行整治,并取得了成功。20 世纪 70 年代以后,土工织物软体排、土工模袋、充灌泥沙的土工织物管袋、绳索混凝土连锁板块沉排和使用土工格栅等材料做成的新型石笼等新结构、新技术的成功使用,标志着土工合成材料在江河整治、海堤防护及土石坝护坡等方面的应用日趋成熟和普及。

为了有别于传统的防护工程结构,对于以土工合成材料或以土工合成材料为主体构成的防护工程,称之为土工合成材料防护工程。按照所用材料的品种和构造特点,常用的以土工合成材料制成的防冲蚀构件(或制品)有以下几种:

(1)土袋。通常采用编织型土工织物缝成的袋体,内填土料,类似于草包,可用作压载、堵塞洞穴、填补涡坑和塌陷。

(2)土枕。亦称土工管袋、长土袋,直径一般为 0.4～1.0 m,长度可按工程要求而定,枕内充填土(砂)料,既可作长条压重,亦可作为堤坝迎水面防护结构的组成部分。

(3)石笼。用土工格栅、土工网或土工带等土工合成材料替代传统的铅丝、钢筋或植物枝条等材料制成的网格或笼状体,内装块石或卵砾石,用于河岸、河底防冲,其特点是自身重量大，水下不锈蚀，耐久性好。

(4)软体排。以单层或双层土工织物制成的平面尺寸较大的排体，用以替代传统的柴排，排体与混凝土板块及块石压重组成的沉排，主要用于堤岸护脚和护底防冲，也可用于护坡和防洪抢险。为了抢险堵漏，也可以制成面积较大的土工膜软体排。

(5)土工模袋。

(6)土工格室。

(7)三维土工网。这是一种以热塑性丝网制成的膨松三维制品，覆盖于坡面，在草籽未长成草毯之前可有效地防止水流冲刷，保护草籽流失，可用作天然或人工土坡和土坝下游护坡。

第二节　河道工程与传统坝岸出险原因

一、基本情况

河道工程主要是指大堤、坝岸等。坝岸是丁坝、垛和护岸工程的总称。坝岸的作用是防止河道水流对大堤直接冲刷，并兼顾防止波浪冲淘。修建在滩地前沿的控导工程，保护滩地免受冲刷，控导水流，形成较稳定的中水河槽。我国江河用坝岸抗御水流冲刷历史悠久，据史书记载，黄河下游修筑堤坝已有 4 000 多年的历史，春秋时黄河下游已有堤防修筑。随着堤防的修建，防护堤防的护岸工程也应运而生。据《汉书·沟洫志》记载，西汉成帝时(公元前 32～前 6 年)，黄河下游“从河内北至黎阳为石堤，激使东抵东郡平刚……”《水经·河水注》载，东汉永初七年(公元 113 年)，在黄河荥口石门以东修筑八激堤，“积石八所，皆如小山，以捍冲波”。到宋代就广泛用秸料埽护岸；明清时期，埽工继续发展完善，用于护岸、丁坝，进而有在埽前抛石护坦防冲的做法，使其坚固，今日之滩面丁坝基本沿用此法。在明清时期，有因石料昂贵，而用专门烧制的砖串联起来抛护丁坝根基的，在今原阳堤坝的老坝基上还可见到。民国时期，还多为埽工丁坝、护岸，极少数为抛石护岸。新中国成立初期，依照“宽河固堤”的方针，在黄河下游堤防靠溜段修建坝岸险工，并将原埽工坝岸改为石工坝岸。对根基较深、稳定性较好的坝岸逐步将散抛石改为丁扣石或浆砌石。

防御水流对大堤冲刷，修建坝岸进行防护是行之有效的手段。从工程平面形态上可以划分为三种类型：①平顺护岸，用抗冲材料直接覆盖在河岸或堤坡上，以御水流冲刷；②丁坝或垛防护，在平面上与堤线或岸线构成丁字型的坝，具有防御水流冲刷堤身或滩岸，改变水流方向，控导河势的作用；③平顺护岸和丁坝相结合的形式，称为守点固线型工程。防护工程一般修建在大堤或河岸经常受水流冲刷、坍塌、容易贴溜出险的堤段。防护工程是河道治理工程的一部分，一般以防洪保安全为主，兼顾保滩、引水、航运，以改善河流边界条件与水流流态。

江河堤岸及坝、垛的断面，一般以枯水位为界限，枯水位以上为护坡工程，以下为护脚工程。护脚工程要求其材料抗冲耐磨、适应于河床变形，易于恢复与补充，便于水下施工等。传统的工程型式有抛石、抛柳石枕、抛石笼及沉排等。而护坡工程的传统结构型式有砌石护坡、扣石护坡、乱抛石护坡、混凝土预制板护坡等。例如，黄河上的坝岸护坡一般采用散抛石或干砌石、护根采用散抛块石或用柳石枕、铅丝笼等。由于传统结构具有施工机具简单、工艺要求不高、新修坝岸初始投资少、基础松散结构能较好适应河床变形、出险后易修复等特点，故现仍被大量采用。

二、传统坝岸的出险原因

传统坝岸通常采用土坝基外围裹护防冲材料的形式，坝基一般用沙壤土填筑，有条件的再用粘土修保护层。由于施工时机和施工条件不同，使得坝岸的基础、护脚深度不同。在坝岸防护工程中，平顺护岸出险相对较少，由于丁坝挑溜，受到水流的集中冲刷，出险较多。坝岸出险的原因有多种因素造成，如丁坝平面布置不当、施工质量不好、管理观测不到位等(黄河下游丁坝出险因果分析见图 6-1)，但丁坝附近的流态、坝前冲刷坑的形成、护脚断面不足和走失是丁坝出险的重要原因。

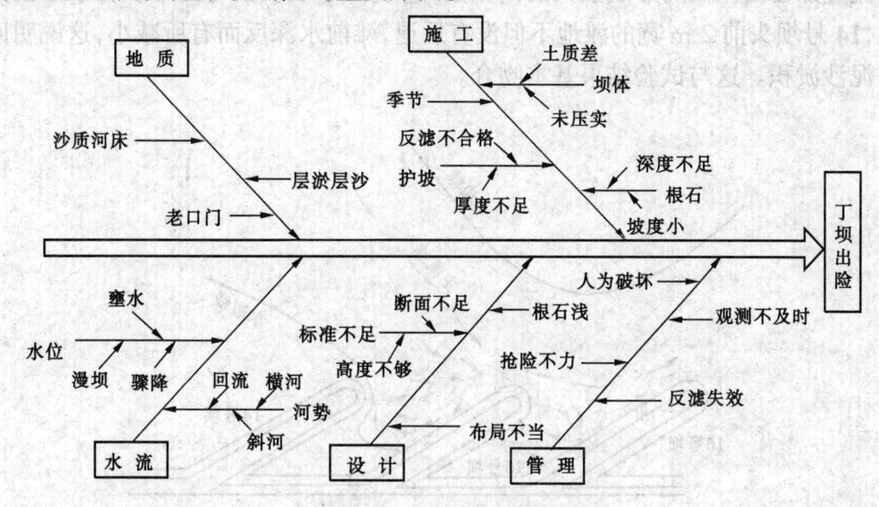

图 6-1 丁坝出险因果分析图

(一)丁坝附近的流态

当水流作用于水坝，由于受到丁坝的反作用，水流流态将发生变化，即丁坝影响流场，这种影响越靠近坝体附近越大。野外观测和室内试验研究表明：在修建丁坝后，其流场及压力场都发生变化，丁坝上游水流受阻，动能减小，水位抬高，水流在丁坝前分成三部分，一部分绕坝头向下游流去，第二部分沿丁坝迎水面形成一立轴回流区，而后再绕丁坝坝头下行，还有一部分沿坝面由上而下经床面后再绕坝头下行，即折冲水流，绕过坝头的水流扩散时与坝后静水间的流速梯度产生的剪切力导致了坝后立轴回流区的形成。试验还观测到，在坝头附近及以下很长流段内，主流区存在表流与底流方向相偏离的现象。见图 6-2。

图 6-3 为河南武陟老田庵控导工程 1993 年 4 月 26 日出险时的流态。当时黄河流量约 800 m^3/s，15 号坝前过流宽度不足 100 m，水流在 15 号坝处受阻，水位抬高，在 15 号坝迎水面形成回流区，致使迎水面受回流淘刷，坝身土体流失，坦石失去支撑而坍塌出险；绕过 15 号坝上跨角及前头的高速水流造成该处铅丝笼和坦石坍塌出险；而直冲 16 号坝迎

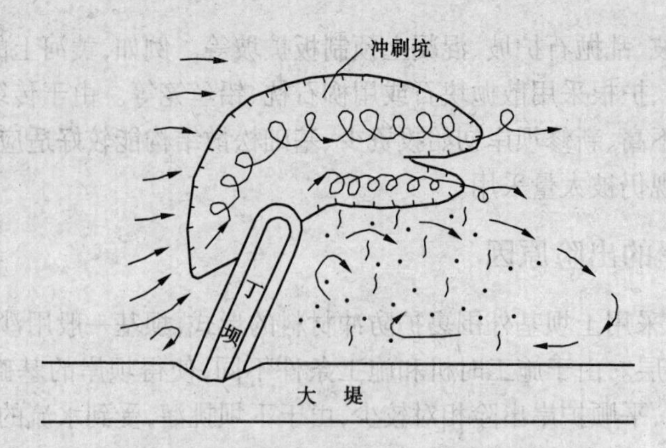

图 6-2　丁坝附近流态及冲坑形态示意图

水面后所形成的折冲水流淘刷使迎水面出险；受16号坝迎水面顶托所形成的回流与15号坝后回流叠加在两坝裆间形成强大的回流区，造成16号坝坝根与15号坝背水面出险。尽管如此，14 号坝头前 2 m 宽的滩地不但没有后退，滩前水深反而有所减小，这说明回流区外缘有泥沙淤积。这与试验结果基本吻合。

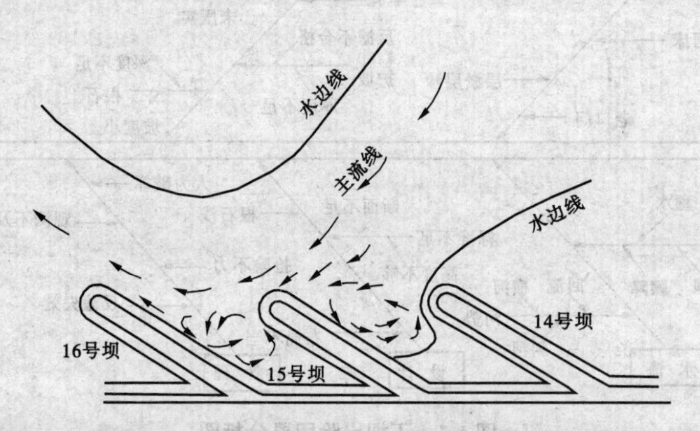

图 6-3　老田庵控导工程 15 号坝出险河势及流态

(二)坝前冲刷坑的形成

坝前冲刷坑的形成，与坝岸坐落处的河床组成物有关。如果河床为堆积性河床，床沙为粉细沙，抗冲性差，在大溜顶冲丁坝时，坝前将形成较深的冲刷坑，护脚石(根石)蛰动位移必会危及坝身安全。而粘性土组成的河床其抗冲蚀能力远大于沙性河床。而有些河床由于淤积条件不同，存在着沙层和粘土层交替出现的现象，在水流冲刷初期，如遇到粘土夹层，则冲刷坑发展缓慢，但随着粘土夹层的冲蚀，露出部分粉细沙层，由于其抗冲性差，在水流的作用下迅速流失，粘土层底部被淘空，当悬空的粘土层不能承受上部压力时，会突然断裂，造成“猛墩猛蛰”的突发险情。同时，粘土软弱夹层的存在，也可使坝体沿层面滑动，造成坝体裂缝或滑坍落入水中。黄河上有些丁坝坐落在老口门上，下部存在大量的堵口秸料，秸料腐烂后形成一松软层，随着坝前冲坑加深，坝体自重增大，松软层结构破坏，极易导致坝体蛰动而出险。

关于冲刷坑的形态及分布，目前，黄河下游广为采用的挑流丁坝坝前局部冲刷坑最大水深的计算公式为

$$h_{\mathrm{p}} = h_0 + \frac{2.2v^2}{\sqrt{1 + m^2}}\sin^2\alpha \tag{6-1}$$

式中 h_{p}——冲刷坑水深,m;

h_0——行进水流水深,m;

v——行进水流的垂线平均流速,m/s;

α——来流方向与丁坝的夹角,(°);

m——护脚石边坡系数。

上式指出,丁坝坝前局部冲刷坑深度与$\sqrt{1+m^2}$成反比,说明护脚石边坡系数越大,冲刷坑深度越小。这主要是由于边坡系数越大,即丁坝坝坡越缓,折冲水流流程加大,水流能量损失增大,且垂直向下指向床面的分力减小,水流对河床的冲刷能力减弱,冲刷坑深度明显减小,且最大水深所在位置远离坝头,有利于丁坝的稳定,故丁坝出险几率较小。但是边坡系数过缓,丁坝断面大,丁坝的水中进占修做及出险抢护按现有传统施工方法很难满足要求。

冲刷坑的存在与发展是丁坝出险的一个重要原因。当冲刷坑形成时,丁坝坝高相对增加,自重增大,稳定性明显减弱,特别是当冲刷坑逼近坝根时,会造成丁坝原有坡脚破坏,导致护脚石及坦石失稳滑塌落入坑内,形成险情。在水流强度较弱时,坝前冲刷坑的发展比较缓慢,丁坝险情较轻,这时如上部抢险料物跟进及时,丁坝基础会迅速得到加固,险情不会扩大,故出险是丁坝自身调整的过程,正常抢险是丁坝基础加深施工的一种形式,也是丁坝修建的延续。但是,由于这种丁坝基础的抢险加固是被动的,视上游来流和发现险情的及时程度而定,因而往往由于冲刷坑发展过快,险情发现较迟或抢险料物抛入不及时,造成坝身土胎外露,土体迅速被水流带走,险情恶化,轻者,增大抢险费用;重者,因抢护不及而"跑坝"。图6-4为黄河下游双井控导工程32号坝出险前后断面图。

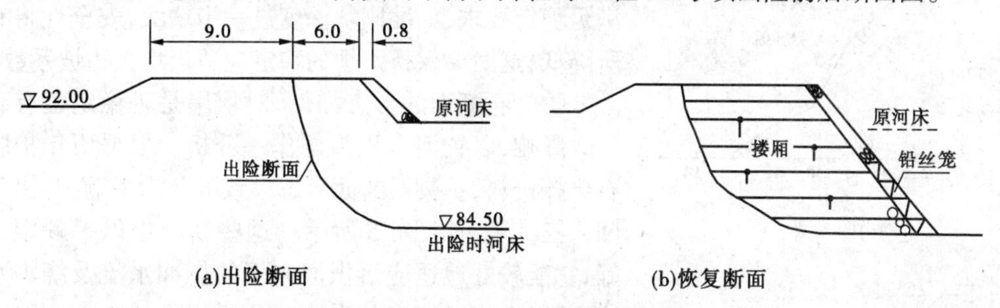

图6-4 双井控导工程32号坝出险前、后断面图 (单位:m)

双井控导工程32号坝为1987年4月旱地修建,1988年8月靠河,由于坝前冲刷,冲刷坑形成后不断发展加深加大,坦石下蛰,险情迅速扩大,出险长度超过50 m,坝基局部塌宽达6 m,抢险历时5昼夜,动用670人,石方3 917 m^3,柳料116万kg,铅丝3.5 t,费用达32.73万元。

三、护脚石断面不足

护脚石,在黄河上也叫根石。丁坝的稳定主要取决于护脚石与其上部的土石压力是否相适应。当护脚石上部土石压力一定时,稳定性主要取决于护脚石的厚度、深度和坡度,其中以深度和坡度对丁坝稳定性的影响最大,而护脚石的坡度受制于其深度。当冲向丁坝某一部位的水流强度大于丁坝该部位曾受过的最大水流强度时,原来相对稳定的护脚石坡度随坝前局部冲刷坑的形成和发展以及护脚石的走失而变陡,丁坝稳定性降低,随时可能出险。因此,只有当丁坝受过较强水流的冲刷,护脚石达到一定深度后,护脚石坡度才能保持相对稳定,丁坝出险几率才会相应减小。目前,黄河下游实测丁坝最深根基为建于清乾隆九年(公元 1745 年)的花园口险工将军坝,其护脚石深度为 23.5 m。1993 年对黄河下游陶城铺以上河段部分坝护脚石深度进行了施测,其中护脚石深度小于 7 m 的占总数的 44.4%,这类丁坝一般没有靠过大溜,基础差,易出险;护脚石深度在 7～10 m 的丁坝占 38.8%,这些丁坝有一定的根基,但没有得到有效的加固,在较大水流强度作用下冲刷坑还会发展,丁坝仍会出险;护脚石深度在 15 m 以上的仅占 1.5%,这部分丁坝基础相对较好,在正常水流强度作用下不易出险,但这类丁坝仍存在护脚石走失现象,需视靠溜情况及时加固。

黄河由于其自身的特点,加之受投资水平和传统施工方法等限制,丁坝护脚石坡度主要靠水流淘刷、块石自然滚动下落而形成,因此一般较陡。目前,黄河下游丁坝护脚石坡度,下段好于上段,河南段一般为 1:(0.98～1.3),而山东段一般为 1:(1.11～1.50),平均约为 1:(1.10～1.30)。根据黄河下游险工丁坝稳定分析计算结果,当丁坝护脚石深度 15 m,坡度为 1:1.50时,丁坝是比较稳定的。控导工程的丁坝,由于其上部土石压力较小,边坡系数大于 1.30 时即可基本满足稳定要求;如冲刷坑深度进一步增大,安全性将有所降低,这时要保持丁坝的稳定应适当增大边坡系数。

护脚石断面的形态如何,对坝岸是否稳定也有直接的影响,以黄河工程为例作一分析。根据历年护脚石锥探资料,护脚石断面形态大致可分为平顺、凸出和凹入三大类,如图 6-5 所示。这些断面中以平顺型最好,它能较好地适应沿坝面向下的折冲水流及绕坝水流,减轻水流对河底的淘刷。凸凹不平的断面会造成水流紊动翻花,促使河底淘深,影响断面稳定。

在多种护脚石断面中,以中凹型为最多,且呈“下缓、中陡、上不变”的分布规律,如图 6-6。主要原因是上部一般高于枯水位,通常按设计标准整理维护,即使遇到较大险情,抢险后仍能及时修补。而护脚石中间陡主要有两方面的原因:一是中部流速最大,块石容易起动走失,在水流的自然筛选作用下,边坡上剩下的护脚石相互啮合较好,抗滑稳定和防冲起动性都较自然

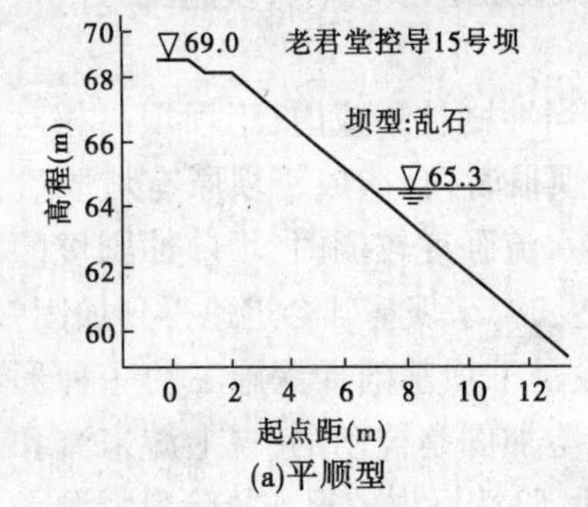

(a)平顺型

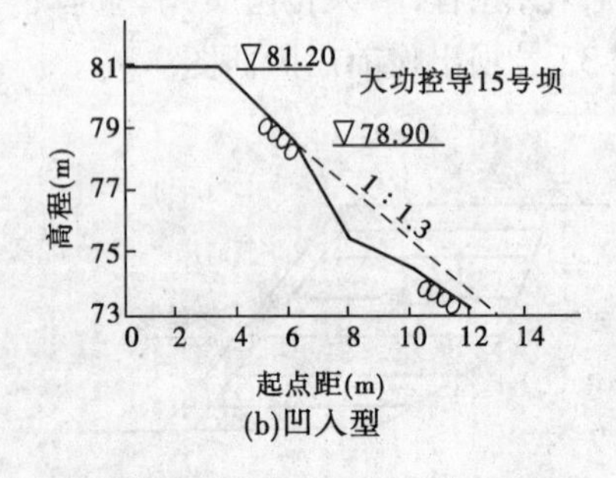

(b)凹入型

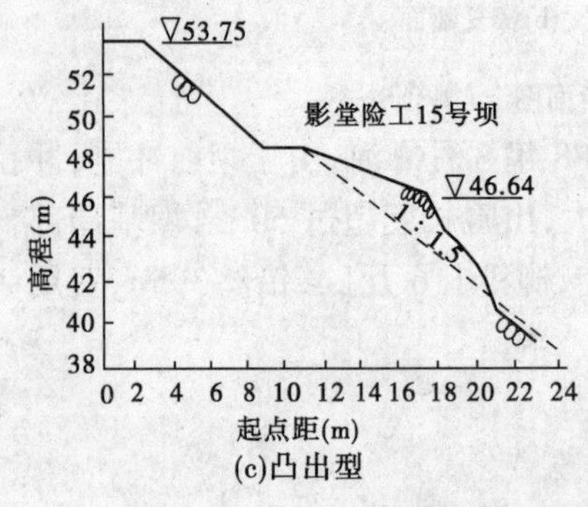

(c)凸出型

图 6-5 护脚石断面形态

堆放情况下的块石明显增大,因此容易形成陡坡。二是抢险及对护脚石加固的块石无法抛到护脚石底部,大多数堆积在边坡中上部,使中间陡坡相对较陡,(如图 **6-5**(c)),这种情况在险工坝段尤为突出。处于护脚石最下部的块石,有两部分组成:一部分是冲刷坑发展到一定程度,丁坝护脚石局部失稳滑入坑中,另一部分是因折冲水流冲刷使块石起动,运动至护脚石底部,其中以第一部分占绝大多数。下部的护脚石主要起抗滑稳定作用,故坡度较缓。形成丁坝特殊断面的主要原因在于丁坝水中进占修做及抢险过程,采用搂厢、柳石枕或铅丝笼等结构,这种结构体积大,且不易排列,容易形成各种不规则的断面。

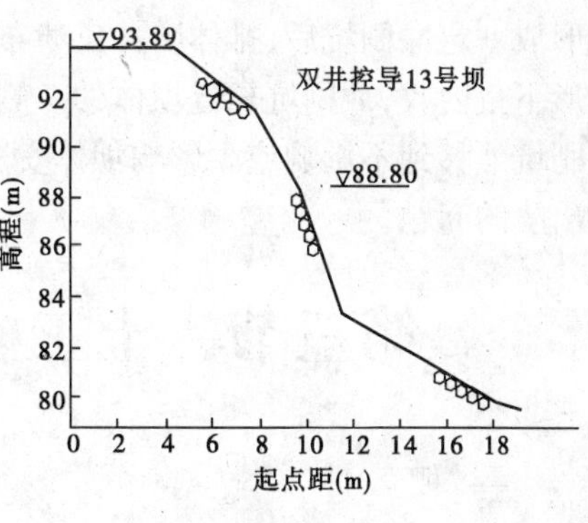

图 6-6　根石典型断面

试验及原形观测均表明,丁坝护脚石在水流的冲击作用下有两种运动形式,一是随着冲刷的逐步发展,大量块石失稳向坑底塌落;二是水流的挟带力引起部分块石向下游或坑底滚动。我们把护脚石的这两种运动形式统称为护脚石位移,即护脚石走失,它是丁坝出险的重要原因之一。据统计,1973～1986 年 14 年间,山东黄河丁坝出险 10 670 坝次,抢险用石 104 万 m^3,其中 8 100 多坝次险情与护脚石走失有关,约占 80%。

针对护脚石走失现象,黄河管理部门曾进行了大量的调查和研究工作,黄河水利科学研究院张红武等通过模型试验对丁坝护脚石走失现象专门进行了研究,并得出基本一致的结论:

(1)汛期护脚石走失量大。这主要是由于汛期中水持续时间长,工程靠溜机遇大,特别是位于弯道顶部的丁坝,长期受水流冲刷,护脚石容易走失。

(2)受大溜顶冲的丁坝护脚石容易走失。

(3)丁坝迎水面至坝前头的护脚石容易走失,而背水面的护脚石走失量较小。

关于护脚石走失的去向,研究结果主要有三:一是在折冲水流的作用下沿坝面向冲刷坑底滚动,这部分块石一般块体较大,使丁坝根基加深加厚,下部坡度变缓,有利于丁坝稳定;二是沿丁坝挑流方向顺流而下,这部分块石一般块体较小;三是沿回流所刷深槽分布,且在走失量和体积上沿程递减。

四、护底沉排的作用

护底沉排是在丁坝坦坡前沿河床底部铺设一定长度和宽度的防冲反滤排体,保护坝址附近河床不受水流直接冲刷,达到减少丁坝出险的目的。它的主要作用有以下几个方面:

(1)抗冲。护底沉排按预定最终形成的冲刷断面设计,排体沿河床外伸一定宽度,大大提高了沙质河床的抗冲性。同时,延长了水流行程,减小了水流对坝基部分的冲刷强度。

(2)护底排体底部铺设防冲反滤布,排体压载依靠纵横向连接成为整体,不会因冲刷散失,从而对排体下部河床形成较稳定的封闭层,使靠近坝体的床沙得到保护,免遭水流淘刷。

(3)使冲刷坑外移。由于排体下部的河床得到保护,首先使排体外沿的床沙被冲蚀,形成一定冲刷坑后，排体防冲反滤布前端在上部排体压载的作用下，紧贴床面并随河床变形下蛰内收，冲刷坑靠近坝体的一侧得到保护，限制了冲刷向坝基发展，起到了把坝前冲刷坑外移到不影响或少影响坝体安全的外围区域，从而解决了丁坝因河床变形基础下蛰出险的问题。

第三节　土工模袋护坡护底设计与施工

一、概　述

土工模袋是一种以特制的双层合成纤维织物作模袋，在其内充填流动性混凝土或水泥砂浆的新型板状高强度抗侵蚀护面。模袋系用锦纶、涤纶、维纶及丙纶原料制成，具有较高的抗拉强度以及耐酸、耐碱、抗腐蚀等优点。

早在1966年，美国首先将模袋应用于水利工程，简称ABM。其后日本、法国、西德、比利时等国相继采用，日本采用此种方式施工的工程较多。世界上各国大多用于土坝、水闸、河岸、渠道、公路、航道、港湾、池塘等处的护岸护坡与护底工程。

土工模袋的基本型式见本书第二章第二节，可根据工程需要加以选择。

模袋混凝土护坡宜在稳定的堤坝坡上修建。护面只起防冲作用，不以承受土压力为主。机织模袋护坡的最大坡度为1:1，较佳坡度为1:1.5。在水中施工的允许流速应小于1.5 m/s，但在黄河上施工的实践也有大于此流速的情况，充填水泥细砾混凝土，采用专门的混凝土泵车灌填。下面结合黄河高青北杜和垦利十八户控导工程，具体介绍土工模袋的设计与施工。

二、铰链块型土工模袋沉排排体设计

铰链块型（RB型）土工模袋的特点是模袋灌注混凝土后，能够形成许多相联而独立的块体，排水通畅，块与块之间以高强尼龙绳连接，能够自由沉降，适应地形的变化。沉排设计内容主要包括结构形式的选择和稳定性校核等。铰链式土工模袋沉排排体是由反滤布、压载、模袋布、铰链绳等部分组成的。

（一）反滤布

反滤布既要满足保土性、透水性和防堵性，又要有一定的强度。一般底层采用斜刺型土工织物反滤、保土，上层采用编织型土工织物承载，可降低施工难度和工程造价。

反滤布的保土性和透水性应符合本书第二章第二节的各项要求。

（二）沉排压载

沉排的压载量大小主要用来确定土工模袋的厚度，模袋重应能满足抗浮稳定性和抵抗水体水平冻胀力将其沿坡面推动（护底沉排不考虑此项）。

（1）抗漂浮所需模袋厚度可按下式估算

$$\delta \geqslant 0.07cH_w\sqrt[3]{\frac{L_w}{L_r}}\cdot\frac{\gamma_w}{\gamma_c-\gamma_w}\cdot\frac{\sqrt{1+m^2}}{m} \tag{6-4}$$

式中　c——面板系数，大块混凝土护坡 $c=1$，护面上有滤水点 $c=1.5$；

H_w、L_w——波浪高度与长度,m;

L_r——垂直于水边线的湖面长度,m;

m——坡角 α 的余切;

γ_c——砂浆或混凝土的有效容重,kN/m³;

γ_w——水容重,kN/m³。

其中:波浪高 $H_w = 0.37\sqrt{D}$,D 为吹程,km;若取洪水时河宽 3 km,则 $H_w = 0.64$ m;$H_w / L_w = 1/10$,则 $L_w = 6.4$ m;L_r 一般为 16~20 m,取 18 m;$\gamma_c = 21.56$ kN/m³。按式(6-4)计算出模袋混凝土块体平均厚度为 0.18 m。

(2)模袋重应能抵抗水体水平冻胀力将其沿坡面推动。如果忽略护面材料的抗拉强度,厚度可按下式估算

$$\delta \geqslant \frac{\dfrac{P_i\delta_i}{\sqrt{1+m^2}}(F_s m - f_{cs}) - H_i C_{cs}\sqrt{1+m^2}}{\gamma_c H_i(1+mf_{cs})} \tag{6-5}$$

式中 δ——所需厚度,m;

δ_i——冰层厚度,m;

P_i——设计水平冰推力,有资料建议初设取 150 kN/m²;

H_i——冰层以上护面垂直高度,m;

C_{cs}——护面与坡面间粘着力,150 kN/m²;

f_{cs}——护面与坡面间摩擦系数;

F_s——安全系数,一般可取 3。

其中:黄河下游的结冰厚度一般年份为 0.1~0.15 m,最大年份可达 0.3~0.4 m;冰层以上护面垂直高度一般为 3~4 m;护面与坡面间摩擦系数,根据试验和经验可取 0.5。将以上数据代入式 6-5 计算得 $\delta < 0$,这表明土体本身能够承受冰推力的作用。模袋厚度按抗漂浮所需厚度确定。考虑到黄河水流含沙量高、流态复杂、冲刷力强等因素,取模袋厚度为 0.25 m。

(三)模袋布

要求缝制模袋的土工织物要保证混凝土砂浆中的水分能迅速排除,但细骨料不能穿过,水泥颗粒流失较少。

1.模袋尺寸

模袋尺寸是指一次连续充填计算的模袋布的最小尺寸,即每块模袋的加工尺寸。它主要取决于模袋的收缩率、缝制模袋的布幅、施工场地和施工能力。按规范(SL/T225—98)要求,单块排体宽度一般不少于 10 m。

2.灌浆通道

每个块体纵向布设 4 条灌浆通道,分别与前、后排块体相连,通道在河床变形时能及时断裂,保证排体随河床变形下沉。

3.灌注孔

每个单元排体上布设若干个混凝土灌注孔。灌注孔的布设需考虑混凝土的泵送距

离，一般每个灌注孔应控制 4 m^2 的充填面积。灌注孔由厂家按模袋布特性设计加工并直接缝制在模袋布上层。

(四)排体长度计算

为保证护岸底部河床达到极限冲刷状态时，排体仍能维持稳定，按最大冲刷坑深度计算排体总长度，护底沉排长度 B 的计算公式为

$$B = B_0 + \sqrt{1 + m^2}(h_m - h_1) \tag{6-6}$$

式中 B_0——排体锚固长度，取 4 m；

m——冲刷坑稳定边坡系数；

h_m——最终冲刷坑深度，m；

h_1——排体底部距造床流量相应水位的水深，m。

当坝前行进水深取 3.0 m，行进流速取 3 m/s，护脚石边坡系数 m 取 1.5，则当来溜与坝轴线(护岸线)的夹角变化时，相应冲刷深度用式(6-1)计算，结果见表 6-1。

表 6-1　　冲刷深度计算结果

α(°)	30	40	50	60	70
h_m(m)	8.5	11.1	12.4	13.5	14.3

考虑到施工所处地点，水流比较平顺，多年靠河较为稳定，故最终冲刷深度取用水面以下 9 m。当沉排最终稳定坡度取 1∶2，则根据式(6-6)计算，护底沉排长度为 17.42 m。黄河不确定因素较多，为安全考虑，取 20 m。

(五)铰链绳

每个块体内沿水流方向布设一根 ϕ8 mm 的铰链绳，沿垂直于水流方向布设 2 根 ϕ10 mm 的铰链绳，如图 6-7 所示。铰链绳的好坏直接关系到沉排能否安全运行，因此在选择铰链绳时，需考虑块体水下脉动、悬挂和排体滑动等不利因素。斜坡上模袋混凝土单位排宽的下滑力用式(6-7)表示，见图 6-8。

$$T_n = W_2 \sin\theta = wL_2 \sin\theta \tag{6-7}$$

坡面抗滑力

$$S_n = N_2 \mu_2 = wL_2 \mu_2 \cos\theta \tag{6-8}$$

式中 T_n——滑动力；

S_n——抗滑力；

L_2——坡面上排体长度；

W_2——坡面排体总重量；

w——排体单位长度水下的平均重量；

μ_2——摩擦系数，取排体与反滤布及反滤布与自然土之间摩擦系数的小值。

按黄河水利科学研究院土工所试验结果，高青和垦利黄河段沉排各材料之间的摩擦角见表 6-2。

如果 $S_n - T_n \geqslant 0$，则排体不会滑动。考虑冲刷坑局部形态的特异性，并可能存在粘

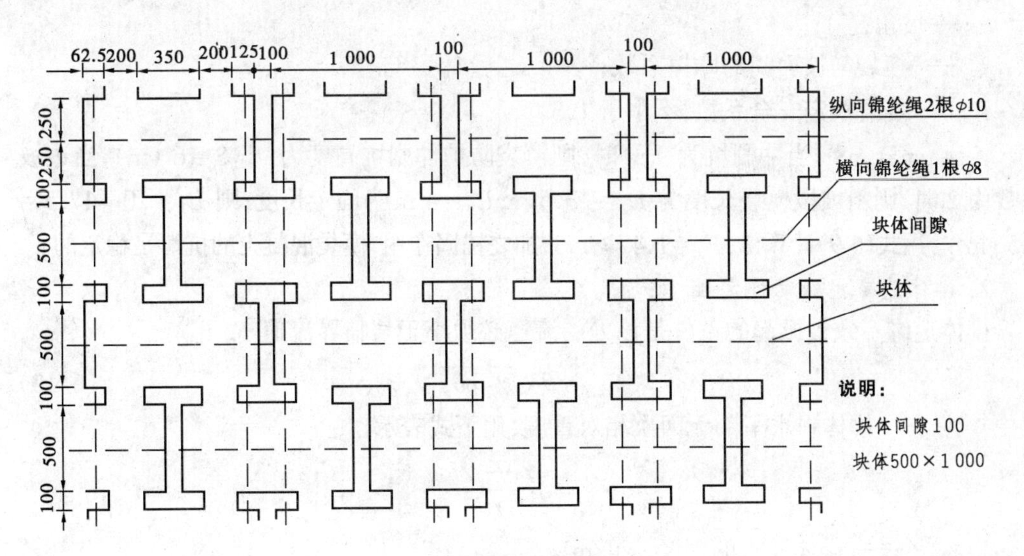

图 6-7　铰链式模袋结构图　（单位:mm）

表 6-2　　**沉排各材料之间的摩擦角**

项　　目	水上摩擦角(°)	水下摩擦角(°)
模袋与高强反滤布	28.4	27.85
高强反滤布与自然粉质壤土	32	31.38

土夹层时,沉排前缘会出现垂直悬挂现象。夹层厚一般不超过 2.5 m,沉排单个块体平均厚度为 0.25 m,灌注后每块尺寸为 0.46 m×0.91 m,平面面积为 0.419 m^2,体积为 0.105 m^3,混凝土容重为 21.56 kN/m^3,水容重为 9.81 kN/m^3,则每块重量为 2.26 kN,每块浮力为 1.03 kN,单个块体在水中的重量为 1.23 kN,压载强度为 2.94 kN/m^2。则单位宽度排体的悬挂重量 2.94×2.5 =7.34 kN/m。考虑通道断裂的不同步性及混凝土块水下脉动对铰链绳的磨损,铰链绳的安全系数取 2,ϕ10 mm、ϕ8 mm 的锦纶绳的最小抗拉力分别为 16.4 kN 和 10.7 kN,则纵向两根 ϕ10 mm 考虑安全系数后的拉力为:16.4×2×1/2=16.4 kN,远远大于悬挂混凝土块的重量,完全能满足设计要求。

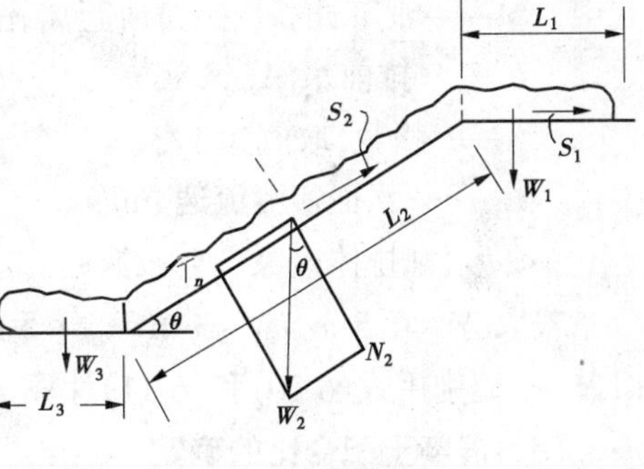

图 6-8　模袋受力图

(六)稳定分析

对护底沉排主要进行抗滑稳定和抗水流冲击稳定计算。

1. 抗滑稳定

排体的抗滑稳定安全系数为

$$F_s = \frac{L_3 + L_2\cos\alpha}{L_2\sin\alpha} \cdot f_{cs} \tag{6-9}$$

式中　L_2、L_3——斜坡处模袋长度与斜坡坡角外模袋长度,m;

α——坡角,(°);

f_{cs}——模袋与坡面间的摩擦系数;

F_s——抗滑稳定安全系数,不小于1.3。

$f_{cs}=\tan31.38°$,当冲刷坑为9 m时,则模袋防护冲刷坑高度为$9-3=6$ (m),当边坡系数为2时,则斜坡段模袋长度为$L_2=13.5$ m;$L_1=4$ m为固定长度;则$L_3=20-17.5=2.5$ (m)。用式(6-9)计算得:$F_s=1.47>1.3$,加之锚固作用,模袋混凝土的抗滑是稳定的。

2.排体边缘抗掀动稳定性

排体边缘不致被掀起的条件是该处的流速必须小于某临界流速v_{cr}

$$v_{cr}=\theta\sqrt{\gamma'_{\gamma}g\delta_m} \tag{6-10}$$

式中 γ'_{γ}——排体在水下的无因次相对重度,用下式表示

$$\gamma'_{\gamma}=\frac{\gamma_c-\gamma_w}{\gamma_w}$$

γ_c、γ_w——排体和水的密度,kN/m³;

δ_m——排体边缘厚度,m;

θ——系数,按SL/T225—98表D2.1取值,$\theta=2$;

g——重力加速度,m/s²。

排边流速用下式计算

$$v=v_{sm}(Y/h_0)^x \tag{6-11}$$

式中 Y——水下计算点距排块距离,m;

h_0——排前水深,m;

x——指数,取值为1/3;

v_{sm}——水面实测流速,m/s。

$v<v_{cr}$,则排体边缘不会被掀起。

若取$Y=0.5$ m,$h_0=3$ m,$v_{sm}=5$ m/s,$\gamma_c=21.56$ kN/m³,$\gamma_w=9.81$ kN/m³,$\delta_m=0.25$ m,分别用式(6-10)和(6-11)计算得,$v_{cr}=3.43$ m/s,$v=2.75$ m/s,$v<v_{cr}$。

(七)混凝土配合比的确定

1.坍落度

模袋混凝土坍落度与普通混凝土坍落度不同,它不但要满足设计要求的抗压强度,满足可塑性,还要满足充填过程中有足够大的流动性,使它在机织化纤模袋里能够顺利地流淌、扩散,充满整个模袋并达到一定的密实度,故对其材料的配合比和外加剂要严格控制。日本国蝶理公司和我国南京水利科学研究院对此曾作过试验研究,提出了两种材料要求的配合比,分别见表6-3~表6-5。

根据设计要求和对进场使用的骨料试验,骨料最大粒径为10 mm,确定混凝土拌和物坍落度为(23±2)cm,并随时检测充填混凝土坍落度值。

2.砂、水泥用量,水灰比的确定

经试验室试验及多次现场试验,砂的细度模数<3.0,属中砂,且小于0.315 mm以下的细粒相对占12.6%,小于0.16 mm以下的细粒仅占1.4%。《钢筋混凝土施工及验收

表 6-3　　充填砂浆的标准配合比(日本)

编号	灰砂比	水灰比(%)	流量值	单位体积用量(kg/m³)			备注
				水泥	砂	水	
M-2(水下)	1:2.0	60	20±2	600	1 200	360	FM=2.8 混合剂 AE剂　减水剂 抗压强度 5 000 N/cm²
M-3(水上)	1:3.0	70		461	1 383	326	

表 6-4　　充填混凝土的标准配合比(日本)

编号	最大粗料粒径(mm)	坍落度(cm)	含气量(%)	水灰比(%)	细料比率(%)	单位体积用量(kg/m³)				备　注
						水泥	砂	石	水	
C-10 C-15	10 15	23±2	8 7	65	65 60	382 365	938 963	637 654	248 237	混合剂 AE剂 减水剂 抗压强度 3 000 kN/m²
C-25 C-25W	25	21±2	5	65 55	50 55	326 386	851 909	867 758	212 212	
C-20	20	21±2	5	65	55	350	896	732	227	外加剂,掺合 20%粉煤灰,以减少水泥用量,抗压强度 1 500 N/cm²

表 6-5　　充填混凝土的设计配合比①(南京水利科学研究院)

配合比号	水泥:砂:石	估计水泥用量(kg/m³)	备　注
1	1:2.56:2.09	350	以含气量 5%,水灰比 0.65 计,325 号普通硅酸盐水泥
2	1:2.73:2.23	335	
3	1:3.08:2.52	308	

注:①骨料最大粒径 25 mm,坍落度(21±2)cm,砂率 0.55。

规范》规定,泵送混凝土所用砂料应该有良好的级配,尤其应该有足够的细砂;粒径在 0.315 mm 以下的细粒所占的比例不应小于 15%,最好达到 20%;粒径在 0.15 mm 以下的细粒应含 5%～10%,这对混凝土在模袋内顺利流淌、扩散极为重要;并且要保持住水不离析出料,必须有足够的细料。据有关科学试验研究,泵送混凝土细粒含量最好超过 420 kg/m³(包括水泥用量),水泥用量 360 kg/m³,经现场试验砂率为 65%,较合适。水灰比 0.65,即可满足设计及施工要求。

3. 外加剂掺量

外加剂掺量是通过混凝土拌和物的坍落度、含气量,以及硬化后混凝土抗压强度来确定的。《盘锦市大洼三角洲开发水利建设科学试验研究专辑》的试验资料证明,随外加剂 ZL 掺量的增加,坍落度增加,含气量增加,ZL 掺量在 0.5%～0.7%之间时,混凝土抗压强度最大。根据实践经验,确定硫化剂ZL掺量为水泥用量的0.6%,引气剂掺量为水泥用量的 0.005%,以保证充填混凝土含气量。为了改善混凝土的和易性,提高可泵性,增加充填密实度,也可通过掺加粉煤灰和调整砂石用量的办法解决这一问题。

(八)锚固长度

根据抗滑稳定分析计算,如不考虑 L_3 的作用时,沉排抗滑稳定安全系数略小于 1.3,为安全计,需采取锚固措施。锚固采用增加排体水平长度并压于坝基和护坡底部的锚固方法,为确保沉排可靠锚固,排体压入坝基及护坡底部 4 m。

(九)圆头模袋单元的确定

由沉排整体抗滑稳定分析,圆头丁坝的圆头部分沉排,设计径向长度为 20 m,其充填成型后具有以下的几何参数:$\varphi=180°$,$R=30.55$ m,$r=10.55$ m,$R-r=20$ m。外弧长 $L=96$ m,内弧长 $l=33.14$ m。

工厂生产模袋布的幅宽和缝制单元条件,是确定单元的依据;模袋布单幅宽 2 m,缝制单元幅宽为 12 m(6 幅)。经计算,圆头模袋由 9 个单元组成,每个单元的中心角 $\varphi_i=20°$,为施工方便,将扇型单元缝制成梯形单元体。拼装后如图 6-9 所示。模袋单元间搭接宽度取 1 m,则单元尺寸为:

$$a = 2R\sin\frac{\varphi}{2} + 1 = 11.61\ (\text{m})$$

$$b = 2r\sin\frac{\varphi}{2} + 1 = 4.66\ (\text{m})$$

$$h = [c^2 - (a - b/2)^2]^{1/2} = 19.7\ (\text{m})$$

$$c = 20\ (\text{m})$$

单元面积为 160.3 m^2,总面积为 1 442.3 m^2。图 6-10 为缝制铰链模袋单元结构示意图。缝制时另加穿管、包边及模袋布收缩率等富余量。

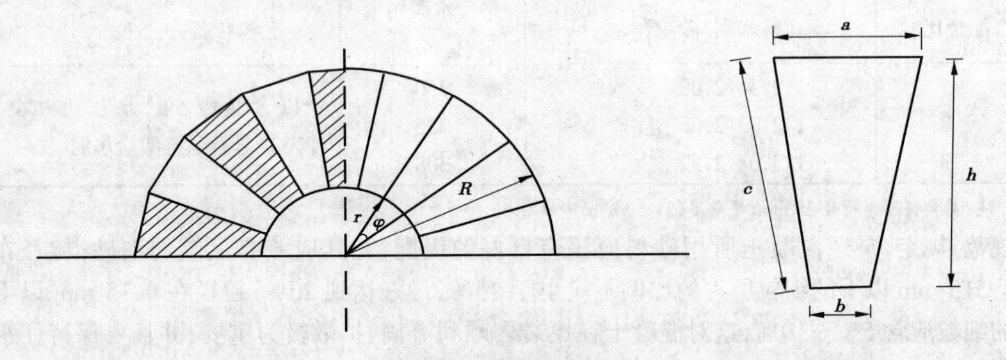

图 6-9 模袋单元示意

平直段宽度划分,单元排体一般不小于 10 m,长度按防护范围、施工机具能力和环境条件等确定。

(1)灌浆通道。每个铰链块体纵向布设四个灌浆通道,分别与前、后排块体相连,通道在河床变形时能及时断裂,保证排体随河床变形下沉。通道直径按灌注要求确定,不得小于 12 cm。

(2)灌注孔。每个单元排体上布设若干个混凝土灌注孔。灌注孔布设不得影响模袋布的整体结构。孔的布设需考虑混凝土的泵送距离,一般每个灌注孔应控制 4~10 m^2 的

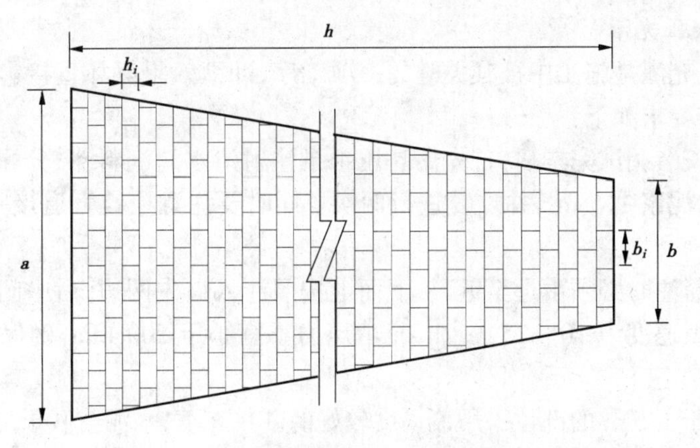

图 6-10 模袋单元分块示意图

充填面积。灌注孔由厂家按模袋布特性设计加工并直接缝制在模袋布上层。

三、模袋混凝土施工

(一)模袋混凝土沉排的施工要求

根据《水利水电工程土工合成材料应用技术规范》和有关施工规定,针对工程的施工特点,有以下施工要求:

1. 模袋混凝土底面基础平整

对起伏过大的河床地形需进行平整,不平度取±15 cm。在断流河段,模袋混凝土底面基础在整平的前提下要保持整洁,无腐植物和其他杂物。在流水河道内,可直接将反滤布和模袋布铺放在河床上。

2. 反滤布的铺设

在旱地或水深小于1.5 m的部位可直接铺放。当水深较大时,在铺放前需根据情况将多个单元缝合在一起用船定位铺设。在铺放反滤布工段的上下游,垂直水流各放置一只船,把反滤布折叠好后放于上游船的迎水一侧,边缘配重,将配重一边沉入水中,然后上游船在下游船的控制下缓缓向下游移动,在水流和自重的作用下,使反滤布均匀沉入河底。铺放时保证船只定位准确,移动船只要保持平稳,船的轴线始终垂直于水流方向,同时使布自然展开,平顺无皱,并注意两个单元布的搭接宽度,适当留有余量。

3. 铺设模袋布

模袋布的铺设位置、长宽尺寸及各部高程必须符合设计要求。保证布面无褶皱现象,松紧度一致,为混凝土充灌奠定良好的基础。铺放前,具体根据施工单位的实际情况,对模袋布缝合对接。缝合时用4根840D线,缝合针密度每米不少于120～130针。模袋布的水下铺放既要考虑模袋定位准确,还要考虑模袋的充填过程中纵向和横向的收缩。为了使模袋布在整个冲灌过程中保持平整,须在岸边布设定位桩5个,上面各挂一个手拉葫芦,用于调整模袋布张力。当水深较小时,可在水中直接铺设,水深较大时将模袋布后端穿钢管,拉至岸边靠近护岸一侧上游,留足锚固部分及收缩量,固定在葫芦上。每个模袋灌注口处设一个浮漂,模袋前端配重,沉入水中,模袋铺放应从下游往上游,充填完一块,铺放一块。应特别注意使反滤布与模袋布相连,使其紧贴河底。

4．模袋混凝土充灌

模袋混凝土充灌是施工中极其关键的一项工序，冲灌效果好坏直接影响到混凝土强度。具体做法与要求如下：

(1)当机械安装调试完毕后，首先用高压水泵注射清水湿润料斗、分配阀及管道。然后再泵送1∶2水泥浆1.5 m^3，并反复进行两次。同时要注意检查管道接头，以防水泥砂浆外渗。

(2)混凝土灌注时必须由远至近，从下而上按照注入口先两边、后中间的顺序，水平、均匀地充灌，充填速度为10～15 m^3/h，充填压力不宜小于200 kPa，确保混凝土饱满实在。

(3)水深大于1.5 m的部位采用流动度较好的砂浆充填，水泥与砂子配合比为1∶2.5，坍落度26 cm，填充时将附近的灌注口扎紧；水深小于1.5 m的部位采用细骨料混凝土充灌，以降低成本。

(4)在模袋混凝土充灌过程中，设专人观察混凝土在模袋中的流动情况，准确判断混凝土的和易性及坍落度。要设专人踩踏通道口，避免受阻。插入灌注口的喷管应左右移动，使混凝土充填均匀、密实、饱满。

(5)巡视检查混凝土输送管道、接头，混凝土流动声音及模袋混凝土成型质量等情况，发现异常及时处理，确保工程质量。

(6)每充完一排灌注孔后，由于模袋布纵向收缩，这时需适当放松顶部控制布的手拉葫芦。应以连续浇筑为好，对已完工的岸上模袋护坡，应浇水养护。

在旱地正常施工情况下，每小时可充填80 m^2；在水深小于1.5 m时，可充填60 m^2/h；在较深的水中，只有潜水员在水下才能作业，可充填30 m^2/h；在水大溜急、落淤严重时，充填不到10 m^2/h。

(二)施工的主要设备和人员配备

采用装载机装料、自动配料拌和、自动输料至泵送混凝土系统。主要机械设备有800型自动配料机2台，500型强制式搅拌机2台，1台自动配料机与1台强制式搅拌机相配套。30A型混凝土输送泵2台，其中一台为备用。150 kW与50 kW发电机各1台，分别用在无电地区为机械提供动力和生活区供电。高压水泵1台，2英寸潜水泵5台，为搅拌供水等。

施工作业人数每班(水下充填)27人，其中拌和机、装载机、发电机、配料机、泵送维护各1人，倒运水泥4人，充填至少8人，潜水员4人，现场指挥2人，实验员、质检员、项目经理各1人。

一个停机位置，泵送距离可达300 m，可充填600 m长坝段。

(三)防止可能造成的工地污染

可能造成的工地污染主要有两种，一是原料的散落，二是成品混凝土砂浆的泄露。处理方法是：原材料采取专人保管，专用库棚储藏；成品混凝土砂浆主要是防止管道泄露和充灌模袋的泄露，应建立健全各项规章制度，严格责任制，不使泄露。

(四)施工中的常见故障及其排除方法

(1)堵塞现象。堵塞常出现于泵送机械料斗、输送管道及模袋内，原因及解决方法：①

泵送机械运转不正常,应备用一台混凝土泵,保证混凝土浇筑的连续;②骨料规格不符合要求,粗骨料粒径最大不能超过泵送管道直径的1/3;③气温对坍落度的影响,天热时应给管道洒水降温,防止管道内出现结实段;④充灌料配合比不合适,应严格控制配合比。

(2)鼓胀现象。鼓胀现象常出现在坡底或灌料口。防止方法是灌料至灌料口齐平时,停泵3~5 min,待析水后再泵入。有时也由于袋内控制厚度的尼龙绳被拉断造成的,这时应暂停泵送,往鼓处加载,待泵内料初凝,再继续充填。

(3)模袋块之间接缝不密。由于施工不善,会出现靠接不紧。可采用高强拉链先将两块连好,再进行泵送料。也可以在泵料前先将两块的底角靠紧并予以固定。

(4)充填不饱满。此时应打开原灌口进行补灌。未灌入的要另开灌口,灌口应放在未灌入处的中间并在边缘缝纫线处。

(5)水下施工事故。要特别注意水下潜水员施工安全,避免水下各种管、索纠缠,以免危及生命。

(6)局部拉线断裂。在充填时,控制厚度的拉线受到填料及泵送压力的作用而崩断,形成局部的隆起如龟背状。其原因之一是没有控制好填料的进入量,致使模袋内压力增加,拉线断裂;二是人为将注入口间距加大,运送距离长,骨料分离,拌和物失去流动性所致。要特别注意检查模袋的制作质量,发现问题及时补救。

(7)黄河水影响混凝土的强度。在每次进行混凝土充灌时,因管嘴插入下一袋口有一定时间间隔,这样黄河水就会进入模袋中,影响了混凝土的强度。但这种影响很小,可以在每次浇注开始时,适当减少混凝土的加水量。

在黄河水深、溜急、含沙量高的情况下,模袋混凝土沉排水下施工难度很大,模袋沉排平面位置难以控制,模袋混凝土充填数量难以掌握,潜水员水下作业,站不稳,眼睛看不清,仅凭手摸手感判断,应加密探摸次数和面积。

(五)改进的方向

(1)水下作业,在铺设模袋布和反滤布时,施工进度很慢,在施工时也可采用模袋布和反滤布同时缝合在一起铺设,减少定位次数,减少褶皱,在不降低强度的情况下,便于控制铺设质量,加快进度。或者直接用一层反滤布与一层模袋布缝合成模袋,这样可以节省一层模袋布,既降底了造价,又加快了施工进度。

(2)灌注口间相互贯通,使混凝土充填密度不一,可改成每个灌注口单独控制一定的面积。

(3)进一步试验研究优化配合比,以降低水泥用量,达到节省投资的目的。

第四节　连锁块体护岸护坡设计与施工

一、概　述

连锁压块软体排有多种型式,主要是由两种部件即整块的土工织物和连结块体构成。排垫仍为整块的土工织物,用以保护河床和岸坡免受水流冲刷。连结的压重块体是混凝土板或枕袋或石笼等,起压重、抗冲、抗浮、消能和保护土工织物等作用。块体的连结可采用铰链、缆索、土工织物、胶粘剂及其他填缝材料等多种型式。本节结合工程实践以绳索连锁块体为例,介绍其设计与施工要点。

(一)国内外应用情况介绍

绳索连锁块体是指用合成纤维绳索将块体或构件按照一定的要求连结在一起而形成的一个可以任意适应地形变化需要的具有一定稳定性的柔性整体结构。国内外工程应用中也有称作绳索铰链式混凝土块体、连锁水泥块体或混凝土块软体排(Rope Block Mattress)。

该技术是近二三十年刚刚发展起来的一项新的水工应用技术。国外,荷兰人较早地研究和应用了该技术并取得成功。在 20 世纪 50 年代末期开始的荷兰三角洲整治工程中,荷兰政府三角洲委员会从艾瑟河(Ijsset)工程开始就尝试使用多项新技术,绳索连锁块体使用量最大最成功的工程实例为 80 年代中期在东谢尔德(Eastem Scheldt)闸工程,该工程使用铺设的绳索连锁块面积达 450 万 m^2 之多。美国也非常重视该项技术的研究和应用工作,1989 年美国垦务局在北卡罗米纳州的三座溢流土坝上,使用绳索连锁块作护面工程,并取得了很好的效果。

国内在这方面的研究应用工作也进展得比较顺利。从 70 年代开始,我国许多水利专家和科技工作者,就已经在研究和试验该项应用技术,先后在江河堤岸的护岸方面,土坝护坡工程方面,丁坝工程、海防工程、闸底防冲工程以及深水航道工程方面,进行了大量研究和试验工作,已经逐渐总结出一系列成熟的技术经验,累积完成了大量成功的工程实例。1974 年江苏省江都县长江嘶马坍江地段修建的护岸工程;武汉钢厂水源泵站天兴州护岸工程;1979 年在长江下游芒稻河东岸的江都西闸进行了不停水软体沉排护底防冲工程。从 1987 年开始,苏州市先后在长江堤防上、太仓县钱泾口、常熟市海洋泾、张家港市三兴东升、锦丰杨家圩、双山西小圩等多数江堤上推广应用该技术实施了护坡工程,在以上这些工程实例中均不同程度、不同型式地设计使用了绳索连锁块体。已建工程经受了洪水、大潮、风浪的考验,显示了强大的生命力。1998 年 7 月底在正式开工的总投资 187 亿元的国家级重点项目长江口深水航道工程上,连锁块软体排技术的应用已经成为解决水下地基处理和防护的最关键技术手段,预计使用面积将达到 200 万~300 万 m^2 之多。

(二)技术要求及结构设计型式介绍

1. 技术要求

绳索连锁块体有多种设计型式,主要由具备一定形状、强度和稳定性要求的块体与具有一定强力和耐老化年限的合成纤维绳索结合构成。

块体单元主要指混凝土板、块或构件,起压重、抗冲、抗浮、消能和保护土工织物等作用。

合成纤维绳索一般以尼龙(PA6)绳索和聚丙烯(PP)绳索(也称丙纶绳索)为主。随着我国塑料加工技术的发展,以及纤维及绳索制造厂家加工水平的提高,PP 绳索与尼龙绳索的性能差距正在缩小,而 PP 绳索的价格还不到尼龙绳索的 50%,因而更有推广使用价值。

块体与绳索的连结形式因具体需要而确定,有的是二向稳定结构,还有的是三向甚至四向稳定结构,但它们都应该满足下列要求:①块体可在工厂进行多块连锁或单块标准化生产,且易于运输、吊装或人工搬运;②在现场易于铺放和装配,且可根据不同现场条件作适当改变，具有较强的适应性；③柔性单元可任意弯曲，沉放后可跟随水下地形变化，不会发生意外损伤；④预装配组件可方便地相互连接形成整体沉排；⑤锚固长期有效；⑥绳索的选用，应注意分析好绳索的起始强力与老化时间—强度保持率曲线，且要注意具体施工条件下的绳索受力情况。

2. 压块连锁型式

根据具体的工程情况、受力情况和结构稳定情况要求来划分压块连锁型式，常见的几种型式如图 6-11 所示。

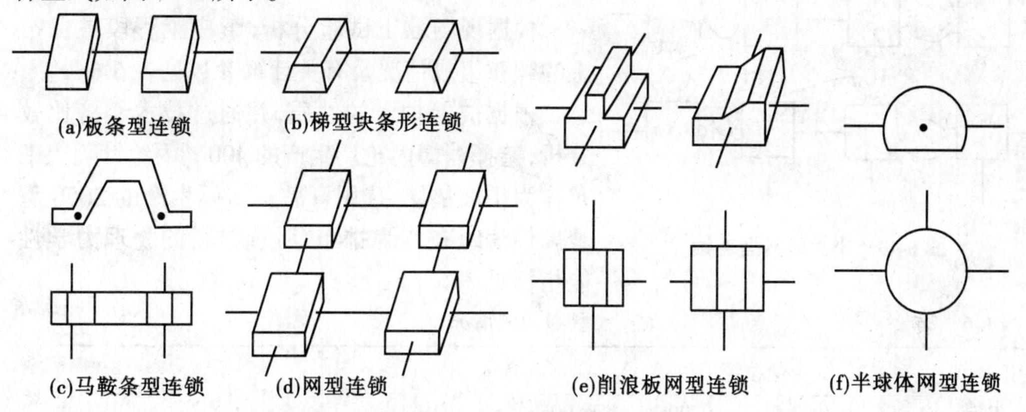

图 6-11　压块连锁形式

(1)工厂预制留孔块体，现场穿接型。这种型式根据使用要求又可分为如图 6-12 的几种型式。

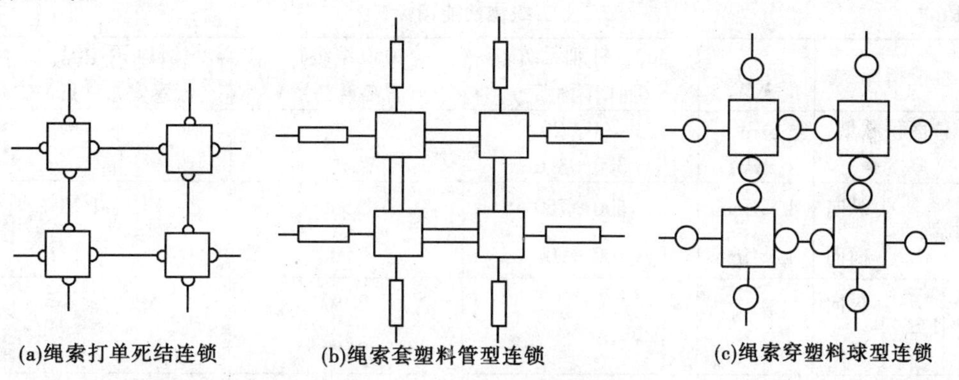

图 6-12　工厂预制现场穿接型式

(2)工厂现浇成小片体，施工现场铰链型，见图 6-13。

二、绳索混凝土板块护坡护底的设计

绳索混凝土板块软体排的设计主要包括结构型式、材料的选择及稳定性校核。现结合山东黄河东平黄庄控导工程作一介绍。

黄庄控导工程位于山东黄河东平县班店镇黄庄河段右岸。该河段地处原黄河位山水利枢纽工程地址，上游右岸有徐巴士控导工程，左岸为陶城铺险工，下游左岸为牛屯险工，再下游为位山引黄闸和位山险工。工程的主要作用是控导河势，保护滩地，避免黄河河道

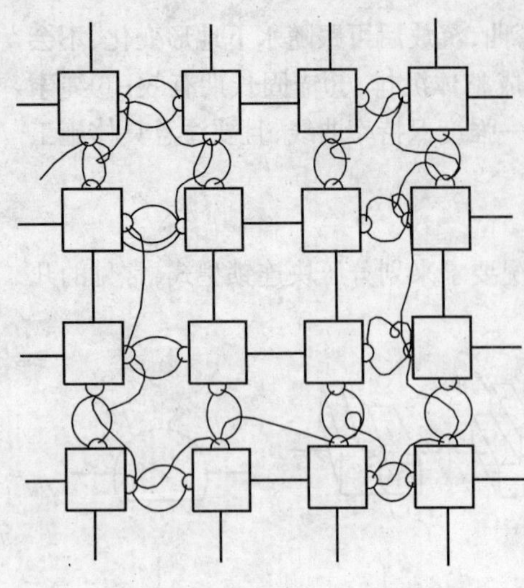

图 6-13　小片绞链型连锁

改走拦河闸下游河道，从而引起以下河势流向发生大的变化。

绳索混凝土板块用在黄庄控导工程上下游直线段护岸工程中，选定板块尺寸 40 cm×40 cm，板厚 15 cm，中间预留绳孔，直径为 1.6 cm，呈十字型分上下两层分布在板块内。

（一）护坡垫层及护底排布选择

根据现场取土试验分析，黄庄工程段被保护土的颗粒组成情况及有关计算参数见表 6-6。

根据被保护土的性质，并通过技术经济比较分析，选择淄博丙纶厂生产的 400 g 丙纶针刺土工布作为护坡垫层，选用青岛麻纺厂生产的 2050 型聚烯烃编织布作为排布，所选材料的物理力学性能指标见表 6-7。

表 6-6　　土颗粒组成情况

土类	颗粒组成（%）			d_{90} (mm)	d_{50} (mm)	d_{15} (mm)	渗透系数 (cm/s)
	0.1～0.05 mm	0.05～0.005 mm	＜0.005 mm				
沙壤土	14	79	7	0.055	0.015	0.004 5	4.1×10^{-4}

表 6-7　　土工织物性能指标

性能指标		单位	400 g 针刺无纺布（淄博丙纶厂）	2050 编织布（青岛麻纺厂）	ϕ14 丙纶绳（泰安永佳厂）
单位面积质量		g/m^2	400±20	280	
厚度		mm	3.0～3.6	0.9	
抗拉强度	纵向	kN/5cm	600～750	2 500	24.1
	横向	kN/5cm	700～900	1 900	
伸长率	纵向			30%	
	横向			25%	
梯形撕裂	纵向	kN	0.4～0.5	800	
	横向	kN		500	
顶　破	圆球	kN	1.00～1.10	2.1	
	CBR	kN	2.5～3.0		
刺破试验		N		700	
等效孔径	O_{95}	mm			
	O_{90}	mm	0.10	0.155	
	O_{50}	mm			
渗透系数		cm/s	$\geqslant10^{-1}$	2.0×10^{-2}	

护坡针刺土工布的保土性按式(6-2)计算

$$O_{90} \approx O_{95} = 0.1\text{mm} < 2d_{85} = 2 \times 0.055 = 0.11\ (\text{mm})$$

保土性满足国标要求。

(二)软体排长度确定

排长分为枯水位以下和以上两部分。枯水位以上的部分为护坡部分，边坡系数为2，高差为2.5 m，则坡长为5.6 m。水下部分由三部分组成：①与水上部分排体连接所需长度(锚固长度)0.6 m。②防护冲刷坑排体长度由计算和试验的冲刷坑长度确定，通过模型试验资料及防洪抢险、根石探测成果得知，控导工程单坝的冲刷坑位置一般在坝前头，即坝轴线的延长线上；对于群坝或近似直线的护岸形式来讲，由于水流相对平稳，冲刷坑几乎连成一线。冲刷坑位置在平行坝头连线或平行于护岸线的一条深泓线，一般在上跨脚至圆头前半部。控导工程单坝挑溜的冲刷坑一般深为9 m，护岸一般为7 m 。枯水位以下为 7 - (45 - 42.5) = 4.5 (m)，按坡度 1∶2 计算，防护冲刷坑长度为 $\sqrt{4.5^2+(4.5\times2)^2}=10.1(\text{m})$，从安全计取11 m。③当冲刷坑形成时，为能使护底排布与连锁混凝土块协调下沉，在软体排顶端设置一沉坠，沉坠为长土袋枕，包坠排布长1 m。则枯水位以下软体排长为：11 + 0.6 + 1 = 12.6 (m)。护岸剖面见图6-14。

(三)锚固结构

为使绳索混凝土板块软体排护坡护底安全，在坝顶部和坝坡枯水位处，各设一横梁，并在内侧土坝基内设置绳索锚块，见图6-14。横梁剖面见图6-15。

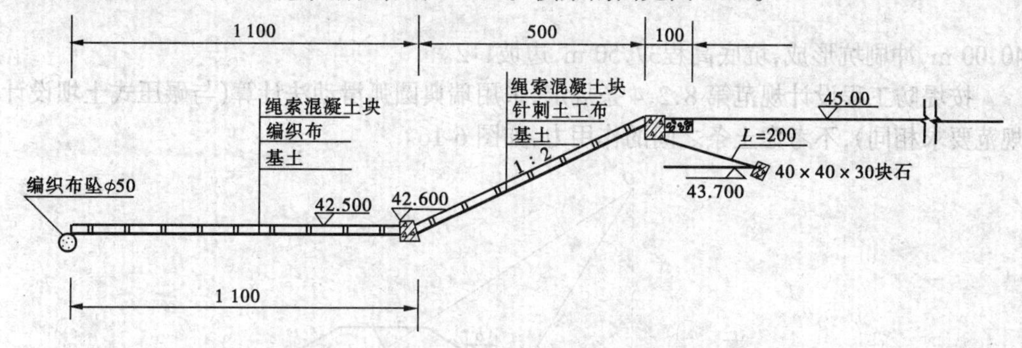

图6-14 护岸剖面图 (单位:高程 m,尺寸 cm)

(四)块间连结

当绳索混凝土板块软体排随冲刷坑下沉时，板块间应有一定间距可以自由移动，否则不能保证软体排为柔性结构。经计算，设计相邻两板块之间，用1个高度为3 cm的塑料套环隔开，套环采用PVC管材制作。纵横连结板块用 ϕ14 mm丙纶绳，拉力为21.4 kN/根。

(五)稳定分析

1. 整体稳定分析

按以下五种情况进行：①建成无水，未形成冲刷坑；②无水，冲刷坑形成，坑底高程37.50 m，冲刷坑边坡1∶2；③设计水位45.00 m，冲刷坑形成，坑底高程37.50 m，边坡1∶2；④施工水位42.50m，冲刷坑形成，坑底高程37.50m，边坡1∶2；⑤危险水位

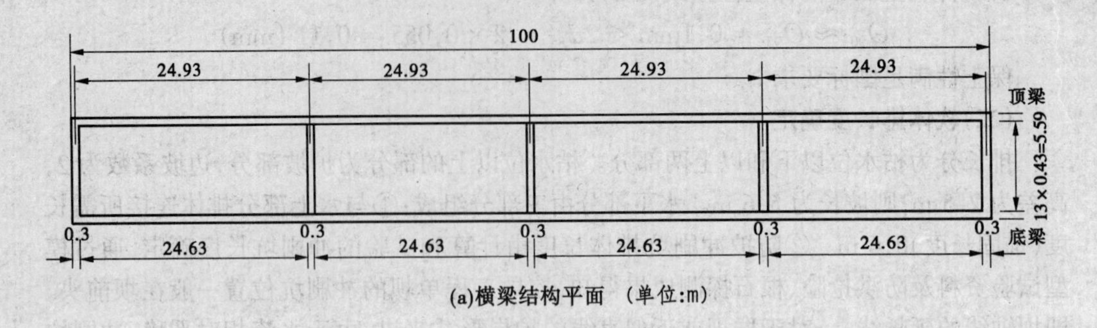

(a)横梁结构平面 (单位:m)

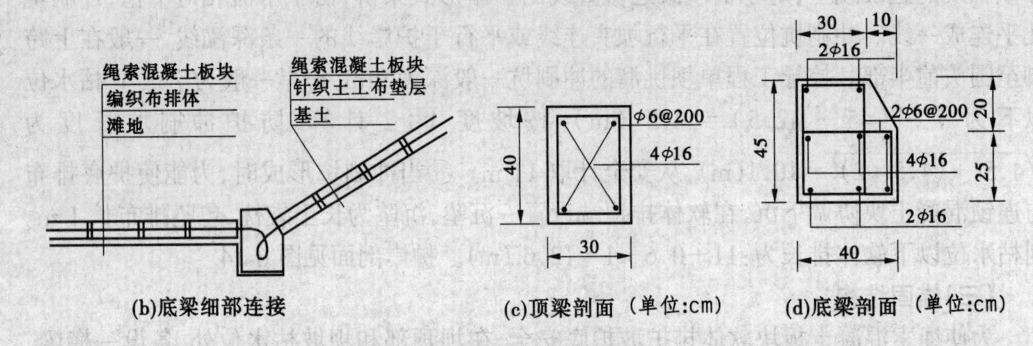

(b)底梁细部连接　(c)顶梁剖面 (单位:cm)　(d)底梁剖面 (单位:cm)

图 6-15　横梁剖面图

40.00 m,冲刷坑形成,坑底高程37.50 m,边坡1:2。

按堤防工程设计规范第 8.2.4 条规定,采用瑞典圆弧滑动法计算(与碾压式土坝设计规范要求相同),不考虑土条之间的作用力,如图 6-16。

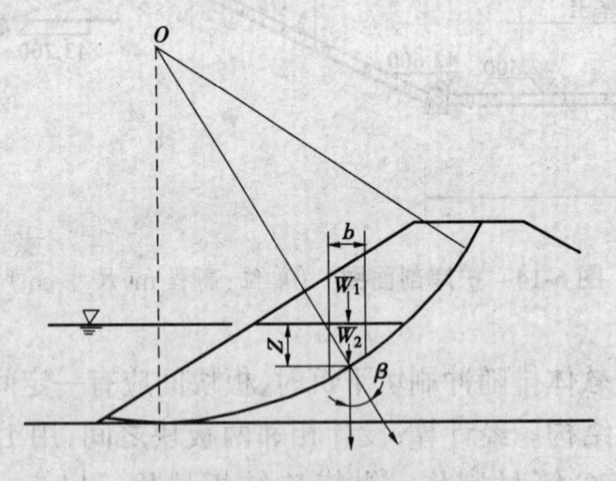

图 6-16　圆弧滑动计算

有效应力法计算岸坡整体稳定安全系数 k 的公式如下

$$k = \frac{\sum\{C' b \sec\beta + [(W_1 + W_2)\cos\beta - (u - Z\gamma_w) b \sec\beta]\tan\varphi'\}}{\sum(W_1 + W_2)\sin\beta} \tag{6-12}$$

式中　b——条块宽度,m;

W_1——在堤坡处水位以上的条块重力,kN;

W_2——在堤坡处水位以下的条块重力,kN;

Z——堤坡处水位高出条块底面中点的距离,m;

u——稳定渗流期堤身或堤基中的孔隙水压力,kPa;

β——条块的重力线与通过此条块底面中点的半径之间的夹角,(°);

γ_w——水的容重,kN/m^3;

C'、φ'——土的抗剪强度指标。

经计算,岸坡整体稳定安全系数均满足要求,结果见表 6-8。

表 6-8　　岸坡整体稳定计算成果

计算情况	安全系数 k_{min}	说　明
(1)建成无水,未形成冲刷坑	3.438	规范要求不小于 1.25(正常)和 1.15(非常)
(2)无水,冲刷坑形成	1.356	
(3)设计水位,冲刷坑形成	1.869	
(4)施工水位,冲刷坑形成	1.595	
(5)危险水位,冲刷坑形成	1.450	

2. *护岸护面稳定分析*

护面稳定分析,包括混凝土板块与土工布之间、土工布与土坡之间的抗滑稳定问题。对于没有水平阻滑盖作用的情况,护岸护面稳定安全系数 k 可用下式计算

$$k = \frac{G\cos\alpha \cdot f}{G\sin\alpha} = \cot\alpha \cdot f \tag{6-13}$$

式中　G——单位长度护面盖重;

f——护面混凝土板块与土工织物之间或土工织物(连同其上的混凝土板盖重)与坡面土体之间的摩擦系数;

α——斜坡与水平线的夹角。

对于设置有水平阻滑盖作用的情况,可近似地按下式计算

$$k = \frac{(W_1 + G\cos\alpha)f}{G\sin\alpha} \tag{6-14}$$

式中　W_1——阻滑梁盖重;

其他符号含义同前。

式(6-14)只计入了阻滑梁产生的摩擦力,没有计入绳索锚固块和阻滑梁楔入土体的作用。

根据工程段土质情况,并参照国内类似工程试验资料,采用混凝土板块与针刺土工布和编织布之间的摩擦系数分别为 0.54 和 0.67;针刺土工布与沙壤土间的摩擦系数为 0.51;编织布与细砂之间的摩擦系数为 0.44。用式(6-13)和式(6-14)计算成果如下:

(1)对于护坡,混凝土板与针刺土工布垫层之间,抗滑稳定系数 $k=\cot\alpha\cdot f=2\times0.67=1.34>1.10$,安全。

(2)对于护底,混凝土板块与编织布排体之间,即使不考虑绳索联系,其抗滑稳定安全系数 $k=2.5\times0.54=1.35>1.10$,安全。

(3)对于护坡,针刺土工布垫层与斜坡土体之间的抗滑稳定系数,若不考虑顶梁、底梁和锚块的阻滑作用 $k=2\times0.51=1.02<1.10$,不安全。

如果考虑顶梁的阻滑作用,按式(6-14)求得抗滑稳定系数 $k=1.18$ 大于规范要求的1.10,安全。如果考虑底梁和锚块的存在,护面的抗滑稳定是确有保证的。

(4)对于护底软排,当冲刷坑形成,边坡为 1:2.0,不计底梁的阻滑作用,抗滑稳定系数 $k=\cot\alpha\cdot f=2.0\times0.44=0.88<1.10$,不安全。考虑底梁的阻滑作用,按式(6-14)计算求得护底抗滑稳定安全系数 $k=1.11$,大于规范要求的1.10。显然,如果把护坡、护底及两道横梁作为整体考虑,则其抗滑稳定系数还能有所增大。

三、绳索混凝土板块护底护坡施工要点

1. 混凝土板块预制

混凝土板块作为一种预制混凝土构件,应满足一般预制混凝土构件的质量要求。对于绳索混凝土板块,除应注意板块几何尺寸外,特别要注意绳孔位置和尺寸的准确性,例如绳孔尺寸为14 mm,误差为+2 mm,就意味着所有板块的绳孔尺寸不能小于16 mm,但可以达到18 mm,而严格控制混凝土的水灰比和振捣质量则是确保板块强度和耐久性的关键。

2. 护坡针刺土工布垫层的施工

土工织物垫层施工包括平整场地、织物备料、铺设土工织物垫层和铺设绳索混凝土板块等工序。平整场地应整平并清除斜坡面上一切可能损伤土工织物的带尖棱硬物,填平坑凹。铺设土工布应力求表面平顺、松紧适度,织物与土面密贴,不留空隙,发现织物有损,应立即修补或更换。织物的搭接和缝接应符合规范要求。铺设土工织物时工人应穿着软底鞋,以免损坏织物。织物铺设好后,应避免受日光直接照射,随铺随护。

3. 绳索混凝土板块软体排施工

绳索混凝土板块软体排的施工方法应根据软体排的制造特点、排体尺寸、地形、气候和水情,水上作业或水下作业的现有机具能力等因地制宜地确定,主要工序包括:场地准备、排体制作、沉排和压载。

(1)场地准备。场地准备工作内容包括清除地面杂物,整平地面;所需工具和车船到位。

(2)排体制作。黄庄工程段排体平面尺寸宽为25.42 m,长为11.0 m,用6幅宽为4.5 m的聚烯烃编织布缝制而成。

排体周边加缝一道 ϕ14 mm的绳,在宽度方向每隔1.5～2.0 m缝制一道套筒,并穿一根 ϕ14 mm绳套,用以加固排体和连系混凝土板块之用,见图6-17。

软体排缝制采用双道缝线,两线相距为1.5～2.0 cm,接缝形式采用蝶形接头(见图6-18),确保排体在受荷工作时,接缝不致绽开或破裂。

现场制作排体,要考虑排体沉放方式,根据黄庄工程的实际情况,采用滩地施工。即将排布初步拼接之后,到现场组装铺设。排体上端与底梁系紧,排体末端挖槽作为横袋(土坠)的地模,待排体混凝土板块铺设完成之后填土封闭横袋,见图6-19。

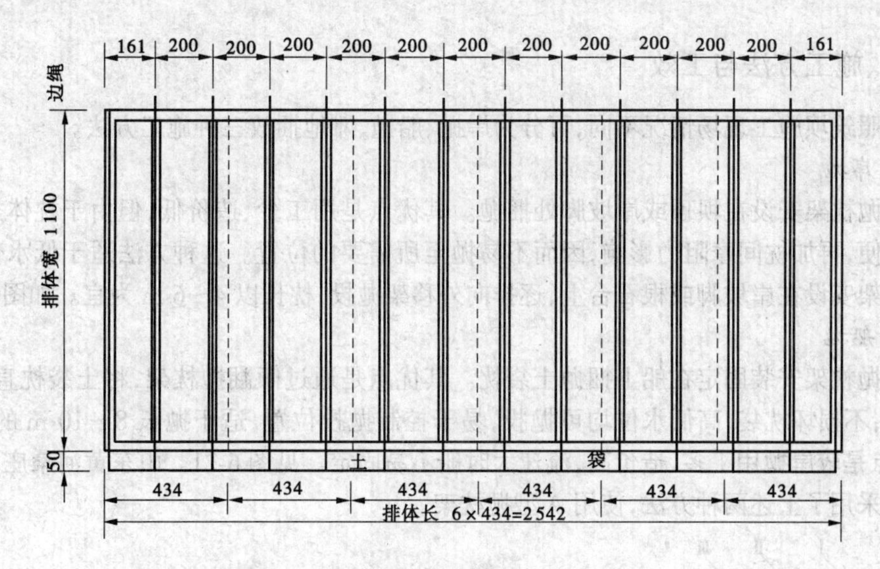

图 6-17　护底软排排体结构　(单位:cm)

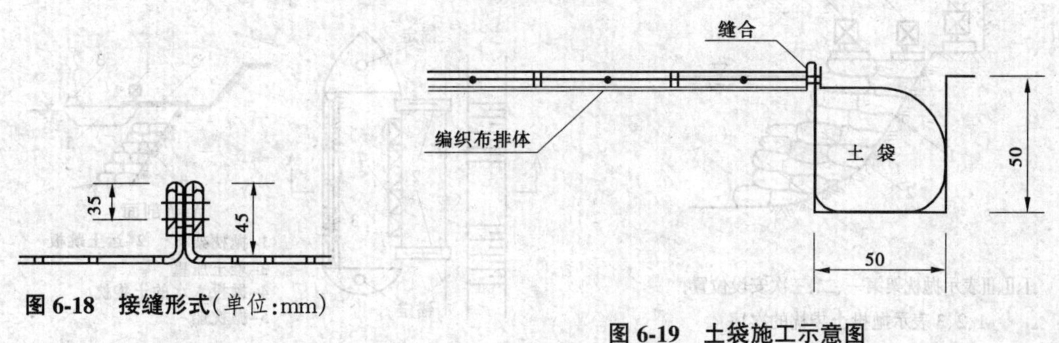

图 6-18　接缝形式(单位:mm)

图 6-19　土袋施工示意图

第五节　塑料编织袋土枕筑坝施工

应用聚丙烯塑料编织布,做成尺寸不同的各种枕袋,装土捆扎成枕,简称土袋枕,用于修筑坝岸工程。用土袋枕来代替部分传统的筑坝材料,包括秸柳料、石块等。土袋枕与传统的筑坝材料配合使用,施工简单,防冲性能好,能降低工程造价。

一、土袋枕设计

土袋枕主要用来护坡护底。土袋枕设计视工程施工现场条件的不同,分为旱工和水中施工。旱地施工条件较好,根据计算冲刷坑深度,及抗滑稳定所需的边坡系数,来确定所需铺设的土袋枕长度。山东黄河控导工程坝岸,按不同部位的着溜轻重,设计铺底长度一般 15～21 m,设计土袋枕长度 5～10 m,袋枕铺厚 2.0～2.4 m。如为水中进占施工,土袋枕用来裹护坝岸冲刷部位,可直接向水中抛护,随水流冲刷随抛土袋枕,直至能对土坝基有效防护不被水流冲刷为止。若填土颗粒很细,编织布孔径不能满足保土要求时,可采用涂膜编织布。设计袋枕顺长度方向预留朝天口,在施工现场装土缝合,每隔 0.5 m 用 ϕ4 mm 的丙纶绳捆扎作为腰箍,以增强土袋枕横向牢固性。

二、施工方法与工效

按照筑坝施工现场情况不同，可分为岸抛、船抛、滩地捆放三种施工方法。

1. 岸抛

把抛枕架安设在坝顶或岸坡脚处捆抛。其优点是用工少、造价低，但由于枕体柔软，滚动不便，再加枕间摩阻力影响，因而不易抛至所需要的位置。这种方法适于低水位时，把抛枕架安设在岸坡脚或根石台上，逐排向外移架抛投，枕长以4～6 m为宜。如图6-20。

2. 船抛

把抛枕架安装固定在船上捆抛土袋枕。其优点是通过倾翻抛枕架，将土袋枕直接抛投入水，不损坏枕袋，高低水位均可抛投，易于控制抛投位置，适于抛长8～10 m的土袋枕，缺点是较岸抛用工多、造价高，流速大时船不易固定。见图6-21。山东黄河桑庄20号坝施工采用了上述两种方法，使用A型抛枕架。

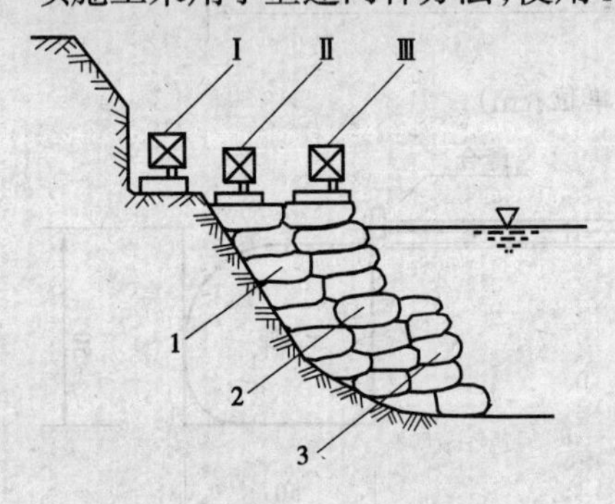

Ⅰ、Ⅱ、Ⅲ表示抛枕架第一、二、三次安设位置；
1、2、3 表示抛投土袋枕的次序

图 6-20 岸抛土袋枕示意图

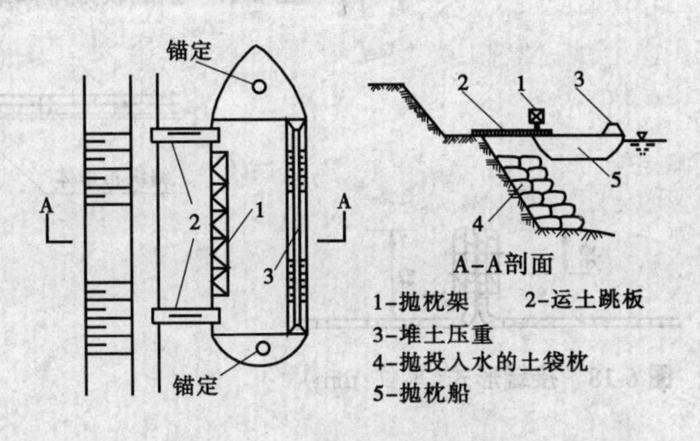

图 6-21 船抛土袋枕示意图

3. 滩地捆放

把抛枕架置于滩地修建工程的部位，就地展袋、装土、缝合、捆扎、分层平铺，整齐排列，上下层平行交错，互压半个枕。这种方法施工方便灵活，造价低。山东黄河老君堂和高村控导工程施工采用了此法，使用B型抛枕架。

对以上三种施工方法，均按抛长10 m的土袋枕计算其工效，结果如表6-9。

表 6-9 土袋枕施工工效

施工方法	每台抛枕架		每工日完成	
	配备人数	每天完成土袋枕数量（个）	土袋枕数量（个）	装抛土方体积（m^3）
船抛	44	36.5	0.83	3.32
岸抛	24	30.0	1.25	5.00
滩地捆放	10	20.0	2.00	8.00

装抛中型袋为每工日10个，装抛小型袋为每工日20个。

4. 施工中应注意的事项

塑料编织物适用于水下或地下工程。暴露于地上工程表面部位,受阳光紫外线照射或风化时,易老化。如不加防老化剂的编织布,用于水上地表工程时,必须在枕袋上盖土厚0.5 m以上。施工中枕袋与乱石或其他硬料物撞击,易被刺破,需注意保护,力求减少枕袋损失。在原有坝岸根石上抛投土袋枕,可先抛一层小型土袋作垫层,以免扎破枕袋。在岸上捆抛土袋枕,机械装土可提高效率。船抛土袋枕质量好,能抛到需要的位置,但应注意锚固船只特别是在水流速较大的地方,保证施工人员的安全。

三、施工机具

1. 抛枕架

抛枕架为捆抛土枕袋的关键设备。施工方法不同,所用抛枕架亦不同。

(1)A型抛枕架。用于捆扎土袋枕直接抛投入水。抛枕架为框架式钢结构,每节长2 m、宽0.85 m、高0.65 m,根据所抛枕袋长度分别采用数节,用螺栓连成一整体。枕架外侧为一活页门,设置底盘,装于带活动铰的木底座上。施工时在架内展袋、装土、缝合、捆扎成枕后,倾翻枕架,活页门自动打开,土袋枕即滑落水中。这种枕架具有结构轻便牢固、翻转灵活、便于运输安装等优点,如图6-22。

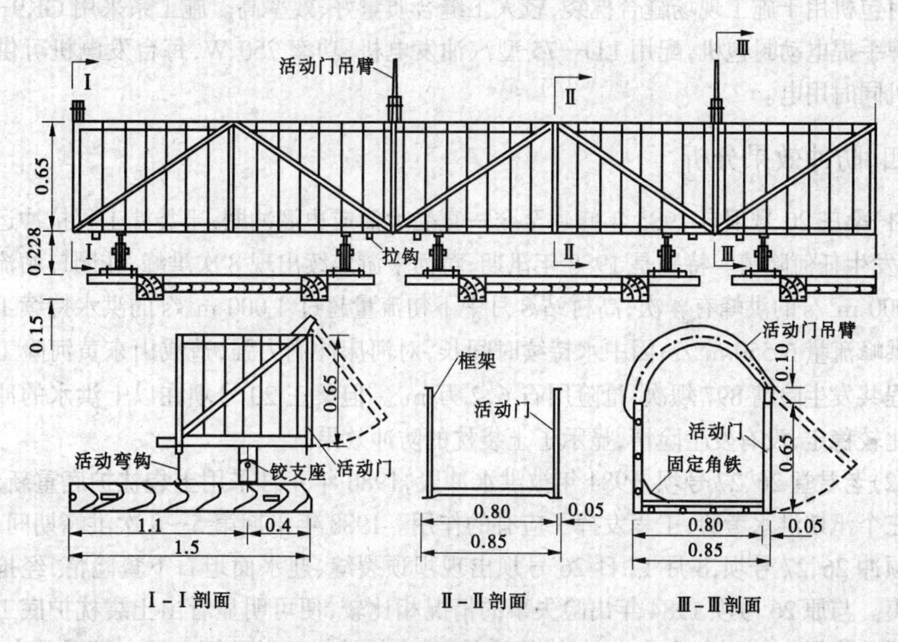

图6-22 A型抛枕架结构图 (单位:m)

(2)B型抛枕架。用于旱地筑坝,在滩地上捆放护根的土袋枕。这种枕架为钢结构,只三面有边框,另一面是靠已捆放好的土袋枕形成封闭状。抛枕架每节长2 m,按所抛枕袋长度将数节枕架组合,用螺栓连成一整体,两端各有一个堵头,枕架宽0.9 m、高0.55 m,不设底盘,如图6-23。这种枕架的优点是轻便灵活,长6 m的枕架只需3人即能移动,捆扎效率高。

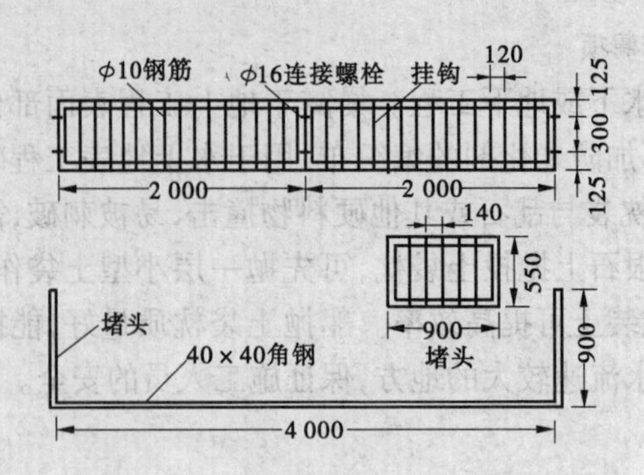

图 6-23 B型抛枕架结构图 （单位:mm）

2. 抛枕船

抛枕船是水上作业捆抛土袋枕的工作台。将抛枕架安装固定在船上,以便制作土袋枕并抛投入水。桑庄20号坝捆抛土袋枕使用了80吨位的机动平摆船作抛枕船,工作面宽7 m、长13 m,在船的一侧中部安装长10 m的抛枕架,枕架两端各留宽1.6 m,作为自坝岸往船上运土的道路,在船的另一侧推土压重,以保证抛枕时船体稳定安全。

3. 封包机

封包机用于施工现场缝合枕袋,较人工缝合质量好、效率高。施工系采用GK9—2型熊猫牌手提电动封包机,配用LD—75型汽油发电机,功率750 W,每台发电机可供两部封包机同时用电。

四、防冲效果分析

(1)桑庄20号坝自1985年修建至今一直受大溜或边溜冲刷,土袋枕工程抗冲运用正常,未发生任何险情。特别是1988年汛期,黄河下游连续出现8次洪峰,花园口站流量大于6 000 m^3/s的洪峰有4次;高村站8月中下旬流量超过4 000 m^3/s的洪水持续15天,最大洪峰流量6 550 m^3/s;因中水持续时间长,对河床冲刷力强,造成山东黄河险工与控导工程共发生险情897坝次,抢险用石6.2万m^3。但桑庄20号坝在以上洪水的冲刷下一直比较稳定,没有发生险情,显示了土袋枕的防冲效果。

(2)老君堂26、27号坝,1984年被洪水冲毁,1986年4月采用土袋枕护底重新修建,经历三个汛期洪水考验,工程发挥了应有的作用。1988年汛期第5～8次洪峰期间,黄河主溜顶冲26、27号坝,8月17日26号坝出现坝顶裂缝、迎水面坦石下蛰险情,经抢护化险为夷。与原26号坝1984年出险失事的情况相比较,便可明显看出土袋枕护底工程的防冲固基作用。1988年和1984年洪峰流量、中水持续时间以及河势溜向情况基本相同,1984年是坝体出现墩蛰险情,深度大、速度快、抢护不及,以至垮坝失事。而1988年26号坝出险是坝体出现间断性坍蛰,速度慢,每次下蛰深度比1984年浅得多。当护根土袋枕随河床冲刷下蛰到一定深度,枕的坡度暂时稳定时,就不再蛰动,这便使抢护有了足够的时间,因此8月17日晚出险,19日上午即基本控制了险情。

(3)高村41号坝于1987年5月修建后,多年来汛期洪水时常着边溜或大边溜,由于土袋枕护底工程发挥了防冲固基作用,所以未发生大的险情。

五、筑坝编织布强度的观测与试验

土工织物老化是指在外界环境影响下性能逐渐变低(如强度变低等)的现象。聚丙烯的耐晒性较差。对桑庄20号坝应用塑料编织袋枕的观测和试验,也说明了这一点。桑庄险工筑坝应用土袋枕,1985年4月26日至5月29日为施工期。土袋枕系用聚丙烯塑料编织布与聚乙烯塑料薄膜复合布制成,编织布不透水,每平方英寸12×12扣扁丝,经、纬向抗拉强度不小于589 N(试件长20 cm,宽5 cm),单位质量90 g/m^2,幅宽1.03 m。

1. 水上护坡观测

(1)迎水面护坡:0+270~0+330段,由于编织袋暴露在水上,经风吹日晒雨淋,表层逐渐老化,强度明显下降。1985年8月1日检查,暴露在外面的编织袋,用手指和小木橛轻按,就能将袋戳破;到1985年年底,大部分表层编织袋破裂,袋内的土散出,但里层的编织袋完好无损,强度变化不大。

(2)背水面护坡:0+385~0+435段,为防止老化,完工后在编织袋护坡面上盖土厚0.3 m,在0+435处编织袋护坡还高出地面0.8 m。1988年7月5日在0+430断面取样(高程54.94 m,地面下0.4 m)做抗拉强度试验,经向强度为687 N,纬向强度为647 N,均满足设计要求。

2. 水下护根观测

迎水面长88 m与背水面长50 m,由于编织袋长期在水下与空气隔绝,不受阳光照射,其老化进程比在水上慢得多,或基本上变化不大。1985年9月17日,花园口洪峰流量8 100 m^3/s,20号坝大溜顶冲,坝上下水位差1 m左右,迎水面和背水面都出现很大的回溜,冲刷坝根,当时没有发生险情;1985年12月29日在迎水面水下取出一个小袋进行检查,其色泽、弹性、强度与新袋无异,袋内的土已成泥,未走失。

3. 枕袋强度试验

为了验证编织袋用于坝岸护底工程,长期在水下或盖土防护的工作条件下,抗拉强度的变化情况,1988年7月1日至5日,在20号坝迎水面和背水面土袋枕护底工程共选择5个断面、17个部位,高程54.94~51.38 m(黄河流量1 000 m^3/s,相应水位54.0 m左右)取试样150个,同时还选取库存的原状布样10个,作对比试验。抗拉强度和延伸率的试验由黄河水利科学研究院完成。

据试验成果报告:库存布样抗拉强度平均值为667 N,延伸率为18%,原设计抗拉强度为589 N,库存布样仍满足设计要求。在护底工程上选取的150个试样中,去掉被抛石砸伤和因取样操作不当损伤的试样7个,其余143个试样抗拉强度加权平均值为647 N,延伸率为10%~14%,抗拉强度最大值为795 N,最小值为491 N。综合试验成果见表6-10。

表6-10　　土袋枕布试验成果

抗拉强度	589 N以上	579~540 N	530~491 N	合　计
试样个数	113	21	9	143
占比例(%)	79.0	14.7	6.3	100

由表6-10知:桑庄20号坝护底工程在水下或盖土防护工作条件下,使用3年的塑料编织袋其抗拉强度总的看变化不大,在143个试样中,抗拉强度满足设计要求的占79%,稍低的占14.7%,两者合计为93.7%。从试验成果看出,抗拉强度达不到589 N的多数是纬向,今后需增加编织布纬向密度及土袋枕的横向牢固性。

第六节　长管袋沉排坝的设计与施工

长管袋沉排坝的结构形式为:下层为防冲排布,排布上压载物为垂直于坝轴线的充土长管袋,管袋内用混凝土输送泵充入由滩地沙拌和而成的高浓度泥浆,排体上部坝基仍采用块石护坡。现结合河南黄河枣树沟控导工程,介绍长管袋排坝的设计施工要点。

一、管袋长度(排长)的确定

排长主要指枯水位以下伸入河中的长度,以及排体伸出枯水位以上所需的连接长度。计算排长的方法是:先按深泓线量出或采用冲刷深度计算出枯水位以下斜坡长度,然后再考虑增加因排体前端局部冲刷影响而下沉的一定富裕长度。后者可根据排体前端的具体地形条件确定,或按局部冲刷计算确定。此外,在排体投放下沉过程中,不可避免地出现排体被冲斜,加之河底高低不平等情况,计算排长时还应考虑褶皱和冲斜影响。

排长的计算公式

$$L = \alpha_1 \alpha_2 L_1 + L_2 + L_3 \tag{6-15}$$

式中 L——排体长度,m;

α_1——褶皱系数,河床较平整时取1.1,较不平整时取1.3,此处取$\alpha_1 = 1.1$;

α_2——冲斜系数,水深小于2.0 m,流速大于1.0 m/s时取1.3;水深大于2.0 m、流速小于1.0 m/s时取1.2;水深小于1.0 m流速小于1.0 m/s时取1.1;此处取$\alpha_2 = 1.3$;

L_1——枯水位以下稳定边坡的斜坡长度,$L_1 = H\sqrt{1+m^2}$,m;

H——枯水位时深泓线或冲坑底处的水深,此处为8 m;

m——与H相应的稳定边坡系数,此处$m = 2$;

L_2——考虑排前冲刷的安全长度,m;

L_3——枯水位以上或连接排长,m。

经计算,最大排长:旱工为40.0 m,水工为34.0 m。

二、长管袋材料及排布的选定

土工织物长管袋进行抽沙充填,要求长管袋满足强度要求的同时,还要满足透水性保沙要求。根据黄河水利科学研究院对该河段做的河床及滩地土颗粒级配试验:中值粒径大于0.05 mm的泥沙在表层占80%以上,在深层占90%以上,沙粒不均匀系数$5 < C_u <$ 18,且河床在冲刷过程中有粗化现象,粗化后河床质中值粒径一般为冲刷前的1.5~2.0倍。充沙长管袋褥垫受水流冲击动力作用和经受水流的作用,反滤布要保护充填泥沙不

流失，根据《水利水电工程土工合成材料应用技术规范》要求，$O_{95} \leqslant 0.5d_{85}$，式中：$O_{95}$为反滤布等效孔径；$d_{85}$为被保护土壤特征粒径 0.17 mm。

由此选定长管袋纺织布为无锡第一毛纺织染厂生产的 WYF-1A 反滤布，性能指标见表 6-11。

褥垫排布主要作用是连接充沙长管袋为整体和保护排布下的床沙颗粒不被水流带走，以实现充沙长管袋沉排的整体性、施工定位方便及坝体的稳定。因此，褥垫排布亦选用充沙长管袋编织反滤布 WYF-1A。

表 6-11　　WYF-1A 反滤布性能指标

项目		单位	平均值	最大值	最小值	变异系数
单位面积重量		g/m^2	230	235	228	0.009
厚度(2kPa)		mm	0.59	0.60	0.58	0.013
条带拉伸	抗拉强度(纵向)	N/5cm	3 665	3 820	3 460	0.035
	伸长率(纵向)		31%	36%	30%	0.077
	抗拉强度(横向)	N/5cm	3 120	3 230	2 970	0.035
	伸长率(横向)		25%	27%	24%	0.041
等效孔径 O_{90}		mm	0.08	0.08	<0.08	
垂直向渗透系数		cm/s	3×10^{-4}			

三、沉排稳定分析

1. 沉排压重稳定分析

充沙长管袋褥垫沉排压重计算：长管袋直径为 0.8 m，断面面积为 0.503 m^2，管袋冲沙完毕后管内泥浆浓度控制在 1 100～1 600 kg/m^3，按 1 100 kg/m^3 计算。

干土沙粒密度取 2 600 kg/m^3，则每米长管袋中干土沙粒体积

$$\frac{1\,100 \times 0.503}{2\,600} = 0.212\,8(m^3)$$

每米长管袋中水的体积为：$0.503 - 0.212\,8 = 0.290\,2\ (m^3)$，每米长管袋中泥浆总量：$1\,100 \times 0.503 + 0.290\,2 \times 1\,000 = 843.5\ (kg)$，故压强为：

$$\frac{843.5 - 0.503 \times 1\,000}{0.8 \times 1} = 425.62\ (kg/m^2) = 4.26\ (kPa)$$

黄河流速多年经验统计值为 3～4 m/s，据《水利水电工程土工合成材料应用技术规范》，在水体紊流状态不同流速条件下，对排体压重的要求，取值为 3 kPa，小于 4.26 kPa，沉排压重满足要求。

2. 排体与土坝基的抗滑稳定性

土工反滤布之间的摩擦角接近土本身的内摩擦角，据《土工合成材料应用手册》介绍，反滤布与沙土之间的摩擦角 $\varphi = 31 \sim 32°$，取 $\varphi = 31°$。

则 $$k=\frac{\tan\varphi}{1/m}=\frac{0.6}{0.5}=1.202$$

满足安全要求。

四、长管袋沉排坝的施工

1. 施工准备

抽沙充填长管袋褥垫沉排坝施工，首先要对坝址附近的河床地形情况进行探测和施工水深测定，并按设计要求确定褥垫沉排加工尺寸和形状。褥垫可在施工现场工棚中加工，也可由工厂加工。布与布连接采用尼龙绳缝合，缝合宽 30 cm，管袋与连接布间亦采用缝合，缝合宽 30 cm，见图 6-24。自丁坝迎水面裹护段至坝前头范围内，前 50 m 范围搭接按 2 m，余者搭接按 4 m，坝前头至下跨角搭接按 2.5 m。施工放样要严格按工程设计控制点坐标及工程几何尺寸遵循有关测量规范进行，在此特别强调控制桩务必要准确无误，在水中不易定位安设的，可采用定位测量船解决。

2. 施工工艺

工程施工分旱工挖槽施工和水中进占施工。旱工施工程序是：采用泥浆泵挖槽→人工铺设长管袋褥垫→泥浆泵充填褥垫泥沙→排体覆土保护（采用泥浆泵放淤）→土坝基填筑→散石护坡裹护→尾工处理。水中铺设充沙长管袋褥垫，目前工艺还不够成熟、可靠，现分两种情况介绍抽沙充填土工织物反滤布长管袋褥垫水中铺设施工。

(1)岸边水深较小，河床地形坡向河心，管袋充填口可放置在岸上时，采用船岸结合控制褥垫位置方法施工。首先以待铺长管袋褥垫末端为卷心卷成卷（末端为袋底），并要求卷之前在褥垫沉排块的上游边间隔 3～4 m 及排块（末）端两角栓尼龙牵拉绳，同时在设计沉排块体位置上游边，沿设计沉排长度方向设置 1～2 条船（沉排长 10～35 m，单船长 15～20 m），船体下游侧距块体上游边 4～5 m 抛锚（必要时采用铅丝笼）定位。然后将既栓绳又卷成卷的未充沙待铺长管袋褥垫块体移至设计位置，利用木桩固定充填口位置。在河岸嫩滩上或岸边利用 6 英寸泥浆泵抽吸河槽泥沙，首先充填褥垫沉排块体上游边的第一个管袋，依靠泥浆泵的充水压力将排体块展开，利用排体上游侧的牵拉船和牵拉绳及袋中高浓度泥水自重实现排体上游边的水下定位，进而实现沉排块体的水下定位。待第一个管袋充满后，将口暂时扎死，开始冲第二个、第三个……直到块体管袋全部充完。因泥浆泵出口含沙量为 400～700 kg/m³，而管袋中泥水含沙量要求 1 100～1 300 kg/m³，为解决管袋充满后泥水含沙量达不到设计要求的问题，在实际操作中采取循环充填 4～5 遍的方法来解决，但在后续充填中，要尽可能地将泥浆泵出水管口插至管袋深处。这样充填后的管袋泥沙饱满度在 70%～80%。最后将充填口用尼龙绳扎死，即完成了沉排的铺设。

(2)水深较大（大于 2 m），管袋充填口也位于深水中时，采用多船控制褥垫位置方法施工，施工布置见图 6-25。首先将所要铺的褥垫体以远端（末端）为卷心，并在其上游边（间隔 3～4 m）及四角拴尼龙牵拉绳后卷成卷，同时参照第一种情况按设计位置锚定牵拉船 A，在沉排近端（充填口端）按褥垫块体宽度锚定充袋船 B（即作为河岸），然后将既拴绳又卷成卷的待充沙褥垫沉排块体移至 B 船上，锚固充填口及充沙泵管，最后借助可移动船 C 和牵拉船 A 的牵拉及 6 英寸泥浆泵的出水压力作用将卷成卷的未冲沙褥垫块体自

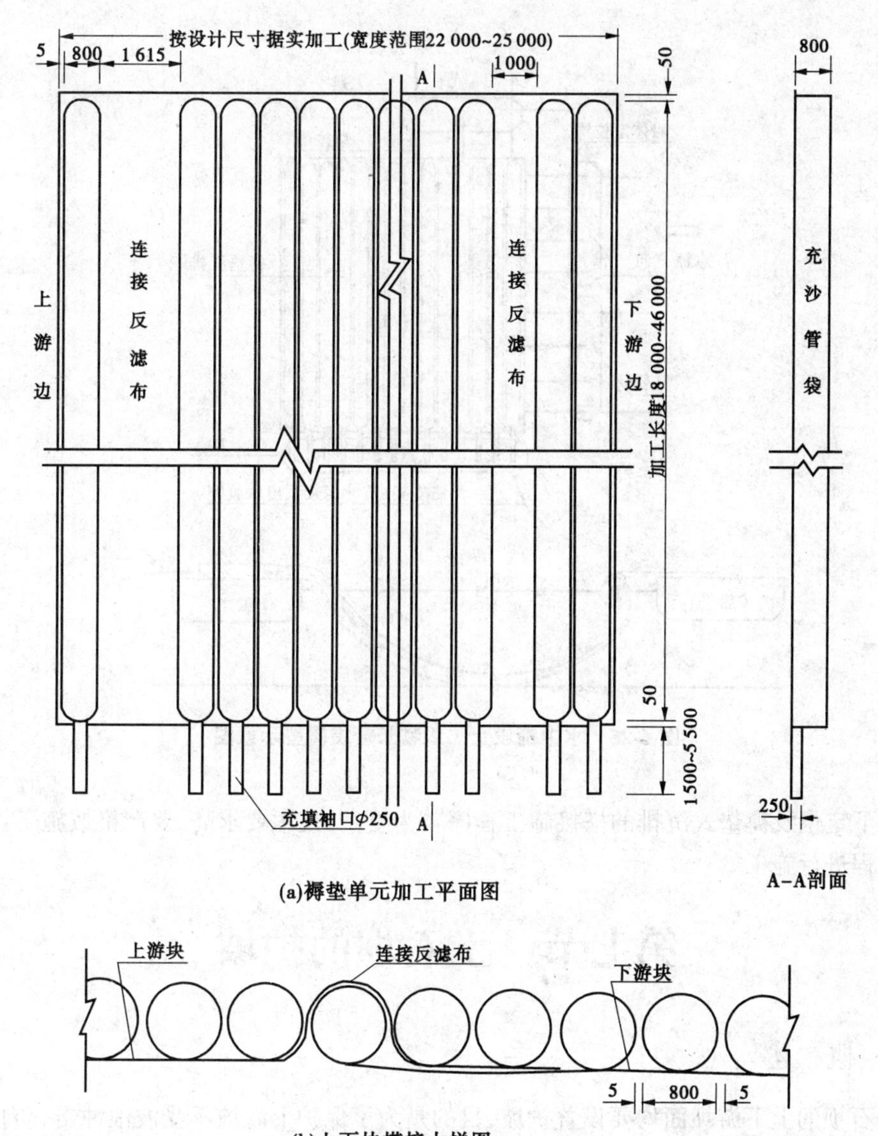

图 6-24　充沙长管袋褥垫施工示意图（单位:mm）

船B外侧铺展并沉入水中固定。其他操作程序及要求同第一种情况。

(3)注意事项:在施工中,已冲灌完成的长管袋要逐个、逐层检查,确认密实度达到要求、部位准确,连结良好后,方可对下一个管袋进行充填;土方工程要严格按照有关规定,要特别注意培土厚度、土质、两工接头、干容重是否合格等。充填长管袋水中施工,人船机械等相互配合,连续作业,责任一定要明确到人,特别是在交接班时,要进行工序交接和交底,并做好施工的原始记录,对其原始性和完整性负责。

长管袋的施工,关键是控制入袋中泥浆的浓度,泥浆浓度太小,排体压载不足,影响排体稳定;浓度太大,充填压力相应增大,容易使长管袋胀裂。另外,在施工及运用过程中,需注意长管袋的保护,避免袋体破坏后土体流失,危及排体安全。此外,充填过程中长管

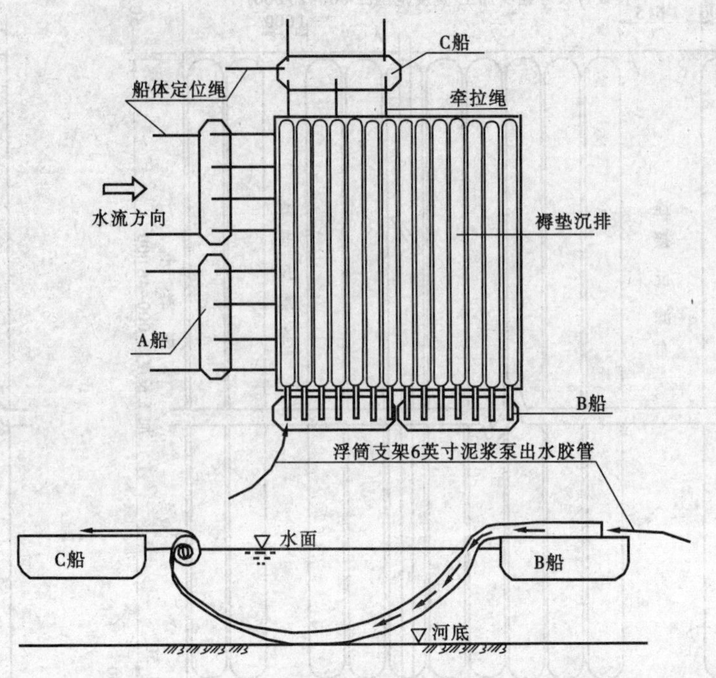

图 6-25　水中铺设土工织物长管袋褥垫示意图

袋的水下定位及褥垫式沉排的搭接施工程序较为复杂,技术要求高,要严格按施工设计和操作规程进行施工。

第七节　土石坝的护坡

一、概　述

土石坝的上下游坝面均要设置护坡,目的是为了保护上游坡不受波浪冲击,防止靠近泄水建筑物的上游坝坡遭受水流的冲刷,避免冰层的破坏。此外,护坡还有以下作用:防止坝体粘性土发生冻结、膨胀和收缩;防止坝坡受到雨水冲刷;防止无粘性土被风吹失,以及防止蛇鼠、白蚁等动物在坝坡中造洞穴;防止根部发育的植物在坝坡上生长等。

上游护坡的主要型式有:堆石护坡;干砌石护坡;浆砌石护坡;预制混凝土板护坡和整体现浇混凝土及钢筋混凝土护坡。后者适合于防护巨大波浪的冲击,护坡厚度大。

下游护坡的主要型式有:干砌石护坡;卵石或碎石护坡;草皮护坡和预制混凝土板护坡。

目前,土工合成材料在护坡结构中已得到广泛应用,主要是用土工织物替代传统的碎石、砂砾和块石,作护面与基土之间的垫层或隔离层或面层,其作用不仅可以节省砂砾碎石和块石等当地材料用量,节省运力和砌筑劳力,更重要的是可以有效防止垫层流失,提高护面防护功能,大大缩短护坡砌筑时间。

二、块石护坡

块石护坡包括干砌石护坡和堆石(抛石)护坡。干砌块石护坡是国内最常见的一种护坡型式。砌石护坡的优点是表面比较平整。缺点一是费时费工;二是由于地基变形、垫层流失或冬季冰推作用可能使个别块石脱落离位,遇风浪作用后迅速发展成大面积的坍塌破坏,维修管理困难而且费用高;三是抗冰冻作用的能力差。因此,在寒冷地区和预期沉陷量较大的地区应慎用。国外对传统的砌石护坡多持否定态度。在没有特殊外观要求的情况下已较少采用。以土工织物作垫层的干砌块石护坡,改善了结构性能,对人力资源比较丰富的我国仍不失为一种较好的选择,但在风浪和冰压力很大的大型水库中仍应慎用。堆石护坡是国外采用最多的一种护坡型式,国内主要用于河道护岸工程。

块石护坡的设计内容有两个部分,一是护面层的块石质量、块径和厚度设计,二是根据地基情况选择适宜的具有反滤和隔离作用的垫层。

图 6-26(a)为传统的干砌块石护坡构造,图 6-26(b)为采用土工织物垫层的新型干砌块石护坡构造。根据国内外大量堆砌石护坡破坏失事的调研资料和青岛市棘洪滩引黄平

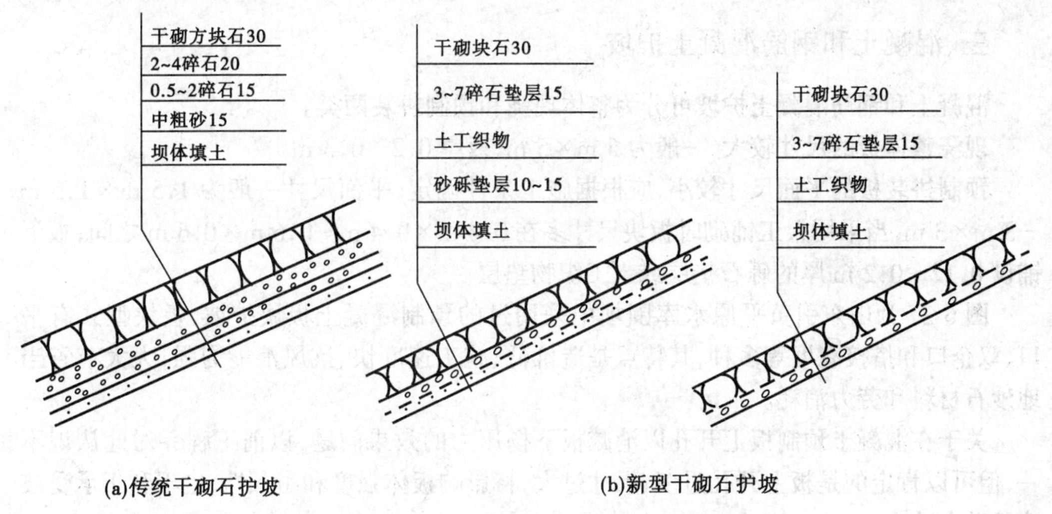

(a)传统干砌石护坡　　(b)新型干砌石护坡

图 6-26　干砌石护砌　(单位:cm)

原水库护坡塌陷破坏原因及采用土工织物修复加固护坡的试验研究成果❶,传统干砌块石护坡破坏的主要机理可归结为块石体型及砌筑质量差,缝隙大,碎石垫层粒径偏小。前者导致护坡面石抗风浪能力降低,垫层大量流失,而后者则给护坡大面积坍塌提供了充分可能。至于坝坡不均匀沉陷,一般仅起到加速上述破坏现象发生进程的作用。因此,提高干砌石护坡抗风浪性能的根本途径就是在坝坡不产生过大沉陷和不均匀沉陷的前提下,干砌石护坡本身应该做到:①垫层本身在波浪往复作用下,颗粒在层内不产生过大位移,更不允许穿过粒径更大的一层流失;②被保护的坝体填土不允许进入垫层,造成垫层淤堵或坝面沉陷;③砌石体型、厚度、重量及砌石质量应满足抗风浪稳定要求,“摇大面”、“三角

❶ 徐又建,等. 引黄蓄水调节水库关键技术研究. 山东工业大学,1996

石”、“外塞石”及砌缝过大的现象必须杜绝，以确保面石的嵌固效应，否则就不能按砌石护坡标准进行设计计算。

新型干砌石护坡采用土工织物封闭砂砾垫层，从根本上堵塞了垫层流失的通道，改善了面石的工作条件，减少了因为坡石沉陷和垫层流失导致面石翻倒脱落的可能性。其次，土工织物层面以上的碎石，不再受传统碎石垫层层间系数的约束，可以增大粒径，使之与面石砌缝相匹配。同时，还要严格控制块石（或片石）的体型、重量和砌筑质量，增加面石之间的嵌固作用。棘洪滩水库的试验研究实践证明，新型干砌石护坡的抗风浪性能比传统型式大为提高，基本上达到设计要求。

此外，由于新型干砌石护坡省去了小粒径碎石垫层，可以砂砾混和料替代粗砂层，对于波浪较小、坝体土质较好的情况，经过论证，可以省去土工织物与基土之间的砂砾层，甚至还可以省去面石与土工织物之间的碎石垫层。计算表明，新型干砌石护坡的造价比传统型式低 10%～30%，节省运力和砌筑劳力达 20%～30%。

因此，采用土工织物垫层的新型堆石和干砌块石护坡应该成为今后广泛采用的护坡结构型式。

三、混凝土和钢筋混凝土护坡

混凝土和钢筋混凝土护坡可分为整体现浇和预制拼装两类。

现浇整体板的尺寸较大，一般为 5 m×5 m，板厚 0.2～0.3 m。

预制拼装板的平面尺寸较小，应根据施工条件确定，平面尺寸一般为 1.5 m×1.5 m～3 m×3 m，当采用人工铺砌时板块尺寸多在 0.4 m×0.4 m～0.6 m×0.6 m 之间，板下铺设 0.12～0.2 m 厚的砾石垫层或土工织物垫层。

图 6-27 为山东引黄平原水库围坝中采用过的预制混凝土板块护坡，板块型式有平口、双企口和搭接有埂等多种，其特点是造价低、施工速度快、抗风浪能力强，大大节省当地砂石材料和劳力消耗。

关于在混凝土预制板上开孔以消减板下扬压力的效果问题，以前工程界对此认识不一，但可以肯定的是板上开孔过多、尺寸过大，将影响板体强度和耐久性，也不利于承受波浪的巨大冲击。

四、土工膜袋护坡和绳索混凝土连锁块体护坡

有关内容在本书第二章第二节和本章第三节、第四节中已作了比较详细的介绍，当用作土坝护坡时，需要补充说明以下两点。

(1)模袋根据其材质和加工工艺不同，分为机制模袋和简易模袋两大类。

机制模袋按其有无反滤排水点和充胀后的形状又可分为：有反滤排水点模袋（FP型）；无反滤排水点模袋（NF型）；无排水点混凝土模袋（CX型）；铰链块型模袋（RB型）及框格型模袋（NB型）等 5 种基本型式（见本书第二章表 2-2）。选用时要注意护坡的工作特点和使用要求，例如有反滤排水点的 FP 型模袋，除接缝排渗外，还在每片模袋上织造有等间距的滤水点，每个点的面积约为4 cm^2，这种模袋抗渗稳定性较好，能抗御较大的风浪冲击，可用于坝坡、大型人工运河、渠道及护底工程；NF型模袋，除利用缝处排水外，不另设

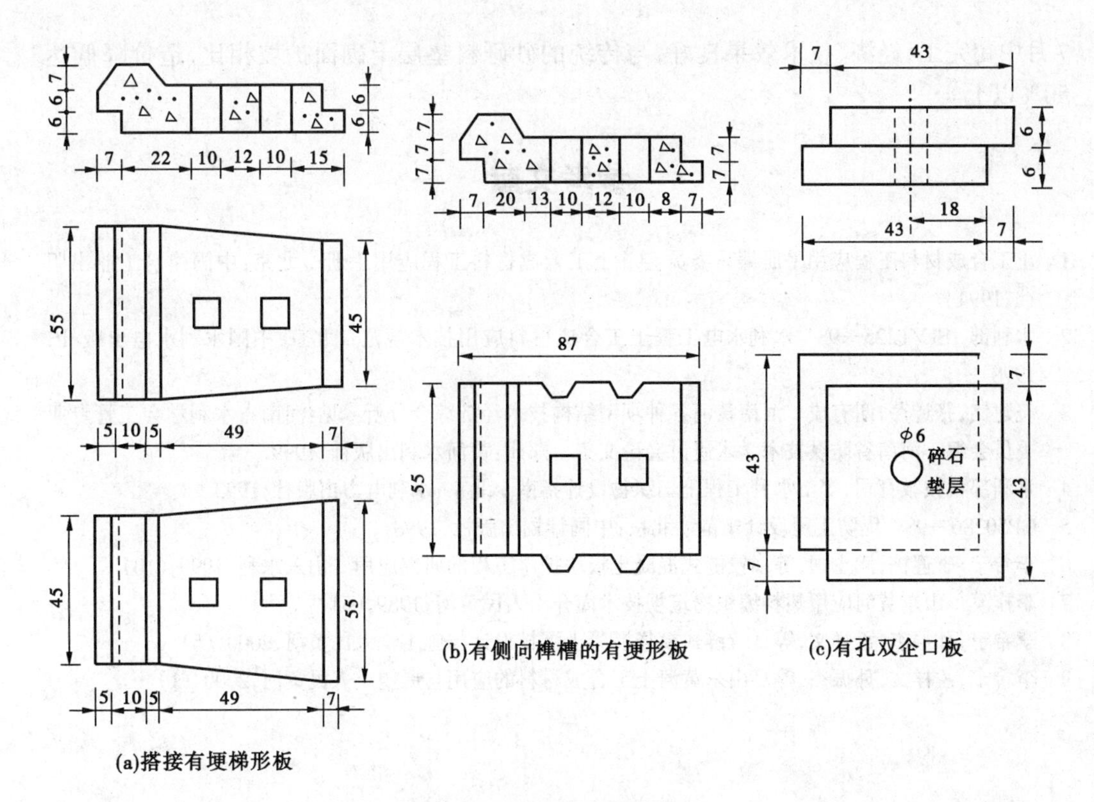

图 6-27　预制混凝土板块型式

反滤点,充填砂浆后形成不透水的护面层,主要用于排水要求不高的护坡;CX型模袋是专门用来灌注混凝土的,厚度较大,一般为 15～70 cm,如果需要排水可在护面上另设排水孔,用于抗御较大风浪的场合。

为了增加强度,土工模袋护坡还可按需要配置钢筋。

为了确保土工模袋护坡整体稳定,模袋护坡的顶部、侧部和坡脚等边界部位要做好结构处理,通常是将部分模袋埋入沿边界开沟的锚固沟内,顶沟沟深一般应大于 45 cm,底沟应深入坡脚冲刷线以下不少于 50 cm。

(2)混凝土连锁块体护坡是以土工织物作垫层,用绳索串连混凝土板块为护面层的一种新型护坡结构,这种护坡柔性大,透水性好,整体抗风浪、抗冲刷能力强,并能适应坡面变形。同时,这种护坡还具有造价低、施工方便、工期短等优点,因此是一种极具开发前景的护坡型式,并可使护坡工程的设计、施工走向标准化和工厂化。

20 世纪 80 年代末,江苏省太仓县钱泾口南盘头海塘,采用了绳索混凝土连锁板块护坡,混凝土板块四边与相邻混凝土板块楔接,并用直径为 15 mm 的锦纶绳通过预留孔将混凝土板块串连为一体,坡面每 13 m 为一个区段固定在水平梁上。

辽宁省盘锦市大洼三角洲防潮堤护坡试验工程中也试验过混凝土连锁板块护坡❶,防潮坝地面以上坝高 3.5 m,混凝土护面板厚 7 cm,分为平板型和有埂的凸形两种,板块平面尺寸为 80 cm×80 cm,串连混凝土板块的聚乙烯绳直径为 6 mm。该工程于 1989 年

❶　辽宁省水利水电科学研究所,盘锦市大洼三角洲防潮堤护坡试验报告及附件,1989

7月中旬完工，经济、技术效果良好，与传统的砂砾料垫层干砌面护坡相比，造价降低达50%以上。

参考文献

1 土工合成材料工程应用手册编写委员会．土工合成材料工程应用手册．北京：中国建筑工业出版社，1994

2 水利部．SL/T225—98 水利水电工程土工合成材料应用技术规范．北京：中国水利水电出版社，1998

3 符建铭，张遂芹，谢有成．河南黄河各种坝型结构技术经济综合分析．见：河南省水利学会工管专业委员会编．河南省防洪技术学术研讨会论文集．郑州：黄河水利出版社，1999

4 水利部科技教育司，等．水利工程土工织物设计指南．北京：水利电力出版社，1993

5 GB50286—98 堤防工程设计规范．北京：中国计划出版社，1998

6 李希宁，李遵栋，武士国，等．铰链式混凝土板块护岸工程的研究应用．山东水利，1999，(10)

7 李祚漠．山东黄河应用塑料编织物筑坝技术简介．人民黄河，1989，(5)

8 李希宁，孙振杰，孟祥文，等．铰链式模袋混凝土沉排设计与施工．人民黄河，2000，(5)

9 李希宁，孟祥文，孙振杰，等．山东黄河土工合成材料的应用与展望．人民黄河，2000，(1)

第七章 防汛抢险

第一节 概 述

江、河、湖、海的堤防是防御洪水的主要屏障。由于历史或其他原因，现有堤防的堤身和堤基存在着各种不同的隐患，如黄河下游堤防是在民埝上加修而成的，基础土多为沙壤土、粉沙层，结构松散、透水性强，特别是历史上遗留下的老决口口门，埋有堵复口门的秸料、砖石等，结构复杂，透水性更强。有的筑堤土料含沙量大、施工质量差，有的防洪标准偏低，汛期极易出现各种险情，如漏洞、脱坡、渗水、管涌、决口等。1958 年大水，山东黄河出现漏洞 18 处，管涌 109 处。1998 年长江大水，仅湖北省就发生各种险情4 974次。这些险情一旦出现，必须及早、及时地排除，否则有可能酿成灾害。历史上，黄河下游堤防不少因漏洞而决口。据调查，仅清朝道光二十一年(1841 年)至民国 27 年(1938 年)的 98 年中，黄河洪灾年有 64 年，其中因漏洞隐患造成的灾害年就有 15 年，造成人民生命财产的极大损失。而抢险成功与否，抢险用料物和技术是重要因素。

劳动人民在长期的抗洪实践中，积累了丰富的经验，如埽工。据史书记载，汉代已开始使用埽工堵口，1753 年开始用兜缆软厢法进占，后发展为做法完整、实用的柳石搂厢、柳石枕等埽工技术。埽工是以薪柴(秸、苇、柳等)、土石为主体，以桩绳为联系的一种水工建筑物，它的作用是抗御水流对河岸的冲刷，防止堤岸坍塌；也可用来堵复溃决的堤岸。在我国劳动人民与河流洪水斗争的历史上，埽工曾发挥了很大的作用。

对漏洞、渗水、管涌等常见堤防险情，也总结出了完整的抢护原则和方法，而且这些抢护方法能就地取材，施工技术简单、易学，在多年的实践中起了一定的作用。但也存在一些问题，一是有局限性，传统方法较适用于较低的堤防，随着堤防高度的增加，有可能出现深水漏洞、高水头的管涌等，对深水漏洞的探查抢护、高水头作用的管涌等抢护，还存在许多问题；二是施工质量难掌握、效果差，难以设置一种既滤水又保土的反滤层，如抢护管涌及漏洞出水口而修作的反滤围井，多用麦糠、麦秸、柳料等秸柳料作反滤料，施工中难以铺设均匀，滤水保土性差，有时麦糠随水流流失；三是秸柳料体积大、造价高、投资大等。与之相比，土工合成材料具有以下突出优点，是防汛抢险工程的理想材料。

一是强度高。如第二章土工合成材料性能所述，土工合成材料的强度是传统材料所无法相比的。

二是整体性强。可根据险情需要，做成几十至上百平方米，保护面积大，无薄弱环节。

三是适应性强。土工合成材料种类多，有不透水的，也有透水的；不透水的可作防渗漏用，透水的可作垫层、排水用，在处理堤防管涌、漏洞出口做反滤排水，形成滤水保土的反滤层；制作的各种软体排沉放后，能与堤坡、河床紧密结合，并能随河床的冲刷变化而变化，发挥防冲和护岸的作用。

四是储运方便。土工合成材料质量轻,体积小,又可折叠。如一块长12 m、宽10 m的软体排,总重尚不足30 kg,运输、储存都十分方便。

五是施工速度快。由于其质量轻、运输方便等特点,使之应用时速度快。如一块12 m×10 m的软体排,从施放到加好压载不足1 h,更加符合抢险要抢早抢小的要求。

六是造价低。以黄河下游控导工程漫顶防护为例,传统的铺柳压石防护,按定额每平方米需用柳枝80 kg,仅此一项合 40 元,而土工合成材料每平方米造价不足 10 元。

七是不用或少用柳枝、梢料和木桩等薪材、木材,有利改善生态环境。

但由于种种原因,目前对土工合成材料的应用还不够广泛,技术运用水平较低,多为编织袋代替传统的麻袋、草袋,还未能充分发挥土工合成材料的优势。1998 年国家和水利部陆续发布了 GB50286—98《堤防工程设计规范》、SL260—98《堤防工程施工规范》、GB50290—98《土工合成材料应用技术规范》和 SL/ T225—98《水利水电工程土工合成材料应用技术规范》,使设计、施工等有了依据,促进了土工合成材料在防汛抢险中的应用,提高了防汛抢险技术水平。

本章对常见的几种堤防险情、闸坝险情,特别是堤防漏洞险情运用土工合成材料进行抢护的方法作分析阐述,并列举了一些工程实例,旨在推广土工合成材料在防汛抢险中的应用。但需要指出的是,防汛抢险是一项突击性的应急任务,汛前对各种抢护方法要认真演练,各种料物准备充足,并对具体险情应因地制宜、灵活运用各种抢险技术方法,切不可生搬硬套,以免影响抢险效果,贻误战机,酿成灾难。

第二节 堤防漏洞抢护

一、险情分析

在汛期或高水位情况下,堤防背水坡及坡脚附近出现横贯堤身或基础的流水孔洞,称为漏洞。洞径从几厘米到几十厘米,是常见的也是最危险的险情之一,特别是有些堤防修筑用的土料为沙壤土,与长江大堤所用的粘土相比,抗冲刷能力较弱。

按照出水清浑可分为清水漏洞和浑水漏洞,清水漏洞表明堤防土体未被破坏,漏洞较稳定;若漏洞流出的是浑水,或者由清变浑,浑浊程度逐渐增大,则表明漏洞正在迅速扩大,一般漏洞在进水口有向上(向堤顶堤坡)发展的趋势,在出水口有向下拉深(向下冲刷)的趋势,随之堤防有发生蛰陷、坍塌甚至很快溃决的危险。1998 年长江大水九江大堤决口就是由管涌发展为漏洞而溃决的,而从发现管涌到决口仅仅45 min。黄河上因堤防漏洞造成决口的例子也不胜枚举,如 1951 年和 1955 年山东利津县王庄、伍庄凌汛决口等。

按照洞口的深浅可分为浅水漏洞和深水漏洞。以人在水中能否用手或脚容易摸到进水口为划分界限。一般人的身高 1.7~1.8 m,因此以 1.6~1.7 m为界。浅水漏洞人可用脚或手直接探摸到漏洞进水口,塞堵漏洞、抛投土袋等工作可站在水中操作,工作方便;深水漏洞,水压力大、流速快,洞径扩展快,洞口离水边远,人无法在深水中着地,操作困难。如 3 m水深的漏洞,按黄河下游新的堤防修筑标准,临河边坡 1∶3,则洞口离水边水平距达 9 m,抢护方案较难实施。

二、漏洞抢护原则

当巡堤查险人员发现漏洞后，要先查明出水口的基本情况，及时向上级报告，并立即组织现场人员抢护。

漏洞的抢护首先要查找出漏洞进口位置，然后根据漏洞险情的特点，遵循“临河封堵、背河反滤养水、中部伺机截堵”的抢护原则，要抢早抢小，全力抢险。在临水侧找到漏洞进水口，及时堵塞软楔，截断水源；同时在背水侧漏洞出水口处，采取修筑反滤围井，制止土壤流失，减小临背水头差，减缓洞口水流流速增大和漏洞口的扩大。根据情况，在堤顶漏洞通道处打下钢锥拦栅或挖掘机开挖，截堵漏洞，以免漏洞扩大，临河土袋、软帘被冲走。

三、漏洞口的查找

(一)人排探摸法

此法适用于浅水漏洞。当巡查人员发现漏洞险情后，应迅速对漏洞险情进行鉴别，在排除了渗水、管涌等险情后，再查明漏洞出水口的情况，如出清水还是出浑水、出水量大小、发展速度快慢等，然后迅速查找漏洞进水口，以便及时进行抢堵。由熟悉水性的人排成横列，个高水性好的人在下游，手臂相挽，顺堤方向用脚踩，凭感觉寻找洞口。同时还应备好长杆或梯子、绳索等，供水下的人把扶，以策安全。经近几年抢险堵漏演习和试验验证，用此种方法探找的位置准确，尤其是查险人员发现漏洞后，在没有携带其他查漏工具的情况下，不失为一种快速有效的办法。

(二)框架式软体排查漏法

软体排习惯上也称之为软帘。框架式软体排是将软帘制成4 m×6 m、3 m×4 m、2.5 m×3.5 m等尺寸，经现场拼装而成。框架式软体排由四根钢管组成的框架、土工布软体排和四根操作杆组成的。软体排用防滑土工布，四周缝制成带扣鼻或留眼以备用绳与钢管相联接，钢管用直径2 cm的镀锌钢管制作，四角预焊螺栓，以便与四根竖立的操作杆相联，见图 7-1。

框架式软体排有两个作用，一是用来查找漏洞，二是用来堵漏。

探查漏洞的方法是：发现漏洞险情后，带框架式软体排进入现场拼装，4人一组手握操作杆将框架式软体排放到可能是漏洞进水口的位置。若临河软体排有被漏洞吸住的感觉，且背河出水口水流减小，即证明软体排盖住了进水口，否则继续快速移动软体排，直至将漏洞进水口盖住并居中，然后组织人力，迅速向软体排上压土袋。操作杆可留在框架式软体排上，作为抛压土袋范围的标志。

(三)潜水探摸法

当人排探摸法和框架式软体排查漏法无法查找到漏洞口时，可能为深水漏洞，可选水性较好的人员潜入水中探摸漏洞。其办法是一人站在临水坡或水中，将摸水杆(铝合金，一般3～6 m)插入堤坡或堤脚深水探摸处，另派1～2名水性较好的抢险队员扶杆潜水探摸，一处探摸不到，移位另摸。如杆多人多也可分组进行。用此种方法探查洞口危险性较大，若漏洞发展较快时，有被吸入洞内的可能，所以，水下人员必须腰系安全绳，以防不策。

当配备有潜水员时，探摸进水口及堵塞可由经过专门训练并配备潜水设备的潜水员

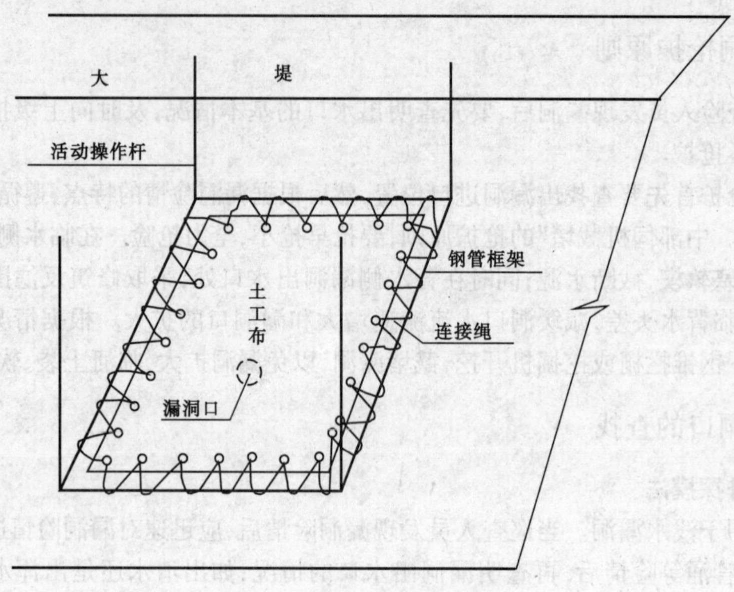

图 7-1 框架式软体排示意图

操作。潜水设备为自携式轻潜装具,由氧气瓶、减压器、呼吸器、呼吸嘴、压铅、防护服等组成。潜水员水下停留时间可达1 h。具体操作如下:首先潜水员要全副武装做好准备,按照操作规程,慢慢潜入水中,两人一组,在浑水能见度很低的情况下靠双手双脚探摸,发现漏洞进水口后,先清除洞口周边杂物,迅速将软楔塞入洞口,并在洞口处插好摸水杆作为标记。

四、漏洞抢堵方法

(一)临河抢堵方法

1.单一抢堵方法

1)软楔塞堵法

当漏洞进水口较小、周围土质较好,属浅水漏洞,流速较小,人可下水接近洞口时,用软楔塞堵应是最简单有效的办法。当查险人员发现洞口的准确位置以后,清除洞口周围杂物,将岸上传递来的软楔迅速塞紧洞口,一般由两人操作。软楔应不漂浮,抗冲、抗压、整体性强,既要有一定的刚性,外部又有一定的柔性,以利于与洞口四周泥土结合,同时要耐老化、便于储存。在汛前制作储备好,在接到大洪水预报后,备好待用。

这里介绍一种麻料橡胶软楔。做法是以长1.0 m、直径6 cm左右的木棍为圆轴,用麻绳裹橡胶泥捆扎成锥形体,外层裹护柔软的红麻,最外部用高强度的两布一膜土工布包裹,再用绳捆扎牢固。软塞大头直径 30～50 cm,小头直径可做成 10～20 cm,整体长1.0 m左右,重量约 15～25 kg,如图 7-2 所示。

2)软体排覆盖法

软体排覆盖是由土工布加工而成的,面积可大可小,封盖漏洞口,达到背水坡出水量锐减或断流的目的。此法适用于洞口附近流速小、土质松软或周围已有许多裂缝,而洞口水深较大的情况。软帘大小的选用应根据洞口具体情况和需要盖堵的范围决定。

(1)普通型软体排:制作材料可用PE编织布缝制而成5 m×6 m或尺寸更大的排体。在排体的下端横向和两侧用编织布缝制0.4 m左右的宽横袋和边袋,装土后作为排体的纵横向压载。排体的上端缝一ϕ8 mm粗的固定用尼龙缆绳,其下端从横袋底部兜过,纵向拉筋绳应预留一定长度,便于与顶桩联系等,如图7-3所示。

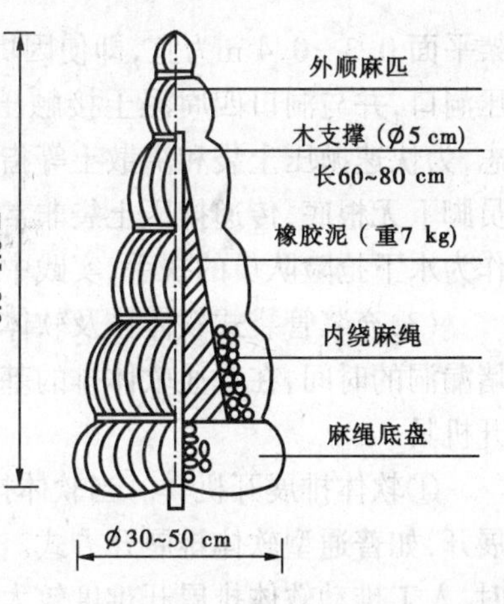

图7-2 麻料橡胶软楔构造图示意图

沉放步骤:①当发现漏洞后,在迎水侧查找到漏洞口后,将排体运至现场,并在堤坝顶展开排体;②由抢险人员向排体下端的横袋内装土,边装边向土袋中间抖倒,尽量装实,横袋装满后将口封死;③抢险队员站到横土袋一侧,一起滚动排体成捆,后将排捆移到临河坡堤肩处;④在上游侧岸边堤顶打桩4根,用绳将软体排拉筋绳拴在顶桩上,并派专人控制其松紧;⑤将排体推入水中,在软体排展开的同时向竖袋内装土,直至横袋沉至河底。

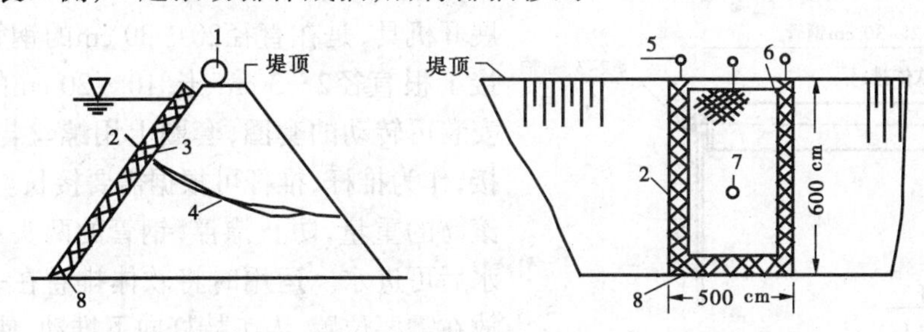

1—排捆沉放前位置;2—纵向压载土枕(土袋);3—PE编织物排体;
4—漏洞通道;5—木桩;6—尼龙缆绳;7—洞口;8—横向压载土枕

图7-3 软体排临河封堵漏洞示意图

上述排体也可将两边袋去掉,在将排体推入水中后,用特制的PP编织布防滑土袋,从排体的两侧水面往下溜放,一个顶着一个借土袋自重沿排体下滑,一直滑到排体下端横向压载土枕上。

(2)框架式软体排:框架式软体排基本结构同前。实施时带框架式软体排进入现场拼装,当找到漏洞进水口并塞堵洞口后,按洞口标志杆表示的位置,由4~6人手握操作杆将框架式软体排盖在漏洞口上,并用力压框架,使之与堤坡较好地结合。四个操作杆要树立。当下送软体排遇到堤坡障碍时,前面处于深水处的人员需潜水处理;在有潜水员的情况下,由潜水员在水下处理障碍,同时向下拉动边管,继续使软体排覆盖到位。此后应迅速抛投土袋排压,用机械浇散土闭气。

框架式软体排的特点,一是质轻、高强,以3 m×4 m的软体排为例,每平方米两布一膜的土工布重800 g,整个框架式软体排重10 kg左右,而每米宽度土工布可承受10 t左右的拉力。二是操作方便,盖压洞口迅速,抢险队员使用操作杆施放软体排,既避免了潜水作业,又能迅速准确地盖压洞口。三是软体排布与四周钢管的联接可通过绳索调节软帘布的松紧度。软帘布过紧不利于施放后紧贴堤坡,过松则不便于操作,软帘布以垂下钢管架平面 0.3～0.4 m为宜,即使因堤坡局部不平,钢管架不能贴紧堤坡,也不影响软帘布盖压洞口,并与洞口四周泥土接触压紧的作用。四是施放软体排后,四个操作杆可作为标志,为快速抛压土袋和浇散土等指明范围和方向。五是当在抢堵深水漏洞时,水下抢险队员脚下无根底,传递排压土袋非常困难,全部靠浮水作业,能坚持的时间短,四个操作杆可作为水下抢险队员的扶手,实践中很受队员的欢迎。

(3)充浆管袋式软体排及软体排展开机具:为了抢堵深水漏洞以及提高功效,争取抢堵漏洞的时间,在普通软体排的基础上改进而成了充浆管袋式软体排,并研制了软体排展开机具。

①软体排展开机具。当软体排较短、堤坡较陡时,可由人工直接推动卷成捆的软体排展开,如普通型软体排展开方式。而当堤坝较高、堤坡较平缓,且漏洞较深,需软体排较长时,人工推动软体排展开难度较大,因此需要专用工具。近年来,山东黄河河务局研制了两种软体排展开机具,即简易人工推杆展开机具和电动软体排展开机具。简易人工推杆展开机具,是在直径20～30 cm的钢管两头,焊接 1 根直径2～3 cm、长 10～20 cm的轴,轴上安装可转动的套圈,套圈上用螺丝与细钢管连接,作为推杆,推杆可根据需要接长。为了增加滚筒的重量,防止漂浮,钢管的两头不封死,入水后可进水。运用时将软体排卷在一钢管上,放在需要位置,人工持杆向下推动,使软体排展开。如图 7-4 所示。

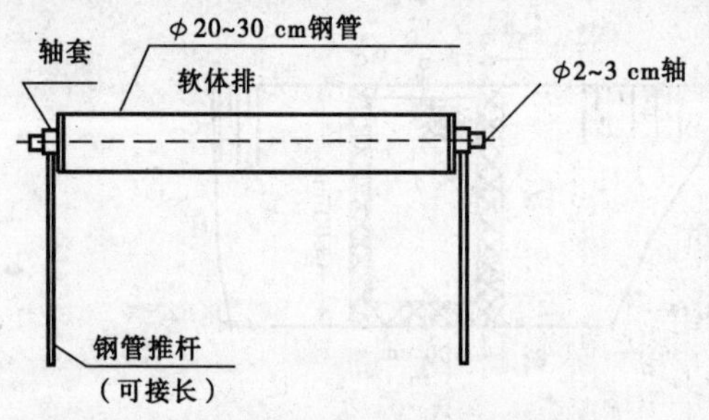

图 7-4　简易人工推杆软体排展开机具

电动软体排展开机具,是在软体排滚筒的一端安装一个5 kW的电机,联接一个可伸缩的、垂直滚筒的操作杆,其端部设一个正、倒向控制开关,给软体排滚筒一个同轴心的转动力,迫使软体排滚筒向下推进。为保证电机在水下正常工作,用防水外壳将电机和变速箱密封在里面。人可以通过能伸缩的操纵杆操作,准确掌握软体排推进的尺度。为封严软体排四周,防止漂浮,使软体排贴紧坡面,把软体排滚筒做成两端粗(直径为30 cm)、中间细(直径为15 cm)的形状,可确保整个软体排拉开,贴近堤坡。该机具主要设备有:1 台5 kW电机;1 个长10 m两端粗、中间细的滚筒钢管;1 个直径30 mm、长10 m的固定拉杆;伸缩操纵杆 2 根(每根长10 m)。展开及卷起一次只需90 s。

②充浆管袋式软体排。充浆管袋式软体排由不透水的防滑一布一膜或两布一膜土工布作底,宽 6～8 m、长15 m,顺长度方向增设直径为1 cm的聚乙烯筋绳,底端和两侧设互相联通的管袋,直径 0.5～0.8 m,两侧管袋顶端留喇叭形进料口,底横管袋设计成不透水材料,两侧管袋为可滤水的土工布材料。两边管袋外侧各留 1.0 m 宽的土工布,以便抛压土袋,底管袋的外侧留0.5 m宽,并设有联结鼻。平时将软帘卷成卷,现场用时利用软体排展开机具展开。充浆管袋式软体排结构如图 7-5 所示。

充浆管袋式软体排结合软体排展开机具运用,解决了一般软帘周边难压实,无法在短时间内与堤坡紧密结合、在软帘和堤坡间漏水的难点。较普通型软体排的施工速度快,对堤坡较缓、漏洞较深的险情,效果较好。管袋软体排可在岸上操作,在多个洞口或裂缝洞

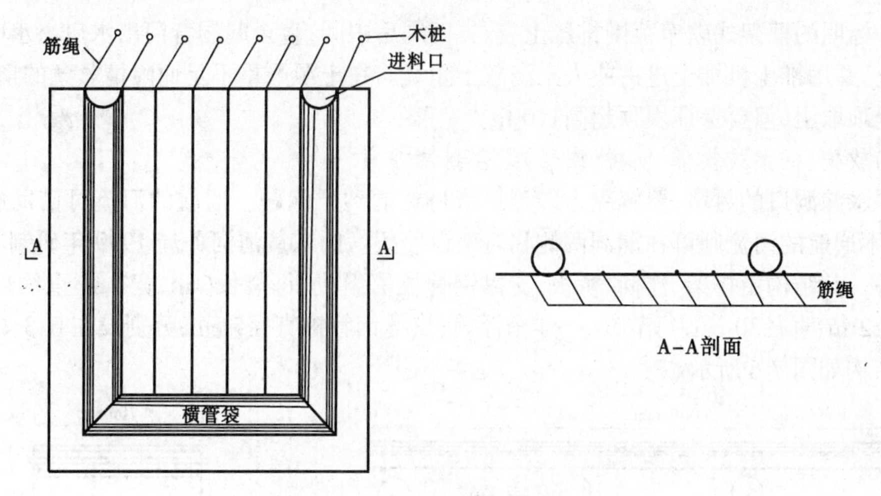

图 7-5　充浆管袋式软体排示意图

口的情况下，无法快速查找出漏洞进口，可利用管袋式软体排面积大的特点在一定范围内多铺设数个软帘，苫压漏洞口，达到堵漏的目的。

一般软体排盖压漏洞口后，都需要抓紧时间用小土袋压软帘，使之与堤坡贴紧，以防漏水，从而达到封堵漏洞口的作用。但一般软体排使用材料较滑、摩擦系数较小，堤坡又较陡，抛压的小土袋很难规则排压在软帘上，大部分都堆到了堤坡坡脚，只有坡脚堆放了一定数量小土袋后，才能顺堤坡向上延伸，这样就不能在短时间内更为有效地发挥软帘的作用。管袋式软帘可以在岸上用较短的时间充填起底管袋，不但侧管袋和底管袋有效地压住了软帘的周边，而且当抛压小土袋时，底管袋起到了阻滑横枕的作用，在施放软帘的短时期内，最大限度地发挥了所用每一种料物的作用。

实施步骤：①根据已探明的洞口位置，将已卷好的软帘摆放在临河堤肩上；②打桩拴绳，在堤肩打 3～5 根长80 cm、直径10 cm的木桩，将软帘加筋绳系于木桩上，成能松能紧的绳扣；③施放软帘，用软帘展开机具将软帘展开，罩在洞口上（操作中当软帘滚筒推至水边时必须略停数秒，待水充满滚筒时，两边均匀下推入水，以防整体帘布上浮）；④充填泥浆，每个装袋口由两人撑开，4 人向管袋内填土，1 人开汽油机（8 kW），一人持水枪冲土，直至充满；⑤抛压土袋，在充填泥浆的同时，一部分人向管袋的内外侧抛压土袋；⑥浇散土闭气。

2. 临河抢堵实用组合方法

传统的抢护方法多采用单独的措施。在漏洞较深、堤防土质较差的情况下，漏洞险情发展很快，单一的抢护方法往往难以奏效。采取多种措施的组合抢护适应于不同层次的抢险队伍，会大大提高抢堵漏洞险情的把握性。

1）软楔、框架式软体排（或普通型软体排）组合方法

当洞口为浅水漏洞时，并由查险人员找到洞口的情况下，首先由水性好的人员潜水用软楔堵塞洞口，要塞紧塞严，如果没有预制的麻料橡胶软楔，也可就地取材，用棉衣、红泥网兜、土袋等代替；第二步由 4～6 人将框架式软体排覆盖在漏洞口上，尽力向下施压软帘框架，使之贴紧堤坡；第三步在土袋保证来源的情况下，至少 40 人运送土袋，水下 12 人按

标志杆标明的框架式软帘范围排压土袋,先四周后中间,直至漏洞背河出水口出水明显减少为止,并用推土机推土进占或人工浇散土闭气。在土源严重不足而险情紧急的情况下,可削堤顶取土,但要保证堤顶超高1.0 m。

2)软楔、框架式软帘、便桥(或船)组合封堵方案

深水漏洞口的封堵,要解决土袋等封堵材料的到位问题。通航的河流可借助船抛投料物,不通航的河流则可在漏洞两侧临时架设便桥。山东黄河河务局1999年研制了抢险用便桥。其结构由排架、浮筒、桥板、支撑钢管桩等组成,每节长6 m、宽2 m、重约150 kg;浮筒长2 m,直径30 cm,每节设3~4个浮筒;支撑钢管桩直径5 cm,分别设在0、3、6 m处。便桥结构如图7-6所示。

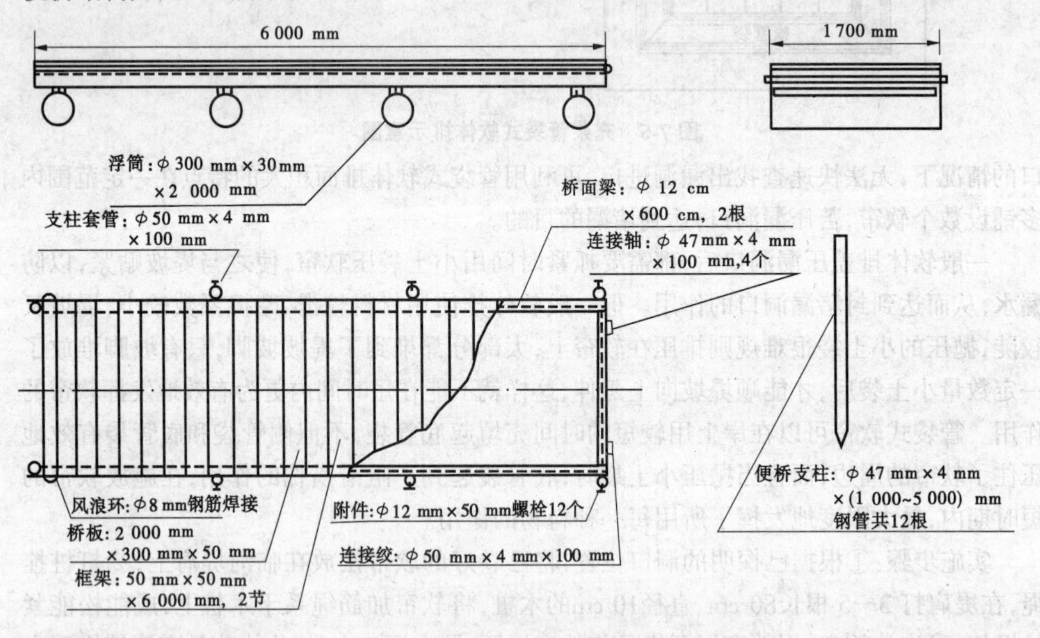

图7-6 钢木组合式便桥结构图

根据需要,便桥搭设在离洞口适当距离的地方。如用软帘封堵漏洞,则便桥与软帘纵向平行,内边离软帘外边约1 m,也可在漏洞两边各快速架设一座便桥,即两座便桥,并通过便桥运送土袋。一座便桥承重在1.5 t以上,即可承受20人背土袋的重量。搭建便桥时,首先将桥面放入水中,两节间用销子连接,一端固定在堤坡上,另一端用缆绳拴在木桩上,防止桥面摆动,最后安装钢管桩定位并作桥面支撑。试验表明,15名抢险队员5 min可完成12 m长的便桥搭建工作,可承受10人背土袋和10人空载在便桥上行走,或在便桥前头堆放27个土袋。

便桥的特点:一是结构简单、制造方便、搭设快捷,适合抢堵深水漏洞的需要;二是变水下作业为水上作业,保证了人身安全,提高了抢险效率;三是解决了封堵漏洞材料抛投不到位的问题,可大大提高抛投土袋等材料的有效性,充分发挥其作用;四是扩大了作业场面,抢险队员可利用便桥向漏洞口处抛投土袋,留出堤顶处,发挥机械抢险的优势,用自卸车运土和土袋,推土机、挖掘机向洞口处浇土进占修筑前戗,封压洞口,并避免漏洞向堤坡扩散。

该方案的抢护程序是：首先由 2 名潜水员用麻料橡胶软楔堵塞洞口；然后由 4～6 人穿救生衣施放框架式软帘，由潜水员协助覆盖在漏洞口上，并压软帘框架使之贴紧堤坡；与此同时在软帘两侧外约1 m处搭设便桥，两边各有 12 人操作；在桥体定位的同时，人工在桥上运抛土袋；最后用机械浇、推土修筑前戗闭气。

此法的关键是便桥安装搭设要快捷，要在5 min内安设完毕，并注意位置准确，方向对头，钢管桩垂直牢固，当便桥运送土袋的任务完成，需要拆除便桥时，也要以最短的时间拆除或移走，以免影响机械浇土作业。

3）软楔、充浆管袋式软帘、便桥（或船）组合封堵方案

该法适用于深度在2.5 m以上的深水漏洞抢护。

软楔、管袋式软帘、便桥（或船）组合封堵方案实施程序为：首先由潜水员用软楔塞堵洞口，接着施放管袋式软帘，并快速向袋内充填泥浆；同时搭设便桥（或用船），抛运土袋，适时用机械推土进占闭气。

（二）背河反滤养水的方法

滤水软体排围井是指用土工织物作为反滤材料的反滤导渗体，覆盖于漏洞出口上，四周边排压土袋作井壁，依靠土工布的透水性能达到排水留土的目的，阻止泥沙外流，利用围井养水，减小临背水位差，减缓险情扩大。

用两层240 g/m^2、等效孔径0.13 mm、垂直渗透系数0.001 1cm/s的机织滤布缝合在一起，制成滤水排（见图 7-7）。

反滤围井大小的确定：一是根据临河水深；二是要有一定的作业空间；三是要有相当的容积蓄水或填装反滤料。根据实际抢险经验，反滤围井的内半径以出水口为中心不小于1.5 m为宜，其高度一般高于出水口2.0 m左右。反滤围井的底宽根据围井的高度而定，同时参照周围地形，从承压的稳定性出发，其铺底宽度应在3 m以上，外边坡为1:0.8～1:1.0。

滤水软体排的选择，首先要符合滤水保沙准则，透水率应稍大些。其次是有一定的强度，可选有纺布。滤水排的尺寸应根据围井的大小而确定，应使围井的土袋压住。如：4.0 m×5.0 m、8 m×10 m等。

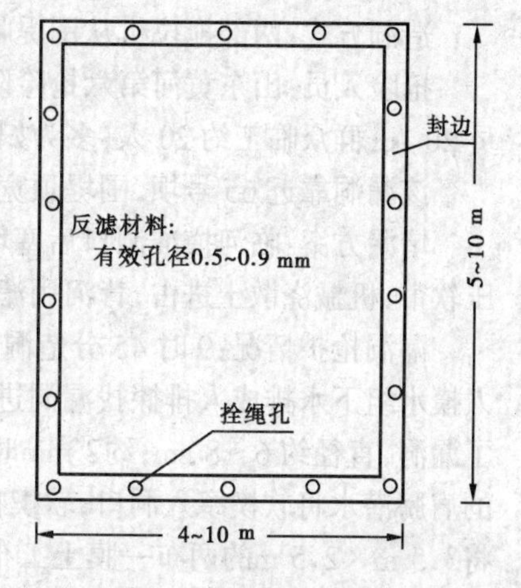

图 7-7　滤水软体排示意图

滤水排的操作方法和要点：

（1）清除堤坡、地面上的树木、石块等尖物，并整理平整，以利于滤水软排和堤坡、地面充分接触。软排的中心对准洞口铺放。

（2）为防止软排沿坡面滑动，顶端用绳牵引拴在堤肩的木桩上（木桩间距1.0 m），其余三侧用 U 形钉将其锚固在坡面或地面上，U 形钉间距为50 cm。

（3）使用前对滤水软体排进行严格检查，有破损部位清除不用或用三倍于破损面积的好土工织物将其缝好。土工织物的连接采用搭接宽度不小于10 cm，用双排尼龙线手工缝合，缝线间距5 cm，针距不超过1 cm。

（4）按照修筑围井的尺寸要求迅速抢做土袋井壁。土袋装土以半袋为宜。排法是由

里向外依次展开。土袋排放要求内圈底向里、口向外，至最外圈底朝外、口向里。两层之间错缝相压，放平后用脚踏实，每层面要平，层与层之间错茬相压。

(5)当围井修筑到一定高度，根据井内水位情况，在围井高1.5 m左右放置排水管。

三、堤防漏洞抢护实例

1999 年山东黄河河务局组成的堤防漏洞抢护技术课题组，进行了抢堵漏洞试验。

试验地点在东阿县河务局井圈险工 63～65 号坝之间，由新修的围堤与临黄大堤和63、65 号坝围成一个长96 m、宽 30～40 m的蓄水池。为了模拟与黄河大堤基本一致的情况，要求堤顶宽7 m，临河靠下游49 m长围坝边坡 1:2.5，上游47 m长临河边坡 1:3，背河边坡均为 1:3，堤顶高度超设计水位1.5 m，后由于急等使用试验场，堤顶超高降低0.5 m，堤顶顶宽变为9.75 m。由于准备工作时间短，新修围堤取用 63 号坝上首淤背区机淤沙土筑成，由四部铲运机施工，因场地地形所限，在围堤临背河同时帮宽加高，在96 m长的围堤内预埋造漏洞的 8 条钢管和钢丝绳，基本每10 m长埋一根，施工中没有按标准碾压，全靠机械自压，围堤填筑质量很差，试验完成后对干密度进行了检测，结果是围堤干密度大部分达不到黄河大堤的填筑质量要求，只有靠近险工坝基的少部分残留围堤质量稍好一些。

［**实验 1**］ 2.1 m水深漏洞试验情况

时间：1999 年 8 月 16 日上午。

造洞方式：两部拖拉机从围堤临河方向拉出预埋在围堤内的钢管，钢管直径5 cm。

抢险人员：山东黄河第六抢险队队员 30 人；从东阿县河务局机关各科室临时抽调人员 20 人；群众临工约 20 人(多为妇女)。

该漏洞靠近 65 号坝，围堤顶宽9.75 m，临河堤坡 1:2.5，背河堤坡 1:3。

堵漏方案：临河摸准洞口后塞堵软楔，盖压框架式软帘，同时搭设便桥后人工抛土袋压软帘，机械浇散土进占；背河用滤水软排修做反滤围井养水减压。

漏洞抢护情况：9 时 45 分造洞成功，背河出现一直径约5 cm的漏洞。临河立即组织 6 人摸水组下水排成人排探找漏洞进口，其中两名水性好的队员潜水探摸，在1 min内找到了漏洞，直径约 6～8 cm；约2 min时摸水组组长为克服浮力让其他两名队员各按压一侧的肩膀潜水将软楔塞入洞口，软楔在洞口外露约30 cm，并插摸水杆标示；随后水下组 6 人将3.5 m×2.5 m的两布一膜土工布框架式软帘盖在洞口上，并抛压土袋；5 min时便桥架好，并在其上人工运土袋。同时，自卸车按照预先划定的卸土区，向抢险现场运送散土。背河装土袋用土由推土机推至背河堤坡，人工装土袋。约6 min时临河挖掘机进入现场抛投土袋，仅抛投 3 斗即被总指挥当机立断调出了现场，因机械进入现场过早，这时人工抛投土袋数量不多，还没有将软帘四周基本压住，同时挖掘机抛投距离有限，难以抛投到位。另外，挖掘机作业位置不当，挖掘机距便桥太近，臂杆 360°旋转，加上自卸车卸土影响，严重干扰了人工利用便桥抛投土袋施压软帘的进度。一部挖掘机的工作，导致水下作业人员及便桥运输土袋人员全部撤离一边，大大影响了抢险效率和进度，如图 7-8。挖掘机撤离后，由人工继续利用便桥抛投土袋施压软帘下部。当确定软帘四周已被压住、险情被基本控制后，至16 min时，再次调用挖掘机进入现场浇土，并改变了作业位置和臂杆回旋方向，使人工、机械互不影响(如图7-9)，至45 min时基本控制了险情，背河漏洞出水口逐步断流闭气，随后加固临河前戗至1 h撤离。

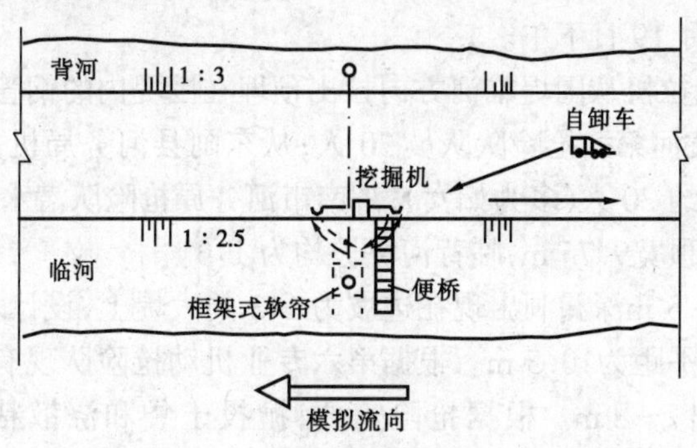

图7-8　8月17日堵漏机械作业错误布置平面示意图

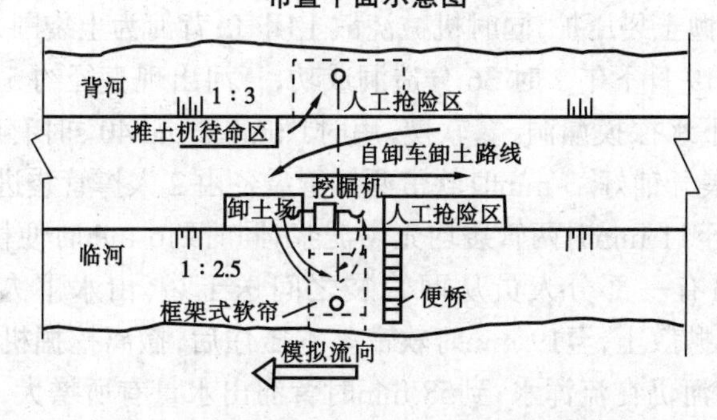

图7-9　抢堵漏洞机械作业平面布置示意图

按照“临河封堵，背河反滤养水”的原则，在临河抢护的同时，背河由人工装土袋并修做滤水软体排反滤围井。滤水软排为机织加针刺土工布，质量为410 g/m^2，纵向抗拉强度55 kN/m，梯形撕裂强度120 kN/m，垂直渗透系数0.000 9 cm/s，等效孔径0.1 mm。

围井按铺底2.5 m、顶宽1 m、高2.0 m、直径2 m考虑，围井井壁体积为27.5 m^3，约用土袋1 100条，由15名抢险队员码砌，10多名民工运土袋完成。由于围井修做及时，对滤水软排施压效果较好，滤水排发挥了较好的效果。在水压力下滤水排鼓胀大，水压力曾使围井一边漏水，后加做散土心墙，外部再砌土袋制止了漏水，事后检查，滤水排使漏洞出口基本淤死，有一淤泥堆。

本次抢险用自卸车3辆、挖掘机1部、装载机1部；临河水下作业12人，便桥架设12人，岸上运土袋14人，共计38人；用土袋约600条，用粘土和两合土约40 m^3。

这次试验做到了抢早、抢小，临背并举。软楔塞堵及时，6人操作框架式软帘，在水中移动较灵活、盖堵迅速，证明软塞、框架式软帘方案是成功的。便桥架设仅用5 min，其作用是大的。大型机械如自卸车、挖掘机、推土机等，发挥了速度快、工作强度大的优势，对快速浇土闭气起了重要作用。

但是也存在一些问题：一是人员少，临河运送土袋人员不到20人。二是机械调配不理想，挖掘机进场时机不当，加上缺少训练，与抢险人员配合不理想，作业效果差，挖掘机作业回转半径10 m，初期作业的位置影响土袋的运送。三是便桥离软帘边约2 m，又因一侧便桥，抛投土袋需在水中传递才能到位。

[**实验** 2]　2.5 m水深漏洞抢护情况

时间：1999 年 8 月 19 日下午。

造洞方式：3 台拖拉机从围堤临河方向拉出预埋在围堤内的钢管，钢管外径5 cm。

抢险人员：山东黄河第六抢险队队员 30 人；从东阿县河务局机关各科室临时抽调人员 20 多人；群众临工约 20 人(多为妇女)；济南市河务局抢险队潜水员 6 人。

漏洞轴线处围堤顶宽9.75 m，临背河堤坡均为 1∶3。

现场分析：水下2.5 m深漏洞出现在边坡为 1∶3 的大堤上，设计水位距堤顶1.0 m，则漏洞距围堤临河堤肩平距为10.5 m。根据第六专业机动抢险队现有挖掘机工作性能，挖掘机只能把土料送出7～8 m。根据抢险需要，抛投土袋和浇散粘土要超出洞外平距1～2 m。即应把土料送出约11～12 m，显然是达不到的。

抢堵漏洞总体方案：由潜水员探摸确定洞口位置，并实施软楔塞堵洞口，然后盖堵管袋式软帘，搭设便桥抛土袋压护，同时机械浇散土闭气；背河为土袋围井、土工布反滤。

抢护情况：8 月 19 日下午 2 时 36 分造洞成功，背河出现直径约 5 cm 的漏洞，临河立即组织 2 名潜水员下水探摸漏洞、塞软楔，用时1 min；2 min40 s时有 12 人下水将6 m×12 m的管袋式软帘展开铺好，3 min时软帘两侧管袋各由 2 人撑管袋进料口，一人持水枪，4 人向管袋内填土，至11 min时两管袋均充满泥浆；同时约6 min时便桥架设完毕，随即运送土袋压护软帘，另有一部分人员从两管袋之间送土袋，由水下人员接力排压土袋；12 min50 s时挖掘机抛散土，至19 min时软帘基本压住后，撤离挖掘机由推土机向洞口方向推土进占，此时背河仍在流浑水；到58 min时背河出水量有所增大，反滤围井被冲毁一段，此时，漏洞口已向堤顶方向爬伸，用两部推土机大量推土，并向漏洞两边扩展盖压，背河逐渐停止出水，此时已历时1 h5 min。在临河继续推土加固时，到下午 4 时 6 分(总历时1 h30 min)背河漏洞处又有浑水流出，用挖掘机在堤顶中间抽槽截堵，挖宽 1.5～2 m，当挖深至3.5 m时，发现漏洞呈椭圆形，上下高约1 m，左右宽约70 cm，采取逐层用粘土回填，挖掘机铲击砸压实，至下午 4 时 56 分背河停止流水，总历时2 h20 min。第二天将背河出水口土袋、滤水排清除后发现，背河洞口上下高60 cm、宽50 cm。

临河用土袋约1 500条，散土200 m^3，最后临河完成了长12 m、宽6 m的前戗。共动用 1 部挖掘机、2 部推土机、4 辆北方奔驰自卸车，抢险人员 40 人。

在临河抢堵的同时，背河抢修反滤围井，以减缓水头差和漏洞的扩大，为临河抢堵争取时间，计划背河围井按铺底2.5 m、顶宽1 m、高2.5 m修做，围井内径2 m，约需土袋61.82 m^3，2 480条。滤水排采用两层机织布缝制而成，尺寸为5 m×5 m，每层机织布重240 g/m^2，纵向抗拉强度55 kN/m，横向抗拉强度40 kN/m，纵横向伸长率分别为 26%和35%，梯形撕裂强度100 kN/m，垂直渗透系数0.001 1cm/s，等效孔径0.13 mm。当反滤围井修至1.8 m高时，水压力使滤水排鼓胀较大，但滤水效果很好，水压冲毁围井薄弱环节，几处土袋缝隙漏水，特别是近洞口上端土袋少的地方，经现场指挥决定，对漏水处进行局部翻修重做，并在两层土袋间修做散土心墙截渗，其间有几处围井被冲毁，几经维修，保住的围井约1.8 m高。

背河有抢险队员 15 人，群众 20 多人，共近 40 人，耗用土袋约2 000条。

这次试验在漏洞发展到如此大的情况下能抢堵成功,有许多经验和教训值得总结。一是临背并举起了作用,临河抢堵的同时,背河修做了高1.8 m的反滤围井,对减小临背水头差、减缓险情发展的速度等起了重要作用。二是自卸车、推土机配合水中进占做前戗,作业到位,速度快,作业方式正确(如图 7-10),发挥了强度大的优势。挖掘机进行抽槽截堵闭气,速度快、效果好。三是发挥了软帘在深水区较大面积压盖的作用,但管袋式软帘结构不尽合理,充填试验表明,管袋与底布的连接面积大,当管袋充满泥浆后,造成两管袋间的底布局部绷得太紧而悬空,悬空部分与堤坡间仍有漏水的现象;在展开软帘时未能使软帘展开器滚筒内先充满水,短时间内有漂浮现象。四是充填土袋的人员,为机关科室抽调人员,劳动强度上不去,装入管袋的土少。五是浇散土闭气及修做前戗的尺寸,要超过软帘两边各3 m,这次试验第一次能闭气,主要是推土机推土填实了软帘左边的进水通道。六是新修的模拟坝土质多为沙性土,又不密实,平时抢险人员下水演练时,水下堤坡已被踩成烂泥,漏洞很快向堤坡其他地方发展,已不是单一的进水口。七是抢险人员少、土袋少,影响了抛投土袋的强度。

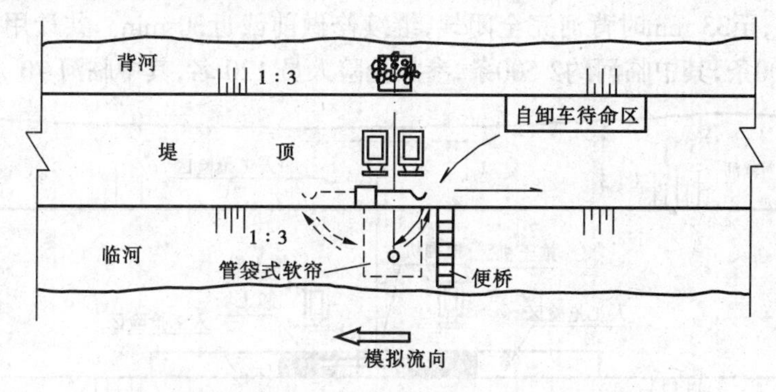

图 7-10　抢堵漏洞前戗机械作业平面布置示意图

[实验 3]　3.0 m水深漏洞抢护情况

时间:1999 年 8 月 25 日上午。

造洞方式:3 台拖拉机从围堤临河方向拉出预埋在围堤内的钢管,钢管直径5 cm。

抢险人员:山东黄河第六抢险队队员 30 人;从东阿县河务局机关各科室临时抽调人员 20 多人;东阿县河务局维修厂 25 人,群众临工约 20 人(多为妇女);东阿县民兵应急分队 40 人;济南市河务局抢险队潜水员 6 人。

漏洞轴线处围堤顶宽9.75 m,临河堤坡 1:2.5,背河堤坡 1:3。

现场分析:水下3.0 m深漏洞出现在 1:2.5 的堤坡上,堤顶超过设计水位1.0 m,则漏洞距围堤临河堤肩平距为12 m。

堵漏方案:先由 2 名潜水员探摸漏洞进口,并用软楔塞堵洞口,然后在两名潜水员的配合下,水下作业组 6 人施放4 m×6 m的两布一膜土工布框架式软帘,同时在靠近软帘的两边分别架设便桥抛土袋,在两便桥中间堤顶处机械浇散粘土进占;背河为土袋围井、土工布反滤。

抢护情况:8 月 25 日上午 9 时 52 分造洞成功,当背河向外拉绳时即开始流水,绳子拉出后已形成近10 cm直径的漏洞。临河组织两名潜水员探摸漏洞、塞软楔,用时近1 min

40 s;2 min时12人下水将框架式软帘就位，接着由岸上人员传递土袋，水下人员排压；3 min时挖掘机进场，6 min时抛散土，由于抛土速度较慢，8 min时撤离；5 min时东浮桥架设完毕，西浮桥因上人过早，造成架设困难，迟后约1 min才架设完毕，其间已在第一节浮桥上运土袋；6 min时自卸车将散土运到现场，8 min时同时上两辆推土机进占，但背河流水仍未减少，至10 min时背河0.5 m高的围井被冲垮，这时临河洞口扩展较快，进水较多，为保证抢险人员安全，按照总指挥的决定，11 min时临河停止抛土袋，随即将临河抢险队员撤出，并在2 min内拆除浮桥；14 min时背河堤肩以下塌陷长约5 m、宽1～2 m、深2.5～4 m的深坑，情况非常危急。实践证明，在无背河反滤养水措施的情况下，一旦洞口出水量增大，背河堤坡甚至堤肩坍塌很快。在保证安全的前提下，临河人工又继续抛投土袋，此时漏洞已爬至堤坡近水面处，已能看出水的流动，小土袋已不能稳定，决定在临河用人工抛投多个大网兜，每个网兜装小土袋10～20个，在流水通道处又放2.5 m×3 m小型框架式软帘一个，此时挖掘机进场在背河堤肩挖槽截堵，推土机继续向水中进占，作业方式见图7-11。到28 min时背河流水明显减少，32 min时总指挥命令抢险队员停止作业，机械作业巩固成果，至33 min时背河完全闭气，继续修做前戗近30 min。共计用土250 m^3，土袋4 000～5 000条，其中临河约2 500条，参加抢险人员120名，其中临河70人。

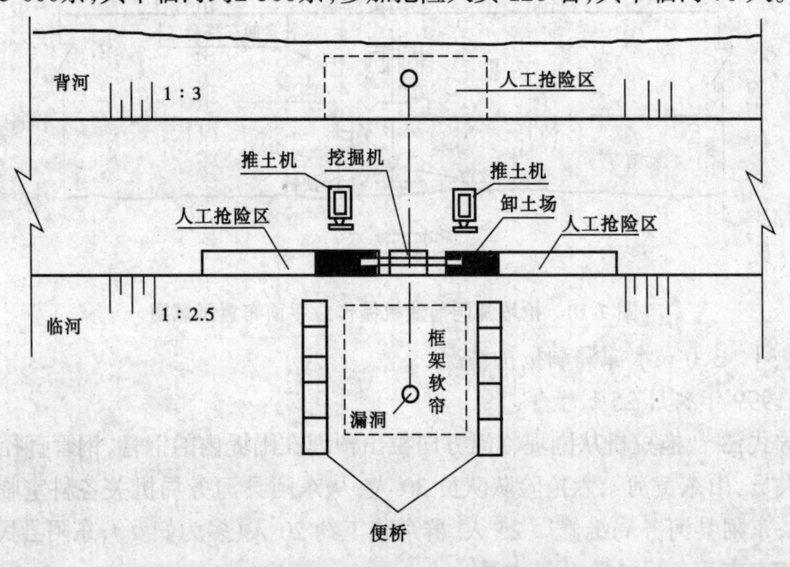

图7-11　抢堵漏洞机械作业平面布置示意图

该漏洞的抢堵表现出以下特点：①深水漏洞的抢堵难度明显增大；②漏洞发展特别快，原因是土质差、水深压力大，还由于为防止预埋钢管拉不出来，造洞不成功，预先拉出钢管2 m多，造成钢管周围土体松动而浸水，在临河水压下钢管周围土壤已经浸透，造成漏洞土壤流失快。

分析堵漏的过程和漏洞的发展变化，抢堵的方法和步骤基本正确，软楔和框架式软帘起了一定的作用。背河出水量未见减少的原因是多方面的，一是漏洞发展太快，抛投土袋的速度相对较慢；二是洞口上移，框架式软帘上面的堤坡已向漏洞进水，当洞口发展到一定程度后，推土机推下的散土，随即被冲走。

根据近几年的演习情况，尚未有堵住3 m水深漏洞的先例。这次试验在非常危急的情况下能抢堵成功，虽有不尽人意的地方，但也证明了该方案的可行性，同时也证明根据发展变化了的险情适时调整方案，灵活运用各种抢险技术的重要性和必要性。

抢险中也发现，当漏洞发展较快，出水量较大时，滤水排应采用等效孔径较大的材料，否则围井四周土袋来不及压住软体排，在水压力下，有从软体排底部漏水并冲毁围井的危险。反思在抢堵2.1 m和3 m水深漏洞时，所用滤水排材料相同，但结果却差别很大，表明不同水深、不同出水量的漏洞对滤水排材料的透水率的要求不尽相同。围井的作用是扬水减压，滤水排的作用是保土，但透水率小时将兜水，也起减压作用，在水头差小时易成功，水头差大时易将围井冲垮。分析滤水保土和扬水减压的作用和目的，扬水减压更为重要。因此，滤水排透水率应大一些，尽量避免其直接减压。

第三节　管涌抢护

一、险情分析

管涌和流土都可能引起堤身坍塌、蛰陷、裂缝、漏洞、脱坡，甚至决口等重大险情。管涌在长江上称为泡泉，它一般发生在背水坡脚附近或较远的潭坑池塘等。险情多呈冒水冒沙状态。冒沙处形成“沙环”，故又称“沙沸”。管涌孔径小的如蚁穴，大的数十厘米，少则出现一两个，多则出现管涌群，一般粉细沙层，颗粒细小均匀，且无粘性，在很小的渗透压力作用下，粉细颗粒极易被渗水带走形成管涌。

二、抢护方法

按引起险情的不同部位，采取不同的抢护措施。

（一）堤基强透水层引起的管涌抢护

由于临水面入渗处水深大，距坡脚远，因此难以在临河采取措施，宜在背河管涌出口着手。抢护管涌应以“反滤导渗，防止渗透破坏，制止涌水带沙”为原则。可采用土工织物反滤铺盖和土工织物反滤围井抢护。

1. 土工织物反滤铺盖

一般适用于管涌较多、面积较大并连成一片、出水量不大的情况。土工织物的选择要符合反滤排水准则。

施工步骤：首先将管涌处地面平整，清除杂物；第二步是在出水口上铺一层土工织物，用重物将其固定，再在四周压卵石或土袋，要求土工布要有足够的透水性，面积要大，四周要超过渗水范围1 m以上；第三步是再铺厚 20～30 cm一般透水料，如砂石料，无砂石料时可用柳枝等代替；最后，压石块或土袋。如图 7-12。

2. 土工织物反滤围井

当管涌出水量较大时，可做土工织物反滤围井，施工方法如下：首先，将管涌处地面平整，清除杂物，特别是要把一切带尖、楞的石块等清除；第二步，铺设土工织物，四周排压土袋成围井，做法和要求同漏洞背河抢护围井，对土工织物的要求同前；第三步，在土工织物上铺一般透水料，并在一定高度设排水管。如图 7-13。

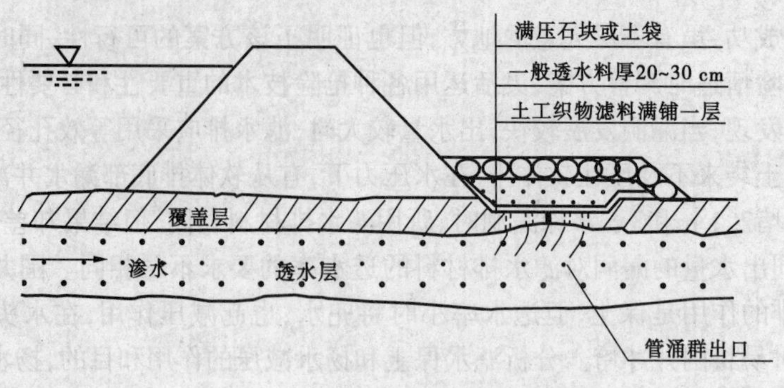

图 7-12　土工织物反滤铺盖示意图

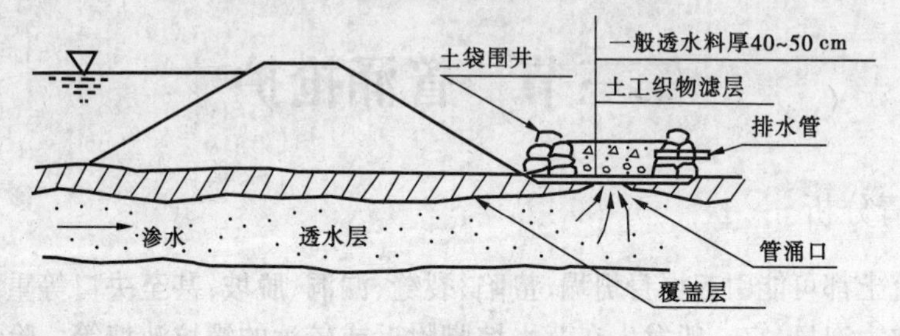

图 7-13　土工织物反滤围井示意图

(二)堤身渗漏引起的管涌抢护

若翻沙鼓水险情是由堤身渗漏引起的,可按“上堵下排原则”处理,即在背河出水口处采用土工织物反滤铺盖和土工织物反滤围井的同时,临河坡可用复合土工膜软体排截断渗水通道。如图 7-14 所示。

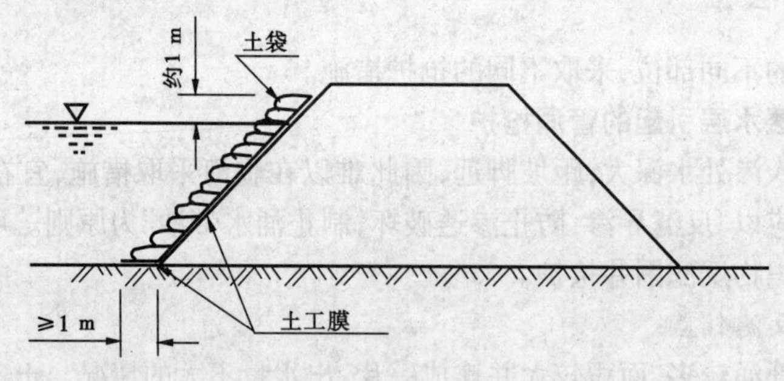

图 7-14　土工膜截渗示意图

三、工程实例

[实例 1]　1991 年 7 月淮河陈大湾堤段坍塌抢险。淮河大堤陈大湾堤段背河出现一个直径 30～40 cm的翻沙鼓水管涌,孔口堆积了沙环,冒出的水柱高达30 cm。抢险时用了一块质量为400 g/m^{2}的无纺布,长宽各5.3 m,铺盖在管涌孔口上,试图压住管涌翻沙。但由于方法不恰当,开始时并未收到预期效果。当在织物中央加块石压重时,其周围鼓起;相反在织物的周围压重时,则中间鼓起。往上面再压30 cm厚的石料,仍有浑水流出,把压重增加至60 cm时,浑水依旧不止;再增厚到1 m多时,渗出水才变清。待数小时后,土工布四周又流出浑水。后来在管涌的周围修筑了一个高1 m、长30 m的大围井,险情才

得以控制。从这一实例可得到以下启示:用土工布处理管涌必须用正确的方法,即快速修建反滤围井;管涌往往以管涌群的形式出现,当盖住一管涌出口时,可能还有另一出口,要根据地形尽量加大土工布的覆盖面积;盖堵土工布后要加盖一定量的砂石料,达到压力平衡;渗水一般不会马上变清,有一个过程。

[实例 2] 1977 年建成的九江市都昌矾山湖围堤,有1 000余米建在淤泥沙基或夹沙地基上,汛期高水位时堤后常出现大量泡泉群险情。1983 年堤内外水位差6.24 m时,有180 m发生泡泉群,堤身局部出现管涌而引起堤身下陷,产生严重险情。1984～1988 年汛前分别用传统的沙石和300 g/m^{2}土工布作反滤料,土工布上压沙砾石厚50 cm,在易出现泡泉的地段进行处理预防。1988 年秋汛堤内外水位差达7.08 m,用土工布处理的地段未出险情,而用传统的砂石料处理的地段,出现约10 m^{2}的泡泉群,当即铺设土工布压沙石,险情很快排除。

[实例 3] 1987 年淮河连续出现 5 次洪峰,高水位持续时间长,蒙洼圈堤、城西湖蓄洪大堤多处出现翻沙鼓水险情。在紧急情况下,均采用土工织物覆盖泉眼,压住冒沙形成反滤,效果十分显著,一般土工织物铺设 30～60 min后出水逐步变清。抢险地段土质属轻粉质壤土和沙壤土,采用土工织物的渗透系数为 2.5×10^{-2} cm/s,织物有效孔径为 0.047 mm。

[实例 4] 1996 年 7 月 16 日湖南沅南堤,距堤脚130 m的稻田里,先后连续出现 7 处大管涌,最大直径0.6 m,涌水量达1 m^3/s。当出现 1 号管涌后,用土工布铺盖压卵石,此处趋于稳定后又在附近冒出 2 号管涌,用同样方法处理后,又冒出 3 号管涌,如此处理一处又出现新的管涌,共出现 7 个,经过 4 昼夜的奋战,险情才基本得到控制。通过这次抢护体会到,覆盖土工织物,虽然能控制险情,但由于导渗效果不好,迫使渗水另寻薄弱之处出现新险情。

第四节 散 浸

一、险情分析

汛期高水位下,堤坝背水坡及坡脚附近出现土壤潮湿或发软并有水渗出的现象,称为散浸。黄河上多称为渗水。散浸是堤坝较常见的险情,若散浸险情处理不及时,就可能发展为管涌、滑坡或漏洞等险情。

二、抢护技术方法

在抢护渗水之前,应先查明发生渗水的原因和险情的程度。如堤身因浸水时间长而且渗出的是清水,水情预报水位不再上涨,要加强观察,注意险情变化,可暂不处理。若遇堤身渗水严重或已开始渗出浑水,必须迅速处理,防止险情扩大。并应遵循“临河截渗,背河导渗”的抢护原则。

(一)土工织物压重导渗

对于堤身断面小、透水性强的堤坡渗水,可直接用土工织物压重导渗法。做法是:首先将渗水堤坡上的草皮等清除,在渗水段的堤脚顺大堤方向挖排水沟,同时在渗水区以上打木桩后,铺符合要求的土工织物,搭接宽度不小于20 cm,并将联结土工布的绳拴在木桩上,以防土工布下滑。然后垂直大堤方向隔一定距离排一排土袋压载。也可在土工布上直接压盖碎石,无石地区可在土工布上少量铺柳枝梢后,再压土袋。如图 7-15 所示。

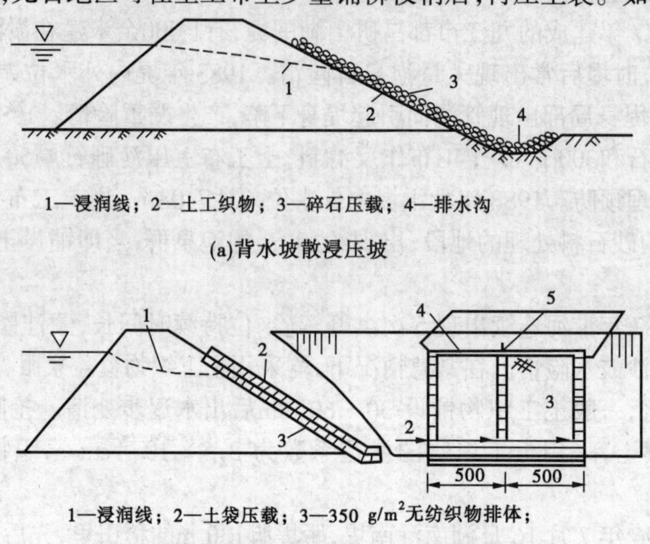

1—浸润线;2—土工织物;3—碎石压载;4—排水沟

(a)背水坡散浸压坡

1—浸润线;2—土袋压载;3—350 g/m^{2}无纺织物排体;

4—ϕ8mm尼龙缆绳;5—ϕ(4~6)cm × 60 cm木桩

(b)背水坡散浸导渗

图 7-15 土工织物压重导渗 (单位:cm)

(二)土工织物导渗沟

当堤背大面积严重渗水,堤身断面较大时,可在堤背开挖导渗沟,铺设土工织物反滤,使渗水集中在沟内排出,降低浸润线,避免带走土颗粒,使险情趋于稳定。如图 7-16 所示。

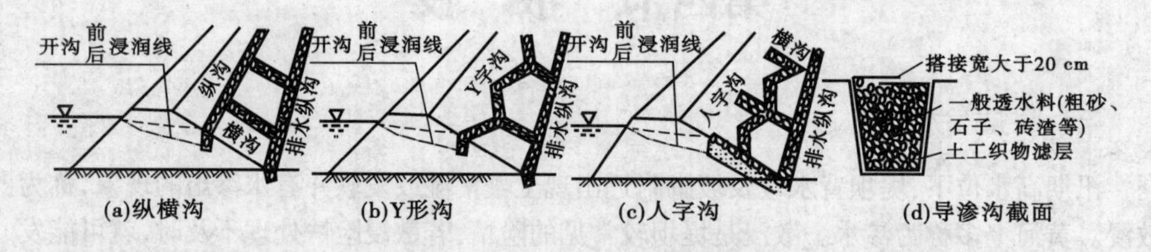

(a)纵横沟　(b)Y形沟　(c)人字沟　(d)导渗沟截面

图 7-16 土工织物导渗沟示意图

具体做法:

(1)开沟。其形式可开挖成纵横沟、Y 形沟或人字沟。沟的尺寸和间距应根据具体情况决定。一般沟深 0.5~1.0 m、宽 0.5~0.8 m,顺堤坡方向的横沟每隔6~10 m一条。施工时先顺堤脚开挖一条纵向排水沟,并设有使渗水排向远离堤脚处所开挖的一条纵向排水道。沿堤坡上布置的导渗沟要与纵向排水沟相连。逐段开挖,一直做到堤坡出现渗水的最高点以上。

(2)铺放土工织物滤料。先铺顺堤脚的纵向排水沟,再随开挖情况逐段铺放。铺放时要使土工织物紧贴沟底和沟壁,铺好后要露出一定长度,然后向沟内小心填满一般透水料。填料时，要避免有棱角或尖头的料物直接与土工织物接触，以免刺破。土工织物外露长度以能遮盖一般透水料并适当搭接20 cm以上为宜。土工织物长度不够时，搭接宽度不小于20 cm。

也可在排水沟内直接放由工厂加工好的塑料排水板，它是以硬质塑料片或管作为芯材，外包以无纺织物。其尺寸型号有许多种，可根据需要购买，但造价稍高。

(三)临河坡土工布截渗

具体做法如下：

(1)防渗土工布的宽度根据堤坡尺寸选用，当幅宽不够时，可采取搭接措施，但搭接长度不少于0.5 m。

(2)清除堤坡上的杂物，避免带尖的物体将土工布刺破。在临河堤肩打木桩，以固定土工布，防其下滑。

(3)铺设前一般将防渗土工布卷在长 8～10 m的钢管上，置于临河堤肩，使其下沉展开。也可利用软帘展开机具展开。

(4)展开后在土工布上抛压土袋。由底逐步向上压起，不留空隙，使土工布良好地与堤坡结合。

三、工程实例

[**实例**1] 湖南湘阴县金鸡山水库，总库容 141 万 m^3，相应库水位67.9 m，大坝为均质土坝，最大坝高13.4 m，坝长166 m。坝基为渗透较小的风化花岗岩红土。由于土料及施工中存在质量问题，当库水位达66.4 m时，背水坡58 m高程以下出现散浸，水位上升到67.4 m时，59 m高程以下坡面渗水饱和，且有几处发生管涌险情，下游坡脚已成沼泽，险情危急。抢护方法是在下游贴坡铺放土工织物，用U形钉固定于坡面上，其上用砂覆盖。工程实施后，浸润线下降，排渗通畅且不带泥沙，化解了险情。

据分析，土工织物排渗比砂石料反滤体节省工日 1/3 以上，节省投资 46%。

[**实例**2] 福建福清水库大坝为土质坝，最大坝高38.3 m，总库容 124.7 万 m^3。由于填筑质量差，坝加高时，新旧结合部未处理。枯水时坝身出现干缩裂缝，高水位运用时，下游坡大面积渗水。使用复合土工膜铺在整平后的上游坝坡上，其上覆盖两层土工布，然后再盖5 cm沙壤土，其上填垫层和块石护坡。为防止复合膜滑动，在坡面上顺坝轴线开挖两道0.5 m×0.5 m的水平槽，膜布埋入槽内再加填粘土夯实。坝两端破碎风化岩，撬平后再回填粘土夯实，其上铺土工膜，并加保护层。工程实施后，经两年高水位考验，背水坡渗漏消失。

第五节　坍塌险情抢护

一、险情分析

主要由于水流冲刷造成堤防临水侧坍塌，如不及时抢护，很可能溃堤成灾。

二、抢护技术

抢护坍塌险情要以缓流固基、护脚防冲为主,阻止继续坍塌。通过抢护达到堤防的稳定和抗冲能力。

(一)抛枕固根法

枕分土工织物枕(亦称长管袋土枕)和土工格栅土袋枕。

1.土工织物枕

土工织物枕系用土工织物缝成管袋,内填土料或砾石制成的枕状物。一般直径0.6~1.0 m,长5~10 m,沿长度方向每隔0.3~0.5 m用直径4~5 mm的筋绳捆扎。填料方法可采用泵送高浓度泥浆,或人工填土等。土枕结构如图7-17所示。

制作土枕的材料多为编织布,内加一层薄膜,起保土作用;若选用针织型土工布,其孔径要满足反滤准则,以防土料流失。土工织物还要满足强度要求,特别是编织型土工织物,经纬向抗拉强度不小于11.76 kN/m,接缝处不小于7.8 kN/m。

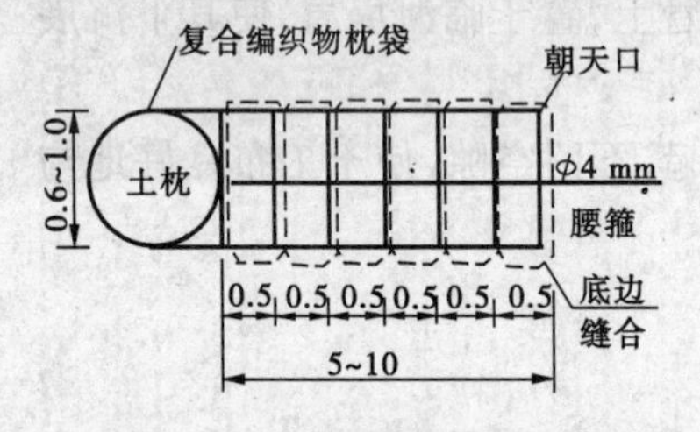

图7-17 沉枕结构示意图 (单位:m)

人工填土可在特制的架子上进行。抛枕架是捆抛沉枕用的设备,抛枕架一般为框架式钢结构,长2 m、宽0.85 m、高0.65 m,可根据所抛沉枕的长度用螺栓拼接而成。枕架外侧为一活页门,设有底盘,装在有活动铰的底座上。应用时可在船上或岸上抛投。安装好抛枕架后,可将预先加工好的、顶部敞口的土袋展开,装土后用上海产GK9-2型熊猫牌手提电动缝包机缝好,捆扎筋绳,然后抛出。如果堤坡较陡,m<2,也可不用抛枕架,人工直接推枕入水。如图7-18。

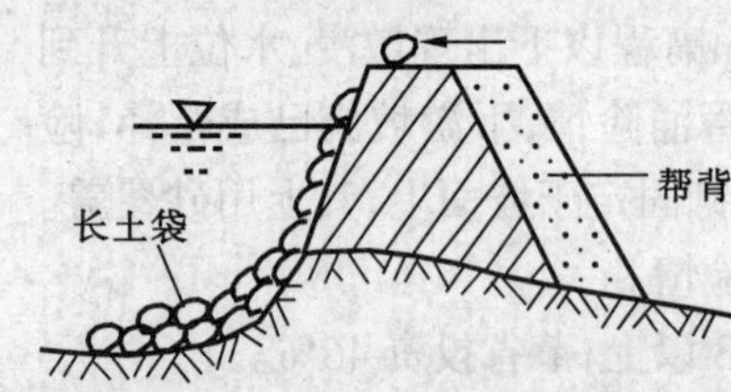

图7-18 陡坡抢护抛投土袋示意图

2.土工格栅土袋枕

传统的柳石枕采用柳枝裹石,用绳捆扎后抛于水中,具有抗冲刷固根作用,是黄河上创造的重要技术之一。但用柳量大,造价高,不利于生态环境,在无石料地区有一定难度。土工格栅这种高分子土工合成材料具有强度高、整体性强、价格低廉、运输方便等优点,制成的土工格栅土袋枕克服了传统柳石枕的缺点。具体做法是,取1.7~3.1 m宽、2.5~5 m长的土工格栅,展放在工作面上,堆放装8成满土扎好口的小土袋,然后用土工格栅将小土袋卷成圆柱型。枕的抛投可根据情况采取人工抛投和机械抛投。人工抛投同土工织物枕;机械抛投是在装载机的前铲中捆枕,然后再抛投,可发挥机械的作用,将枕抛投到位,提高工效。如图7-19。

(二)软体排护坡法

软体排一般选用聚丙烯(或聚乙烯)编织布缝制而成,规格为12 m×10 m。在排体的下端横向缝制0.4 m宽横袋,在排体中央及两边缝制0.4~0.6 m宽的竖袋,竖袋间距一般在4 m左右,每个竖袋两侧排体上分别缝结一直径10 mm的聚乙烯纵向拉筋绳,其下端从横袋底部兜过,纵向拉筋绳应预留一定长度,与顶桩联系等。在排体的上游侧应另拴两根

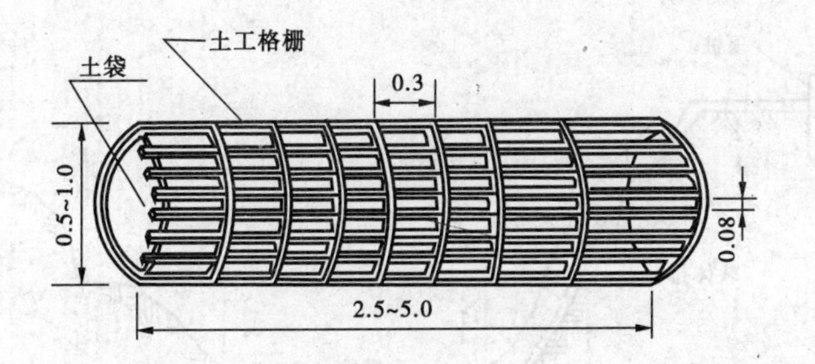

图 7-19 土工格栅土枕结构示意图 （单位:m）

拉绳,分别连接软体排底部的挂绳和最上游侧的拉筋绳,如图 7-20 所示。另外排体长度应大于所抢护段堤坡长度与淘刷深度之和,不足时可用两个排体相接;软体排的缝制应采用双道缝线,叠压宽度不小于5 cm,两线相距以 1.5～2.0 cm为宜。

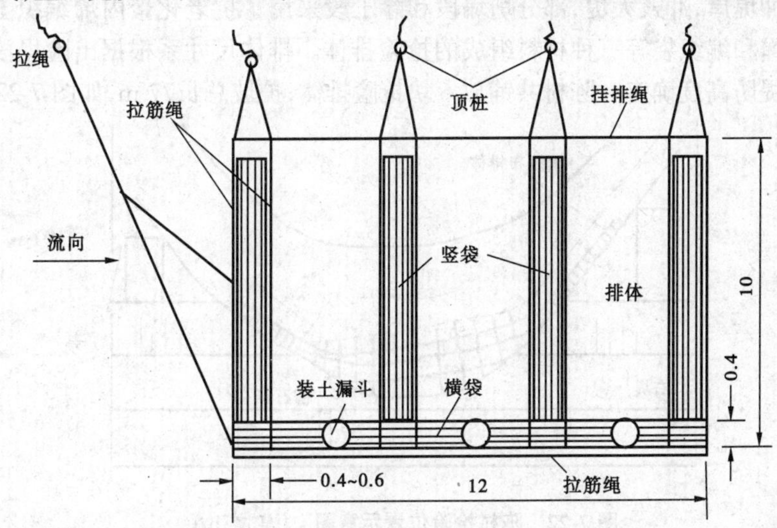

图 7-20 土工织物软体排平面示意图 （单位:m）

软体排的沉放步骤:

(1)在坍塌的堤坝顶展开排体,先将土袋装入横袋内,装满封口。

(2)在上游侧岸边顶打一桩,将与软体排下端拉筋绳连接的拉绳活拴在该顶桩上,并派专人控制其松紧。

(3)将排体推入水中,在软体排展开的同时向竖袋内装土,直至横袋沉至河底。

(4)软体排上游侧竖袋充填土必须密实,必要时可充填碎石加重。

(5)软体排沉放过程中,要随时探测,如发现排脚下仍有冲刷坍塌,应继续向竖袋内加土,并放松拉筋绳,使排体紧贴岸边整体下滑,贴覆整个坍塌部位,如图 7-21。

(6)两软体排搭接时,上游侧排体应搭接在下游侧排体上,搭接宽度不小于50 cm,并应将搭接处压实。

三、工程实例

漳河河北省陈村段堤岸坍塌抢险。

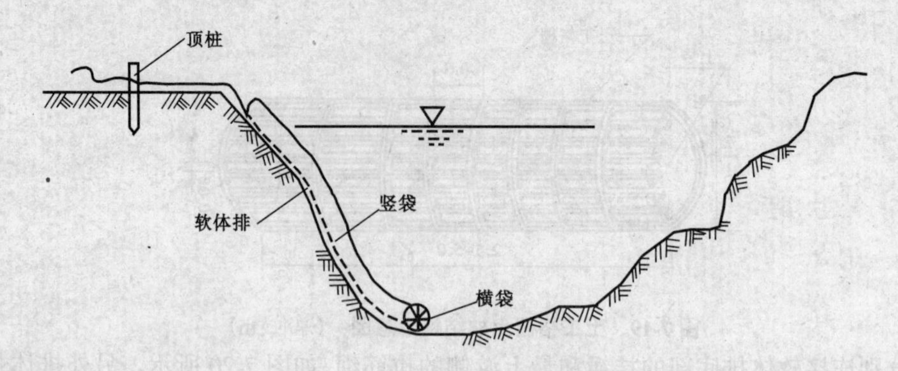

图 7-21　软体排护岸剖面示意图

1990 年 7 月上旬岳城水库腾空库迎汛。漳河下泄流量为500 m^3/s,河北省临漳县陈村段主流顶冲堤岸,冲毁大堤,部分坍塌段和险工段采用了抗老化聚丙烯编织土工织物、聚乙烯塑料绳和编织袋等三种材料组成的抢险排体。排体尺寸系根据出险堤段的长度、淘刷深度和堤防高度确定。陈村共铺放 6 块抢险排体,护坡总长77 m,如图 7-22 所示。

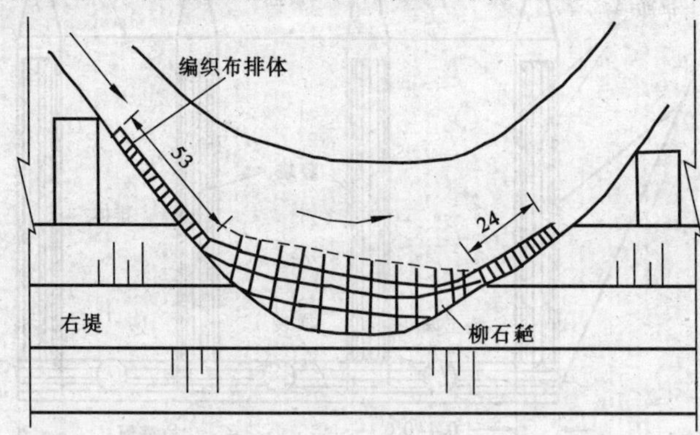

图 7-22　陈村抢险位置示意图　(单位:m)

堤岸坍塌的抢护方法及步骤如下:

(1)在险工堤段上展开抢险用排体。

(2)往横枕内装土。抢险队伍由 40～50 人组成,分为两组,从两端同时向袋内装土,边装边抖动,使袋内土装实,同时捆扎间距20 cm的 ϕ2 mm细绳。

(3)滚排成捆。抢险人员站到横枕一侧,齐力滚动排体使之卷成捆,然后将排捆移至临河坡肩处,以待沉排。

(4)打挂排桩。在对准纵向压载土枕的堤顶上打 6 根木桩,桩顶高出堤面 30～40 cm,将纵向拉筋绳及缆绳拴在桩上。挂排引绳松紧要适当,使排体沉好后其上缘超出水面0.5 m。

(5)沉排护险。抢险人员站到排捆一侧,面向迎水面,齐力往下推滚排体,并用助沉工具推动使其下沉到预定位置,同时在上游侧牵动横向拉筋绳使之准确就位。

(6)往纵向压载土袋内装土。抢险人员分成四组,上游边侧纵向土枕应先装土,依次往下游土袋内装土。纵向压载土袋装土完毕后,抢护工作结束。共计下排 6 块。

在本工程中,排体铺好后,当漳河河道下泄200 m^3/s流量时,迎流顶冲的旋流上移到护岸排上，不到半天河床被刷深 4～5 m，排体和柳石厢联结处，由于旋涡淘刷，由两块排体下游端22 m被淘空，局部塌入水中，此时排体依然起到对堤防的保护作用。其余 4 块经局部补充加载后，在流速2 m/s冲刷下排体仍稳定无恙，保住了堤岸。

第六节　裂缝险情抢护

一、险情分析

由于堤基不均匀沉陷，或修筑时有淤土、冻土、硬土块等，易造成堤防裂缝。堤防裂缝按其出现部位可分为表面裂缝、内部裂缝；按其走向可分为横向裂缝、纵向裂缝、龟纹裂缝；按其成因可分为沉陷裂缝、干缩裂缝、冰冻裂缝、振动裂缝。堤防裂缝是常见的一种险情，也可能是其他险情的先兆。因此，对裂缝应引起足够的重视。

二、抢护技术

裂缝险情抢护要先判明成因，属于滑动性或坍塌性裂缝，应先从处理滑坡和坍塌着手，否则达不到预期效果。

纵向裂缝如仅系表面裂缝，可暂不处理。但应注意观察其变化和发展，并应堵塞缝口，以免雨水进入。较宽较深的纵缝，则应及时处理。

龟纹裂缝一般不宽不深，可不进行处理，较宽较深时可用较干的细土予以填缝，用水洇实。

横向裂缝是最危险的裂缝。若已横贯堤身，水流易于穿越，冲刷拓宽，甚至形成决口。因此，对于横向裂缝，不论是否贯穿堤身，均应迅速处理。处理方法可用软体排法，即同漏洞一样的处理，这里不再详述。

第七节　大堤漫顶

一、险情分析

上游发生超标准洪水，洪水位超过堤防的实际高度；或河道内淤积严重，或存在有阻水障碍物，如未按规定修建闸坝、桥涵、渡槽，以及盲目围垦、种植片林和高秆作物等，缩小了河道的泄洪能力，使水位壅高而超过堤顶。

二、抢护方法

当洪水位有可能超过某一地段的堤顶时，为了防止洪水漫溢，应在堤顶抢筑子埝，力争在洪水到来之前完成。

(一)土袋子埝

规范中提出：土枕或土袋子埝，当风浪大时，上游同时挂防冲软体排，如图 7-23。该方法适用于风浪较大，抢险人员多、土袋多的情况。但考虑到土袋本身具有抗风浪的作用,实施时可只在原堤坡上挂防冲软体排;若考虑水位骤降时,临河堤坡可能出现坍塌脱坡等险情,子埝紧靠临河堤肩对堤的安全不利,建议子埝离临河堤肩0.5~1.0 m。

修筑土袋子埝的步骤如下:

(1)根据洪水预报确定子埝的高度、长度、断面尺寸等,一般土袋子埝可做成顶宽1 m左右,背水坡不陡于1:1,堰顶高应超过推算最高水位0.5~1.0 m。

(2)将防冲软体排放好,做法与风浪抢护方法相同,不同的是软体排垂直大堤方向的长度长些,以便使子埝能压在排体上。

(3)离开堤肩0.5~1.0 m,修筑土袋子埝,一般用编织袋装土七八成满,不扎口,以利铺砌。土袋主要起防冲作用,要避免使用稀软、易溶和易于被风浪冲刷吸出的土料。一般用粘土较好,颗粒较粗或掺有砾石的土料也可以使用。铺砌时土袋口朝向背河,排砌紧密,袋缝错开。每砌一层要和下一层交错掩压,并向后退一些,使土袋临水形成一定的边坡。不足1 m高的子埝也可垂直排砌,如图7-24所示。

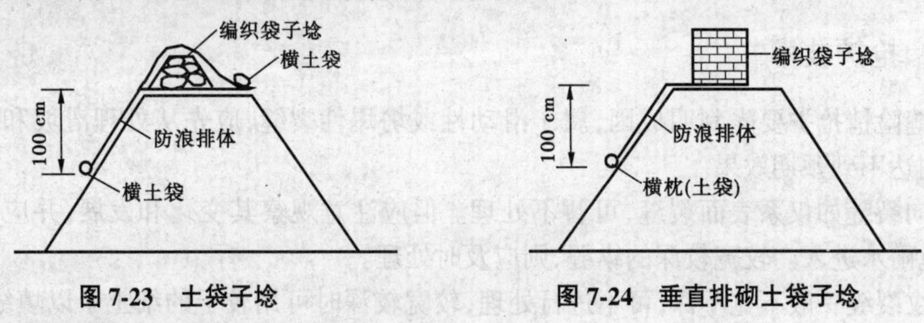

图7-23 土袋子埝　　图7-24 垂直排砌土袋子埝

(二)袋后填土子埝

临水侧用土袋堆砌,发挥土袋抗风浪的作用,背水侧用土堆填,可发挥大型运输机械的作用。临水侧的土袋可根据高度确定底层土袋在垂直水流方向铺筑个数。土袋铺法及要求同纯土袋子埝。土袋后面修的土戗,随砌土袋随分层铺土夯实,边坡可按1:1掌握。如图7-25所示。

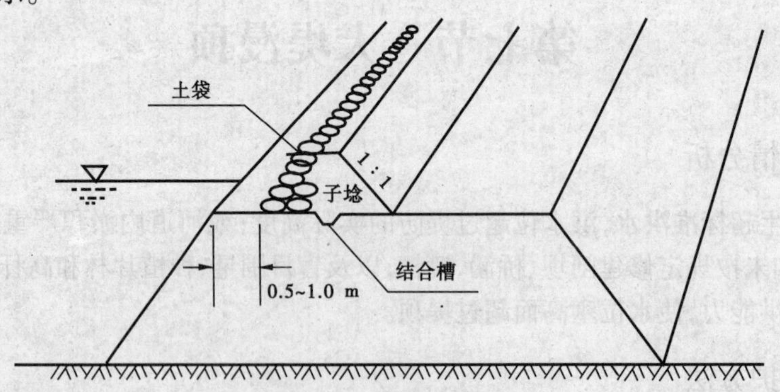

图7-25 袋后填土子埝

三、工程实例

[实例1] 武汉长江大堤子埝

1954年大水,汉口最高洪水位超过防水墙顶0.8 m左右,为此,在防水墙背河侧帮土堤,在堤和防水墙上修筑土袋子埝,随着洪水位的上涨,土袋多达 11 层,高度超过2 m,图 7-26 所示。但由于所帮土堤及子堰使防水墙承受土压力大增,加之洪水位超过防水墙顶历时达 100 天,水浸入墙后填土,使土壤饱和,从而附加了水压力,使部分堤段的防水墙倾倒。

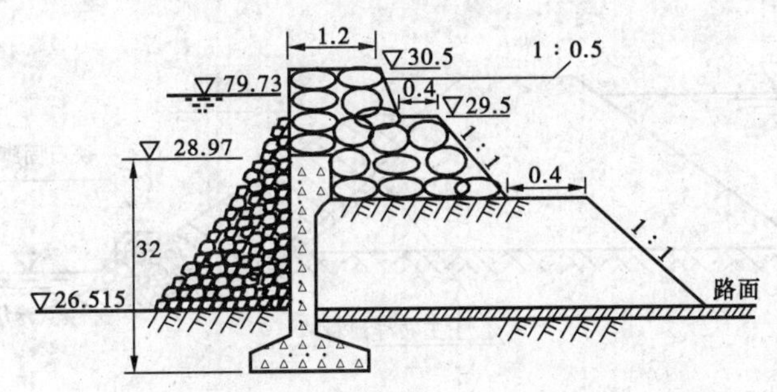

图 7-26　武汉市防漫溢子堤　(单位:m)

1998 年的长江大水期间,长江中游1 000多公里河道两旁大都靠修筑土袋子埝挡水,不少堤段子埝高度达2 m多。

[**实例** 2]　安徽省天长县三荡湖芋堤洪水漫顶抢险

1991 年汛期安徽省天长县东接高邮湖大堤的三荡湖芋堤,根据预报洪水将超过堤顶高0.5 m多,立即动员当地农民,用化肥袋装土修筑土袋子埝,很快修筑了长7 km、高 0.2～1.0 m的子埝,挡住了洪水,防止了风浪的淘刷。安徽、江苏两省用化肥袋装土修筑的子埝在防洪抗涝地区到处可见。

第八节　堤防背水坡滑坡抢险

一、险情分析

堤坝背水坡滑坡又称脱坡。由于长时间受水的浸泡,或堤身单薄,背水坡在渗压水的作用下,浸润线升高,土体抗剪强度降低,背水边坡失稳下滑造成险情。开始时在堤顶或堤坡发生裂缝或蛰裂,随着裂蛰的发展即形成滑坡。一般滑坡分圆弧滑动和局部挫落两种:前者滑裂面较深,呈圆弧形,滑动体较大,坡脚附近地面土壤往往被推挤外移、隆起,或者沿地基软弱滑动面一起滑动;后者滑动范围较小,滑裂面较浅,虽危害较轻,也应及时恢复堤身完整,以免继续发展。滑坡严重者可导致堤防决口,须立即抢护。

二、抢护技术

抢护原则是临水侧截渗,背水导渗还坡,恢复堤坡完整。

临河截渗方法同散浸处理方法相同,可采取不透水软体排截渗,实施方法同前。这里重点介绍背河堤坡的处理方法。

(一)滤水土撑法(又称滤水戗垛法)

在背水滑坡范围内全面修筑导渗沟工程,以减少渗水压力并降低浸润线,消除产生背水坡滑坡的条件。至于因滑坡对堤坝断面的削弱则以间隔修土撑的办法予以加固。具体做法是:先将滑坡松土略加清理,然后在滑坡体上顺坡挖沟,沟深一般挖至滑裂面。沟内铺土工织物滤层等反滤料,做法同渗水抢险导渗沟。土撑一般每条顺堤方向长10 m,顶宽 5~8 m ,边坡 1:3~1:5,间距 8~10 m,撑顶高于浸润线出逸点 0.5~2 m。若堤的背水坡脚靠近水塘等,宜先用块石或土袋固基,并用砂性土填塘高出水面 0.5~1 m。如图 7-27。

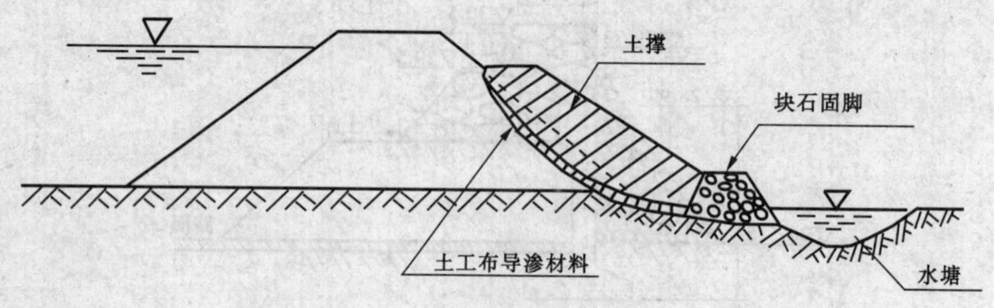

图 7-27　滤水土撑法示意图

(二)滤水缓坡法

将滑坡破坏的部分,清除成斜三角形,采取层布层砂加固方法,即先铺 1~2 层无纺土工布,再加 1~1.5 m厚的土,然后再铺无纺土工布,再加 1~1.5 m土,直至与原坝坡平顺衔接,如图 7-28。

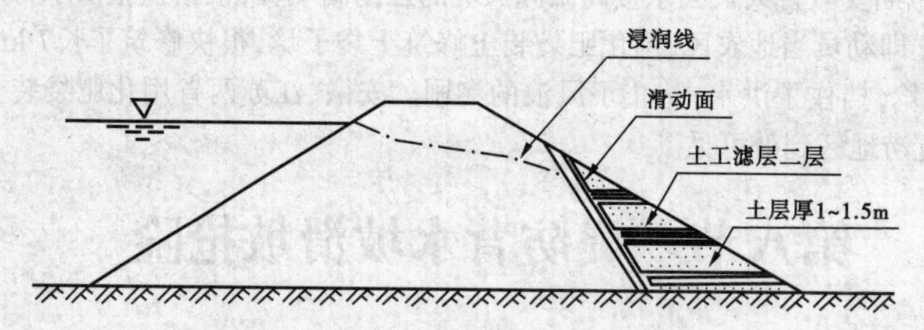

图 7-28　层布层砂还坡示意图

第九节　堤防跌窝抢险

一、险情分析

跌窝又称陷坑,一般是在大雨前后堤坝突然发生局部塌陷而形成的险情。在堤顶、堤坡、戗台以及堤脚附近均有可能发生。这种险情既破坏堤坝的完整性,又常缩短渗径,有时拌随渗水、管涌或漏洞发生。

二、抢护方法

根据不同部位的险情采取不同的措施。

(一)填塞封堵法

当临水侧靠水边出现跌窝可采用此法。首先用土袋填塞,然后用软体排将跌窝处封堵,不使跌窝处形成渗水通道。如图 7-29。

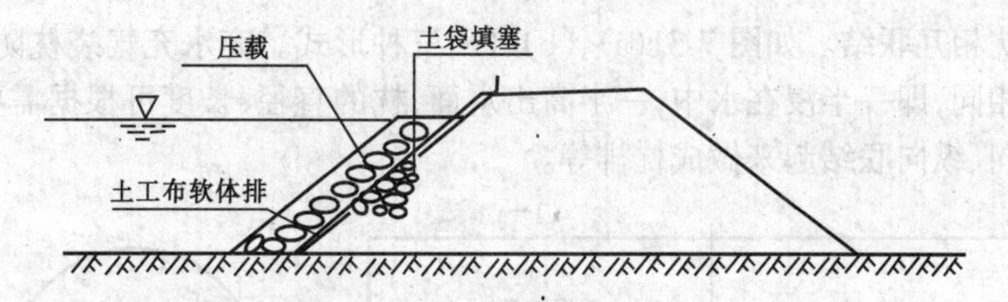

图 7-29 填塞封堵跌窝示意图

(二)填筑滤料法

为消除拌有渗水、管涌等险情不宜直接翻筑的背水跌窝,可采用此法抢护。具体做法如下:

先将跌窝内的松土和湿土挖出,然后铺设滤水土工织物,加填石子、块石、梢料等透水料与原堤坡平,再按渗水险情用土工织物反滤方法处理。如图 7-30 所示。

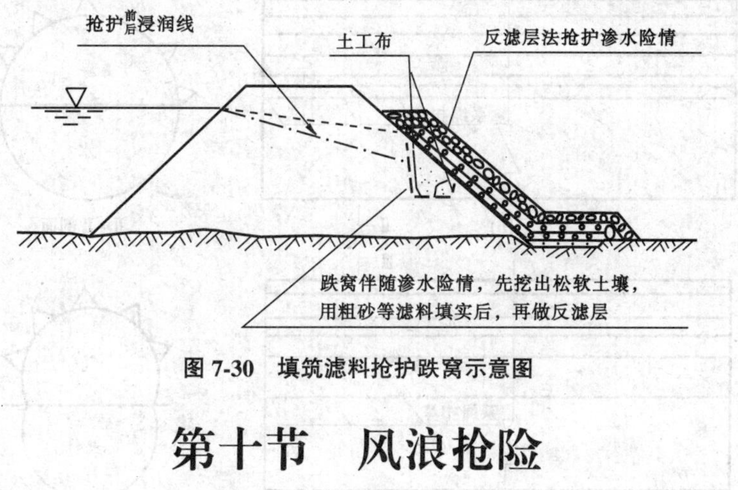

图 7-30 填筑滤料抢护跌窝示意图

第十节 风浪抢险

一、险情分析

汛期涨水以后,坝前水深增大,风浪也随之增大。坝坡在风浪的连续冲击淘刷和负压抽吸作用下,易遭受破坏。轻者把临水堤坡冲刷成浪坎,重者造成坍塌、滑坡、漫水等险情,使堤坝遭受严重破坏,甚至有决口的危险,特别是水库、湖泊水面辽阔,风浪破坏更为严重。

二、抢护方法

按削减风浪冲击力,提高堤坡抗冲能力的原则进行抢护。一般是利用漂浮物来削减风浪冲力,或在堤坡受冲刷的范围内做防浪护坡工程。传统的防浪方法有:挂柳、挂枕、木排等防浪。现介绍几种利用土工织物防风浪的方法。

(一)充水充气袋枕防浪

以抗拉、耐磨、耐顶破、抗老化的 PVC 复合膜为原材料,采用高频热合先进技术工艺,制作成直径1 m、长度10 m的枕,在袋的中央设置隔断层,上、下半部分别留有充气、充水口,下半部充水,上半部充气,枕的两侧每米制作一个系绳扣鼻,系于岸上的木桩上固定,也便于多个枕相互联结。如图 7-31(a)、(b)、(c)三种形式。充水充气袋枕防浪的原理与传统的浮枕相同,即一半浸在水中,一半高出水面,枕的直径、长度可根据需要而定,也可把多个枕横向、纵向联结起来做成枕排等。

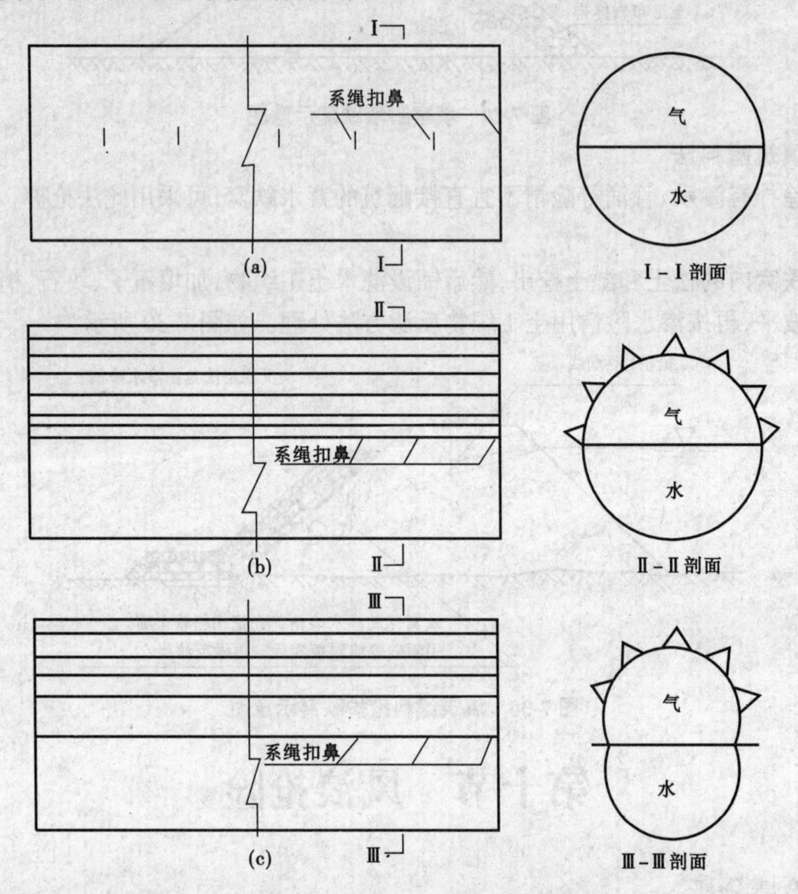

图 7-31　充水充气袋枕示意图

特点分析:一是该枕采用了高强度的 PVC 材料,抗拉强度大于16 MPa,伸长率大于200%,圆球顶破大于1 kN,耐水压力大于1 200 kPa,耐磨性好,可重复利用。二是施工快速,充水设备可采用2.57 kW(3.5 马力)的汽油便携式自吸抽水机,充气采用空气压缩机;一个10 m长、直径1 m的枕,由 3~4 人操作,仅需8 min即可完成。三是在水中稳定性好,能随水位变化而上下自由移动,防风浪效果好。四是移动方便,当风向变化,需转移防浪地点时,可就地放水放气,然后在需要的地方充水充气。五是效益明显,与传统的柳枕相比,造价相差无几,但土工布枕可重复利用,同时减少了对树株的砍伐,有利于生态环境的保护。

(二)土工合成材料平铺防浪

以往也曾建议利用土工膜作为防浪材料,但因土工膜摩擦系数小而较滑,人员无法在其上作业,人工展开和固定难操作,故而没很好地利用。这里建议采用一布一膜的复合土工膜,或织造型土工织物、非织造织物,既能够成功地保护堤坡,抵抗波浪对堤坝的破坏作用,又能在其上走动,便于展开和固定。具体做法如下:

(1)土工合成材料的宽度可按堤坝受风浪冲击的范围决定，顶端一般要高出洪水位1.5～2 m，总宽度一般不小于4 m，较高的堤坝可宽8～9 m。宽度不足可搭接，搭接长度不小于1 m，并重点钉压。

(2)铺设时先将范围内坡面上的石块、树株等清除干净。

(3)铺设前一般将土工合成材料卷成一空心卷，铺设时插入合适的钢管，或者直接卷在钢管上，垂直大堤走向放在要保护的堤坡上，顺大堤走向由人工推动展开或利用电动卷帘展开机具展开。

(4)随土工合成材料的展开要及时固定，特别是上下两端。固定方式可用平头钉、2 cm厚10 cm宽木板条加U形钉等，要求顺大堤方向间距为1 m，上下排距不超过2 m。平头钉由20 cm见方、厚0.5 cm的钢板中心焊上一个30～50 cm长、直径12 mm钢筋做成；U形钉为双尖钉，用直径12 mm的钢筋做成，单尖长30～50 cm。

(5)若平头钉制作困难，可用土袋压载，为避免土袋滑落，可在堤肩打一排木桩，用绳将土袋固定。

复合土工膜防浪布置见图7-32。

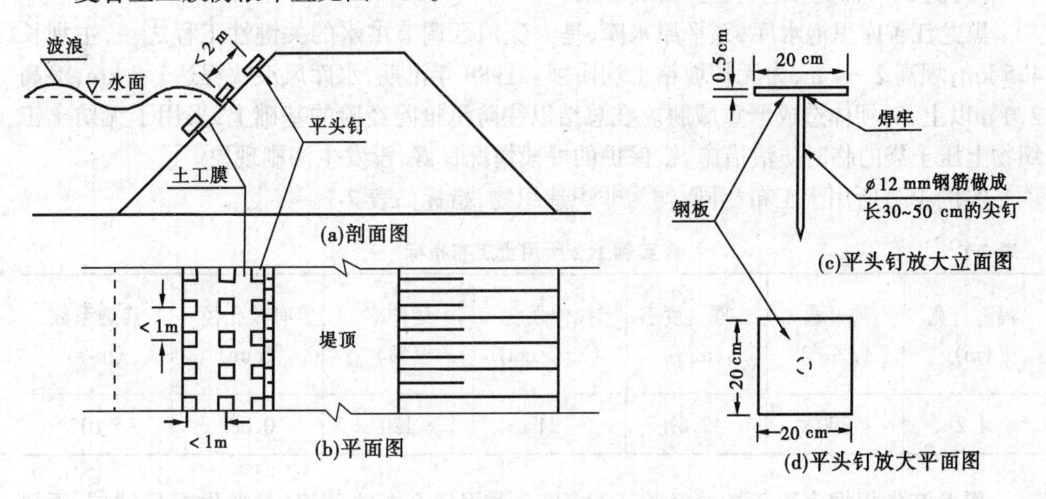

图7-32　复合土工膜防浪示意图

(三)软体排防浪

当堤坡较陡，$m<2.5$时，可选用软体排，即底管袋、侧管袋分别装土形式，当然也可根据情况减少竖袋数量和直径。

当堤坡较缓，$m>2.5$时，可选用水力充浆式软体排，同样可减少竖管数量和直径。如图7-33所示。

三、工程实例

[实例1]　泥河水库坝坡防浪

黑龙江省泥河水库位于松花江支流呼兰河上，是一座大型平原水库，主坝高8 m，坝长4 310 m，库容1.0亿m^3。该水库库面吹程大，风浪压力大，原设计上游护面有块石和渣油两种，均遭浪击和冻融破坏。1987年汛期遭遇8级大风，浪击坝顶，堤身土料被淘，

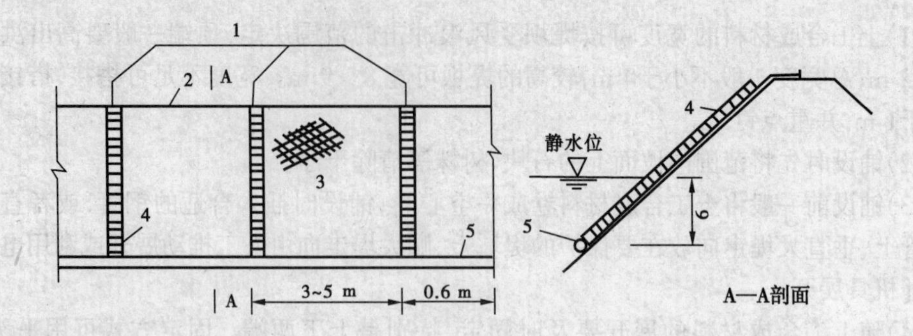

1—木桩；2—堤顶；3—排体；4—压载纵枕；5—碎石横枕；6—2 倍波高

图 7-33　风浪险情抢护软体排示意图

危及水库安全，临时用非织造织物上压石抢护，安然度汛。汛后在主坝上游坝坡修筑了100 m长钢筋混凝土护面下铺非织造织物护坡试验段。1988 年汛期又遭大风浪，试验段经受住了风浪考验，而其他未铺土工布只进行翻修的块石护坡段均遭到不同程度的破坏。

[**实例** 2]　黑龙江省库里泡水库防浪

黑龙江省库里泡水库，系平原水库，是大庆地区调节洪水的关键性工程之一，主坝长4.5 km，坝高 2～4 m，为无护坡粘土均质坝。1988 年汛期，水库风浪吹程达7.8 km，浪高2.0 m以上，对坝体造成严重威胁。在总结以往防汛抢险经验的基础上，采用了无纺土工织物上压土袋的临时防浪措施，被保护的堤段情况良好，没发生淘刷现象。

实例 1、2 所用土工布相同，均为非织造织物，指标如表 7-1。

表 7-1　　实例 1、2 所用土工布指标

幅　宽 (m)	质　量 (g/m^2)	厚　度 (mm)	拉伸强度 (kg/5 cm)	延伸率 (%)	有效孔径 (mm)	渗透系数 (m/s)
4.2	300	2.6	24	120	0.082	3×10^{-10}

黑龙江省根据多次抢护的经验认为：无论采用什么办法防浪，都要做好反滤层，否则难以奏效。对于防汛抢险，无纺土工织物滤层不受施工条件限制，铺好后即可抵御风浪淘刷。

第十一节　引水闸闸门失控抢护

一、险情及原因分析

因闸门变形、启闭机故障等原因，或者闸门底部或门槽卡阻，使闸门难以关闭挡水，不仅危及水闸本身安全，而且由于对洪水失控，闸下游地区将造成洪涝灾害。

二、抢堵方法

当闸有检修闸门时，可吊放检修闸门。如果检修闸门漏水，可在工作闸门和检修闸门之间抛填土料和土袋挡水。

当无检修闸门时,可采用框架—土袋屯堵法或闸门前挂软体排法。

框架—土袋屯堵法,根据工作门槽或闸的跨度焊制钢框架,框架网格前抛填土袋,直至高出水面,并在土袋前抛土,促使闭气。如图 7-34。

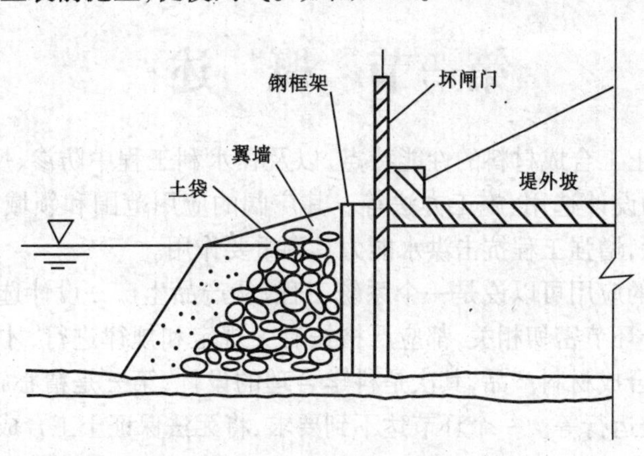

图 7-34　框架—土袋屯堵剖面示意图

软体排法,是当闸门底及侧顶止水失效,闸门开启度较小,根据闸门的宽度、高度等,制作大于闸门宽、高的土工合成材料软体排,排底坠重物,如钢管、水泥管等,先在闸门前沉放土枕,再紧靠闸门将软体排挂放在闸门前,并在软体排前抛投土袋和粘土,使其闭气。

三、工程实例

1998 年 7 月中旬,正值主汛期,黄河山东菏泽刘庄引水闸在关闭闸门时,一孔闸门落到约0.35 m高度时被卡阻,闸孔流量约13 m^3/s,此时黄河流量2 300 m^3/s,闸前水深已达5.25 m,且水位不断上升,闸孔泄流量不断增大,长时间下去将有可能引起闸门的局部损坏等险情。山东黄河河务局技术专家组赶赴现场,制订了用柳石枕塞堵和挂土工布软体排挡水的抢堵方案。即用双层土工布缝制成10 m×7.1 m软体排,内加尼龙绳,底部拴重使之紧贴闸门放下,解决了闸门顶止水处和闸孔底部漏水的问题。

参考文献

1　GB50290—98　土工合成材料应用技术规范.北京:中国计划出版社,1998

2　水利部.SL/T225—98　水利水电土工合成材料应用技术规范.北京:中国水利水电出版社,1998

3　水利部.SL260—98　堤防工程施工规范.北京:中国水利水电出版社,1998

4　土工合成材料工程应用手册编写委员会.土工合成材料工程应用手册.北京:中国建筑工业出版社,1994

5　王运辉.防汛抢险技术.武汉:武汉水利电力大学出版社,1999

6　李希宁,孟祥文.菏泽市刘庄引黄闸闸门抢堵与启示.人民黄河,1998,(11)

7　李希宁,孟祥文,孙振杰,等.山东黄河土工合成材料的应用与展望.人民黄河,2000,(1)

8　李希宁,孟祥文,等.土工合成材料用于堤防漏洞抢护试验研究.水利建设与管理,2000,(4)

9　水利部黄河水利委员会.防汛抢险技术.郑州:黄河水利出版社,2000

第八章　土工合成材料工程的施工与运用

第一节　概　述

前几章介绍了土工合成材料的性能特点,以及在水利工程中防渗、反滤、排水、护岸、加筋、抢险等方面的设计选用、施工方法等。其广阔的应用范围和领域,优良的性能、特点,对提高工程质量,增强工程抗击洪水能力具有重要作用。

土工合成材料的应用可以说是一个系统工程,从产品生产—设计选用—运输—储存—施工—管理,各个环节密切相关,都应严格按有关规定和规律进行,才能保证质量。首先要有过硬的土工合成材料产品,其次是科学合理的设计,第三是精心施工和管理,达到设计要求,使之安全运行等。一个环节达不到要求,将无法保证土工合成材料正常发挥作用。设计选用的材料再科学再合理,不科学施工,达不到设计要求,也无法发挥土工合成材料的作用。有的施工队伍,不讲究施工技术,而造成工程的失败。如湖南华容县在抛投软体排时就有因施工质量问题而失败的例证。长管袋充填技术,不仅需要优质的土工合成材料,也需要有精干的施工队伍。同样一个厂的产品,在这个工程上由技术比较高的队伍施工是成功的,而在另一个工程上由于换了别人,却几乎是失败的。江苏宾海围堰充灌就有这方面的例证。上海在模袋和长管袋充灌方面也有类似的现象,基本属于施工技术欠缺问题。所以说土工合成材料工程的施工是一个非常重要的工作,它是一项牵涉面广,技术性强的工作,必须认真、慎重地进行。同样科学的运行管理,才能更好地发挥工程效益。多年来,我国工程建设中存在重建轻管的思想,使许多工程得不到良好的维护,只能带病作业,不仅不能很好地发挥作用,而且存在危险性。土工合成材料的应用可以减少维护费用,使管理更简单,但绝不是不用维护,对这一点应有清醒的认识。而土工合成材料工程的运行观测,可以了解其运行的效果和作用,检验设计的合理性,对今后的设计改进、提高具有重要意义。本章重点介绍土工合成材料的储存、工程施工中较普遍性的问题以及工程的运行观测、管理等。

第二节　土工合成材料的储存保管

土工合成材料是以高分子聚合物为原料的化纤产品,在阳光照射下易发生强度降低现象,即老化(详见第二章第三节,土工合成材料的老化与耐久性)。尽管在加工制造时采取了一些防止老化的措施,在地下或水下能正常使用几十年,但和其他物质一样老化是不可避免的,对永久性建筑物而言,当然寿命越长越好,因此在各个环节都应注意保护,使其老化速度尽可能地降低。

一、土工合成材料的采购、验收及运输

土工合成材料的采购，要严格按设计要求的各项技术指标选购，如物理性能指标、力学性能指标、水力特性指标、耐久性指标等都要达到设计要求的标准，并签订购买合同，合同必须写明材料的类型、性能、检测报告、验收报告、验货方法、方式等细节。送货时对产品要严格验收，产品应有标签，表明生产厂家、生产日期、产品规格、检测报告等。并应检验实验单位的检测实验报告。由用户进行抽样检查，抽查率应多于交货卷数的5%，最少不应小于1卷，内容可按合同规定。

运送时不得使土工合成材料直接受阳光的照射，应有篷盖或包装，并避免机械性伤害，如刺破、撕裂等。

二、土工合成材料的储存与保管

对于防汛用土工合成材料，应提前备料，需要加工的，如各种型号尺寸的软体排、滤水软体排等，要在汛前加工完毕，存放在专门的仓库中备用，并要避免阳光的直接照射。因土工织物质地柔软，存放在仓库时，易被鼠咬，要注意防鼠；苇根等植物会穿破土工织物，因此仓库地坪要平整，注意清除杂草。

土工合成材料的种类繁多，用途不一，要分别存放，并按用途分别标明进货时间、有效期、材料的型号、性能特征及主要用途。发货时，每批货要有标签，注明进货时间、有效期限、材料的名称、型号、性能和主要用途等。取货时要按所需指标领取，并认真检查。保管人员要加强有关知识的学习，掌握基本用途，避免发货出错。所有土工合成材料的存放期不得超过产品的有效期限。

产品在工地存放时也应避免阳光的照射，避免苇根等植物的穿透破坏，一般应搭设临时存放遮棚，如果工期较长，或由于某种原因，土工合成材料较长时间受阳光照射，应用前要进行必要的物理性能指标测试，合格后才能使用。当土工合成材料的种类较多、用途不一时也应分别存放，并标明性能指标和用途等。存放时还要注意防火等。

第三节　土工合成材料工程施工与质检要求

一、施工要求

水利工程如水库大坝、河流堤防多属于一类建筑物，一旦失事人民生命财产将受巨大损失，对工程质量要求较高。在水利工程施工中必须考虑水流的各种影响，因而增加了施工难度和复杂性，土工合成材料的应用使施工变得简单许多，但对施工技术和质量的要求更加严格。这里只对共性的问题分防渗、反滤、排水、垫层和护岸防冲、加筋加固两大部分，作如下综合说明。

(一)防渗、反滤、排水、垫层等工程施工的一般要求

(1)施工前检查。土工合成材料在使用前要严格检查型号、规格是否符合要求，用作反滤、垫层、排水层铺设时，有扯裂、蠕变、老化的土工织物均不得使用。

(2)备料。根据工程部位、大小,按设计要求裁剪、拼接;防渗用土工膜尽量用宽幅,以减少拼接量,最好预先拼接成要求尺寸,卷在钢管上后运至工地。

(3)土工合成材料接触面的处理。早在20世纪80年代初,河南省水科所曾对土工织物反滤层进行如下施工破坏试验:①选一块平整无石块及杂物的坡面,铺上非织造织物,上铺厚10 cm粒径2~4 cm的碎石,将重75 kg的块石,举高80 cm后自由落下,非织造织物完好无损;②在平整无碎石、杂物的坡面上,平铺非织造织物,将重75 kg块石,高举80 cm后自由落下,非织造织物上仅有凹在土坡内小坑,但非织造织物完好无损;③在平整好的坡面上放一小石块,上铺非织造织物,再铺覆盖层10 cm粒径2~4 cm的碎石,将75 kg的块石,由40 cm高击落在土工合成材料上,非织造织物被刺破几个小洞;④在平整、无碎石的坡面上,平铺非织造织物,在其上撒2~4 cm厚的碎石,将75 kg的块石放在垫层上扭转180°,搬去石块,扒开碎石,织物完好,没有损坏。这个试验表明,只要铺设面在施工前进行处理,清除表面一切可能损伤土工合成材料的带尖棱硬物,使地面平整,土工合成材料不易被损坏。所以在进行土工织物施工时,铺设面要清除坚硬的物体,这是保证土工织物施工质量的关键。

(4)铺设松紧度控制。施工铺设时,土工合成材料不能过紧,以免施工过程中产生过大变形,需保持一定的松紧度。铺设时要自下游侧开始依次向上游侧进行,坡面上铺设一般应自下而上进行。坡顶、坡脚设锚固沟。反滤及垫层施工时,当坡度较陡时,应加钉固定。

(5)拼接与连接。铺设土工合成材料,一定要保持其连续性、整体性,做好与其他结构物的连接,特别是土工膜防渗应与岸坡和其他一切防渗体密接,构成完全封闭体系;土工织物当幅宽和长度达不到工程要求时,做好接缝、接头。接缝的方法有搭接、缝接和粘接等。

搭接是将相临两块织物重叠一部分,平地重叠搭接宽度可取30 cm,不平地面或极软土应不小于50 cm;水下铺设应适当加宽。流水中铺设,搭接处上游块应盖在下游块之上。用于反滤、排水、垫层等工程,但如果反滤、排水、垫层织物上面铺有沙子,不宜采用搭接方法,因沙子易挤入两层之间而使织物分离,影响织物工作效能,甚至发生事故等。

缝接是应用尼龙线或涤纶线将两块织物缝合在一起,缝接形式见图8-1,有平接、对接、J字形接,蝶形接等四种。在现场缝合时,可用便携式缝包机缝合。

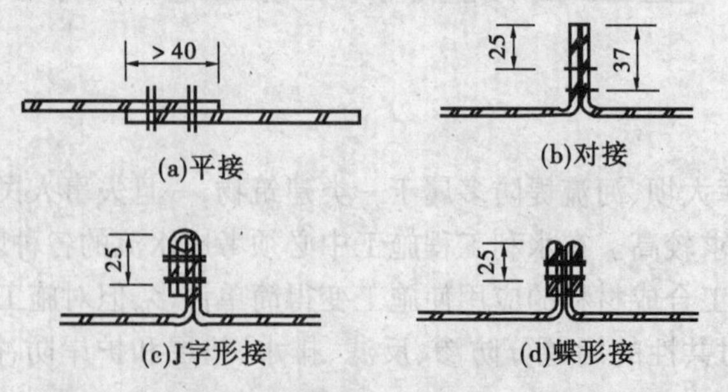

图8-1 接缝形式 (单位:cm)

土工模拼接是土工膜防渗设施施工的一道关键工序,拼接方法有热熔焊法和胶粘法两大类,可根据膜材种类、厚度和工具等情况优选采用。热熔焊法有专用焊接设备,接缝抗拉强度较高,焊接速度快,质量易于保证,应用普遍,当采用双条焊缝时,焊缝搭接长度应不小于10 cm,两条焊缝之间应留有不小于10 mm的空腔。胶粘法仅用于局部修补和工程规模较小、拼接工程量不大、焊机租用困难的情况,两膜拼接长度一般为 8~10 cm,不小于 5~7 cm,为了保证粘接质量,应选用性能稳定、在水中不溶解的粘结料,并应进行拼接试验。

(6)铺设时施工人员应穿软底鞋,不得抽烟,以免损伤土工合成材料。

(7)铺设后要严格检查,发现有破损,应立即修补或更换。同时要注意施工时防止阳光的暴晒,铺设完后应及时铺保护层。

(8)回填料不得有损于土工合成材料,尽管铺设面清除杂物后,土工织物不易损坏,但也要避免大块石等硬物的抛砸。土工膜保护土层厚一般为 30~40 cm,寒冷地区适当加厚。

(9)测仪器的安装等要根据施工情况及时进行,施工中要注意保护。

(二)护岸防冲、加筋加固工程的施工要求

这里重点介绍软体排、模袋和加筋工程。

(1)施工前检查。检查所用材料及加工制作是否符合设计要求,有无损坏等。

(2)清理铺设面。清除有可能损坏土工合成材料的杂物。

(3)展开或沉放。模袋水下施工要借助船或潜水员,水浅时可打桩定位,达到铺设到位;软体排可现场制作,在专用船上实施;加筋工程的铺设可用人工拉直筋材,保证筋材不褶皱,铺设人员应穿软底鞋。

(4)充填或压载。模袋的充填要自上而下、从两侧向中间进行充填,充填的骨料及其坍落度、充填泵的压力、输送距离等要严格按设计控制,以免塞堵管道。充填压力一般不宜小于200 kPa,泵送距离不宜超过50 m。加筋工程的填土,在平面上填土由堤轴处向两坡侧推进时,填土不应太高;施工机械的大小与重量不得使车辙深于 7~8 cm,碾压不得过压。

(5)水下施工要注意安全,模袋施工时,水深超过2 m,应有潜水员配合控制水下充填和铺设质量。

(6)充沙管袋沉排、软体排水上部分施工时要注意防老化,及时铺设保护层。

(7)观测仪器的安装等要根据施工情况及时进行,在施工中要注意保护。

二、采用先进的施工技术

随着土工合成材料的推广应用,更加先进的施工技术方法也不断涌现,使新材料的施工更快捷、质量更好。例如在土工膜的接缝方面,已发展到利用专用机械焊接,在比较重要的工程上为了保证质量,要求采用双道焊接缝。

护坡护底沉排早在 20 世纪 80 年代就发展为装配式,就是将土工织物与其上面的盖重组装成大片的整体,然后以吊装的方式进行铺设,既解决了水下施工的难题,又使水上水下连成一片,而且比较美观。

平面土工膜展开机具、混凝土模袋充填施工设备及工艺,特别是塑料排水板工程施工用的插板机、垂直铺塑截渗施工用的开槽机等,都作了不少创新和改进。

垂直铺塑技术是20世纪80年代末期发展起来的。福建是第一个运用开槽机开槽进行垂直铺塑的,解决了堤坝地基的渗漏,开槽深度从8 m左右开始发展到12～15 m。1989年山东省水科院也研制开槽机垂直铺塑技术,1990年在胜利油田孤东水库采用该技术获得成功,目前已研制成功了适用于不同地质情况的刮板式、旋转式、往复式三种型式的开沟造槽铺塑机,可分别适用于砂砾层、砂卵石层及粘土层,造槽宽度16～30 cm,开槽深度达10～15 m。1990年辽宁省开原市康原水文地质垂直防渗公司研制成功了链条式开槽机,用于垂直铺塑技术建造地下连续墙工艺,同年获国家专利。垂直铺塑截渗技术将开沟造槽、塑膜铺设、沟槽回填融为一体,使之同步进行,连续作业,最大限度地缩短了空槽时间,具有施工速度快、效果好、结构简单、投资省的特点。据试验,槽宽20 cm、槽深15 m,一个台班可施工15～20 m,即240～300 m^2。开槽机整体结构较简单,易操作,形成的塑膜帷幕连续、均匀,整体防渗效果好。据分析,每平方米的投资仅为混凝土截渗墙的1/3～1/2。

三、土工合成材料工程施工质量控制

随着我国基本建设工程推行"三制"改革,施工单位应建立完善的质量保证体系,建设(监理)单位应建立相应的质量检查体系,分别承担工程质量的自检和抽检任务,实行全面质量管理。对质量控制的工作程序、事故处理、数据处理等均应符合SL176—96《水利水电施工质量评定规程(试行)》的规定,质检人员要认真负责。对土工合成材料工程施工质量的检查,要抓住关键环节和重点部位,严格把关,使之发挥更好的作用。

1.土工膜防渗工程接缝检查

接缝粘合质量,与其他结构物结合的牢固性等是否符合设计要求。接缝检查的方法有目测法、现场检漏法和抽样测试法。

(1)目测法:观察有无漏接,接缝是否无烫损、无褶皱,是否拼接均匀等。

(2)现场检漏法:应对全部焊缝进行检测。常用的有真空法和充气法。真空法是利用包括吸盘、真空泵和真空机的一套设备。检测时将待测部位刷净,涂肥皂水,放上吸盘,压紧,抽真空至负压0.02～0.03 MPa,关闭气泵,静观约30 s,看吸盘顶部透明罩内有无肥皂水泡产生、真空度有无下降。如有,表明漏气,应予补救。充气法是利用焊缝为两条时,两条质检留有约10 mm的空腔,将待测段两端封死,插入气针,充气至0.05～0.20 MPa(视膜厚选择),静观0.5 min,观察真空表,如气压不下降,表明不漏,接缝合格,否则应及时修补。

(3)抽样测试法:约1 000 m^2取一试样,做拉伸强度试验,要求强度不低于母材的80%,且试样断裂不得在接缝处,否则接缝质量不合格。

2.土工织物反滤层、垫层、排水层检查重点

检查所用土工织物的质量和规格是否合格,搭接宽度和缝合(或粘合)质量是否符合设计要求。

3.土工织物防护工程检查重点

检查使用的材料品种、规格、性能,是否符合设计要求;抽检施工所用土袋、土工织物软体排等物料的尺寸、重量、结构等,是否与设计要求相符;施工方法是否符合规范,对土

工合成材料有无损坏;完工后,检查水上、水下抛护体的范围、高程、厚度以及不同类型防护工程的施工质量,是否与设计要求相符;植被防护工程的种类、草种是否符合设计要求,施工质量是否达到设计要求。

4.土体加筋加固工程检查重点

检查碾压是否符合设计要求,是否引起筋材的变形;包裹是否达到设计要求等。

5.观测仪器检查重点

检查观测仪器设备的类型、规格、数量是否符合设计要求,埋件编号和率定资料是否齐全;检查埋设位置是否符合设计要求,埋设安装质量是否符合有关规范规定;观测设施的外露部件,是否已有防护措施等。

四、抢险工程的善后处理

汛期抢险是防汛紧急时期所采取的应急措施,属临时性工程措施,受当时各种条件的制约,一般具有抢修快、标准低的特点,技术上很难达到规范合理。因此,汛后应按防洪标准整修或加固,但有些施工质量有保障的也可继续利用。对主要险情可分以下情况分别采取不同的措施处理。

(1)漏洞和贯穿堤防的横缝。虽然汛期已将漏洞或裂缝抢住,但漏洞和裂缝的发生已破坏了原有堤防的整体性,在抢护过程中,可能有部分土袋被冲进漏洞内部,堤身内有可能是空洞,仍是隐患。汛后要开挖翻修,清除土工合成材料。

(2)各种型式的土工合成材料子埝、防浪排体以及那些长期暴露在阳光下的土工合成材料工程,都应清除。

(3)坍塌、散浸险情抢护中,采用的土工合成材料软体排,施工质量有保证,排体抗滑稳定的,可考虑继续利用,而不必清除。对散浸的堤段,若采取帮临措施加固时,更不必清除软体排。但软体排用的易腐烂的木桩等必须清除。

第四节　土工合成材料工程的运行管理

土工合成材料的应用虽然只有几十年的时间,但发展速度很快,应用领域十分宽广,许多应用领域属创造性的探索,有许多工程技术问题需要不断地实践、总结、完善和提高。因此,加强土工合成材料工程的管理、观测工作具有重要意义。

一、工程管理维护

工程竣工验收后,要及时移交工程管理部门管护。管理部门要按照有关规定,制定管理办法,指定专人管护观测,平时要加强日常的管理养护。如雨后及时填垫水沟浪窝,清除杂草,避免土内土工合成材料的外露,防止动物、人为的破坏,检查观测仪器设施的完好等,保持工程完整、美观。汛期高水位时按有关规定查险,确保工程正常、安全运行。制定观测制度,加强工程的运行观测。

二、运行观测

土工合成材料工程的运行观测是监视土工合成材料用于堤防、坝岸等水利工程后的运行安全情况，掌握汛期土工合成材料在各工程部位的工作情况和形态变化。一旦发现有不正常现象，可及时分析原因，采取防护措施，防止事故发生，保证工程安全运行，并可通过原型观测积累观测资料，检验设计的正确性和合理性，为科研、设计积累经验，逐步提高土工合成材料在水利工程中的设计水平。

设计中要根据工程等级、结构型式等条件，按照工程管理运用的实际需要与可能进行设计。一般工程可按常规设计观测仪器和内容，如水库闸坝工程和河道整治工程设计观测断面、水尺，防渗工程设计测压管等；而一些带有试验目的的工程要根据试验需要设计，如增加土工织物位移、抗拉强度等设备仪器；另外土工合成材料的应用处在不断发展和完善的阶段，许多单位属首次应用，建议在设计时尽可能地多设计观测仪器，进行必要的原型观测，为大面积推广应用积累经验，逐步提高应用水平。

工程主要观测内容和要求如下：

(1)模袋混凝土、冲泥浆管袋筑坝、软体排护坡护底等河道整治工程的观测内容。

①河势、水位和流速观测。河势观测以目估为主，判断主溜位置和河宽，掌握观测坝靠溜情况；水位观测主要指预设的水尺观测；流速观测用流速仪测流速。要求：

河势观测：靠河坝岸每日8时观测；特殊情况下，如水位骤降、溜势突然变化等酌情加测。

水位观测：汛期每日8时观测，洪水期每2 h观测一次，洪峰时期每1 h观测一次。

流速观测：据情况对观测重点靠溜部位实测。

观测情况要及时记录、汇总、整理。

②排体观测。

观测断面设置：丁坝至少设5个观测断面，分别为上跨角、坝前头、下跨角、坝后模袋边、坝前模袋边，迎水面长的要加测断面。

断面观测方法：利用超声波根石探测仪或锥探方法测试。正常年份，汛前、汛期、汛末各观测一次，汛期如发生中常洪水应加测2～3次，并将结果绘制断面图。

排前地形及排体变形观测：利用全谱扫频式数字水底剖面仪，对个别坝进行水下地形、排体沉降变形观测。

开挖观测排体变形：为了详细了解沉排沉降规律，可在非汛期断流时，对部分排体进行开挖，观察排体通道断裂部位，铰链绳受力、磨损状况等。

观测要求：每处工程均指定专人负责，严格按要求观测，实事求是地观测记录、整理分析和撰写观测报告；及时掌握工程运用情况，如发现排体上部护坡有部分蛰动出险，立即上报，说明出险部位，并提出抢护意见。

(2)堤坝防渗工程观测一般是测压管测渗观测、堤防位移、土工膜位移观测、防渗膜上的保护层是否完整等。土石坝应用土工合成材料的观测工作，按SL60—94《土石坝安全监测技术规范》要求进行。

(3)反滤、垫层、排水工程，观测反滤、排水效果；观测垫层在风浪的作用下有无失效现象,以及覆盖层的完整性情况等。

(4)加筋工程主要观测材料的受力、变形情况,加筋后土体内摩擦角的变化、位移观测等。

参考文献

1 水利部.SL260—98 堤防工程施工规范.北京:中国水利水电出版社,1998

2 水利部.SL/T225—98 水利水电工程土工合成材料应用技术规范.北京:中国水利水电出版社,1998

3 水利部.SL60—94 土石坝安全监测技术规范.见:现行水利水电工程规范实用全书(第3卷).北京:兵器工业出版社,2000

4 土工合成材料工程应用手册编写委员会.土工合成材料工程应用手册.北京:中国建筑工业出版社,1994